D1604067

LE SENS
RHÉTORIQUE

DU MÊME AUTEUR

Rhétorique générale (en collaboration avec le Groupe μ), Paris, Larousse, coll. Langue et langage, 1970 ; rééd. Seuil, coll. Points, 1982.

Style et Archaïsme dans La Légende d'Ulenspiegel *de Charles De Coster*, Bruxelles, Palais des Académies, 1973, 2 vol.

Rhétorique de la poésie : lecture linéaire, lecture tabulaire (en collaboration avec le Groupe μ), Bruxelles, Éditions Complexe, 1977.

Collages (en collaboration avec le Groupe μ), Paris, U. G. E., coll. 10 / 18, 1978.

A Semiotic Landscape / Panorama sémiotique : actes du Premier Congrès de l'Association internationale de sémiotique (sous la direction de Umberto Eco, Seymour Chatman et Jean-Marie Klinkenberg), La Haye, Mouton, coll. Approaches to Semiotics, 1979.

Rhétoriques, Sémiotiques (en collaboration avec le Groupe μ), Paris, U. G. E., coll. 10 / 18, 1970.

Adaptation française de *Le Signe. Introduction à un concept et à son histoire*, par Umberto Eco, Bruxelles, Labor, coll. Media, 1988.

La Littérature française de Belgique (avec Robert Frickx), Paris, Nathan / Bruxelles, Labor, 1980.

Langages et Collectivités : le cas du Québec (en collaboration), Montréal, Leméac, 1981.

Trajectoire : littérature et institutions au Québec et en Belgique francophone (avec Lise Gauvin), Montréal, Presses universitaires de Montréal, Bruxelles, Labor, 1985.

Charles De Coster, Bruxelles, Labor, 1985.

Raymond Queneau, André Blavier : lettres croisées (1949-1976), correspondance présentée et annotée par Jean-Marie Klinkenberg, Bruxelles, Labor, coll. Archives du Futur, 1988.

Rhétorique et Sémiologie de l'image visuelle (en collaboration avec le Groupe μ), à paraître.

Jean-Marie Klinkenberg

LE SENS RHÉTORIQUE

ESSAIS DE
SÉMANTIQUE LITTÉRAIRE

Éditions du GREF
Collection Theoria n° 1
Toronto

Éditions Les Éperonniers
Bruxelles

1990

Données de catalogage avant publication (Canada)

KLINKENBERG, Jean-Marie, 1944-
  Le Sens rhétorique
(Collection Theoria ; n° 1)
Comprend des références bibliographiques et des index.
ISBN 0-921916-11-6

  1. Sémantique. 2. Rhétorique. 3. Poétique.
I. Titre. II. Collection.

P325.K44 1990   401'.43   C90-090550-6

Directeur de publication : Alain BAUDOT.
Saisie du manuscrit : Dominique O'NEILL (Microsoft Word.4) ;
  Alain BAUDOT (QuarkXPress).
Révision et préparation de la copie : Alain BAUDOT, Dominique O'NEILL
  et Corine RENEVEY, avec l'aide de Sylvie CLAMAGERAN, Ysolde NOTT
  et Marie-Louise PROCTOR.
Maquette : Gerard WILLIAMS et Alain BAUDOT, avec l'aide de
  Communications, Université York.
Composition : GREF, avec l'aide de Patrick O'NEILL.
Impression et brochage : imprimerie COOK, Etobicoke (Ontario).

© Octobre 1990
  Éditions du GREF   **Éditions Les Éperonniers**
  Collège universitaire Glendon   Rue des Éperonniers, 57
  Université York   B-1000 Bruxelles
  2275, avenue Bayview   Belgique
  Toronto (Ontario)   ISBN : 2-8713-2218-X

Illustration de couverture : Le Sens rhétorique *(1988), fusain sur papier spécialement créé pour cet ouvrage par Rudy P*IJ*PERS.*

À Claudine.

PRÉSENTATION

Le lien entre langue et littérature est net : la première est la matière de la deuxième. Mais les relations entre sciences de la langue et sciences des lettres sont plus floues. Celles-là peuvent-elles quelque chose pour celles-ci ? Et si oui, jusqu'où peut aller leur aide ? Et à quelles concessions les partenaires sont-ils amenés pour s'unir ?

Voilà des questions auxquelles le présent livre voudrait répondre. C'est dire qu'il s'inscrit dans une tradition ouverte au cours des années soixante : celle de la poétique. Mais les débats sur ce terrain font bien moins rage aujourd'hui qu'hier. Et c'est pourquoi l'ouvrage relève de deux genres distincts. D'une part, il entend contribuer à la recherche, en proposant des solutions aux problèmes évoqués. Mais, paraissant à une époque où il semble possible de faire les comptes, il se veut aussi didactique. Il balisera donc un terrain que l'étudiant ou le curieux a le droit de trouver accidenté : il discutera des thèses célèbres et il inscrira la poétique dans l'histoire des disciplines qui se sont donné des objets proches du sien.

Cette double préoccupation explique le plan suivi. Dans la première partie, nous planterons le décor. Nous y présenterons les travaux de ceux qui, au cours du siècle écoulé, ont voulu appliquer à la littérature la jeune science de la langue : les stylisticiens d'abord, les poéticiens ensuite. Ce récit — qui contribuera peut-être à expliquer quelques-unes des orientations nouvelles de la linguistique contemporaine — ne prétend pas ouvrir de perspectives originales. Toutefois, le regard sera critique, et le fait que nous consacrerons tout un chapitre à la démarche rhétorique indiquera déjà un choix méthodologique.

La deuxième partie sera consacrée à la notion de *texte*. Elle sera nettement moins œcuménique : quoique offrant encore un certain nombre d'informations, elle se fondera sur une approche théorique et une seule. Nous commencerons par proposer un modèle du *langage poétique*, où ce dernier se voit défini, assez classiquement, par son haut degré de polysémie. Mais au cours de la démonstration, il apparaîtra que ce langage — qui est plutôt une parole — n'est pas propre au seul genre littéraire connu sous le nom de poésie, ni même à la seule littérature. Cette parole exploite des potentialités de la langue que négligent les théories les plus classiques de la communication, mais ces potentialités se déploient aussi dans la vie quotidienne, dans le discours idéologique, dans la publicité, etc.

En décrivant ce modèle de langage, nous n'aurons décrit qu'un objet statique dans sa totalité. Or, on le sait d'expérience, les textes se lisent. C'est-à-dire qu'on les appréhende dans un ordre séquentiel. Que la lecture linéaire débouche sur ce que l'on a nommé « l'espace du texte » ne nous dispense pas d'étudier le processus de lecture. C'est au cours de cette lecture que s'élabore en effet la pluralité des sens qui définit le langage poétique. Nous examinerons donc d'abord ce qui fonde la notion de texte — et ce sera le chapitre IV, consacré à la notion d'*isotopie* ; ensuite, ce qui établit le sens pluriel dans le texte — nous parlerons alors de *texte rhétorique* ; nous tenterons enfin de définir la particularité des *textes poétiques* *stricto sensu* au sein de la classe des textes rhétoriques. Ce sera l'objet du chapitre V, complété par un examen du fonctionnement textuel dans un corpus dont on pouvait a priori penser qu'il serait rebelle à la méthode d'analyse proposée : le *texte d'avant-garde*.

La troisième partie s'intitule « Ouvertures ». C'est avouer que les propositions qui s'y énoncent sont plus hasardeuses encore, et qu'arrivé à ce point, nous abandonnerons définitivement la prétention de couvrir tout le terrain.

La première ouverture est tentée en direction de la science du langage. En voulant réaliser son programme — créer une linguistique du texte littéraire — la poétique a ouvert une boîte de Pandore. Elle n'a pas vraiment résolu son problème, mais en a découvert d'autres, sur lesquels elle a le droit de se pencher aujourd'hui. Il s'est vérifié une fois de plus que la véritable interdisciplinarité, loin d'être juxtaposition passive ou éclectisme de bonne compagnie, procède nécessairement à un bouleversement des domaines mis en présence et des méthodes qui y sont pratiquées. La poétique — entre autres préoccupations nouvelles — a ainsi forcé la linguistique à accepter de nouveaux outils théoriques. Le chapitre VII décrit un de ces outils : le concept d'*encyclopédie*. Mais il n'y a pas que la linguistique qui soit sortie transformée du bain poétique. La littérature aussi a été affectée par son contact avec les sciences qui font profession de se pencher sur elle. L'idée de littérature a varié, jusque chez ceux qui la font. Nous serons à l'écoute de certains de ceux-là au chapitre VIII, consacré à l'Ouvroir de Littérature Potentielle. La troisième ouverture — au chapitre IX — permettra de boucler la boucle. Le livre s'ouvre sur un état de la stylistique. Les avatars de cette discipline l'ont amené assez loin — on le verra — de l'objet que son nom semblait lui réserver : le style. C'est cet objet que nous retrouvons au terme de notre quête, mais sous l'éclairage neuf que jette sur lui la *sémiotique*.

On sait que, dans son *Cours*, Ferdinand de Saussure concevait la linguistique comme la partie d'une science plus vaste, encore à délimiter, mais qu'il fondait en droit en la nommant *sémiologie* — terme auquel on préfère de plus en plus celui que nous avons utilisé — et en la définissant comme l'étude de tous les systèmes de communication par signaux (langage, écriture, codes maritimes) et peut-être aussi de tous les faits de signification (rites de politesse, mode, etc.). Mais ce schéma a été rapidement ébranlé par les progrès mêmes de la linguistique, au point que certains ont pu renverser la proposition saussurienne en subordonnant la sémiotique à la linguistique.

Quoi qu'il en soit de ces relations, les changements de perspective survenus ces vingt dernières années ont tous un lien avec le même thème : la rupture de l'isolement du code. La linguistique ayant dû sélectionner un objet prioritaire dans tous les phénomènes liés au langage et à son exercice, elle s'est d'abord donnée, à partir de l'indispensable dichotomie langue / parole, comme une science du code. Mais cet isolement ne pouvait être que temporaire, et les distinctions d'un très haut rendement épistémologique que seul il a rendu possible ne pouvaient faire oublier que le code n'est qu'un des facteurs de la communication et que le discours est fondamentalement dépendant de tous les autres.

La rupture de cet isolement est-elle prématurée ? C'est peut-être en ce point que gît l'essentiel des incompréhensions entre certains linguistes de très stricte observance et les sémioticiens. En tout état de cause, on doit voir qu'elle rend à la recherche des préoccupations un instant mises entre parenthèses : les rapports du signe au référent, des partenaires de la communication au contexte, du code à l'énoncé ne sont-ils pas déterminants dans l'élaboration de la signification ? Ainsi, le constant échange entre la linguistique et la sémiotique propose de nouvelles priorités et donne une portée nouvelle à certains concepts méthodologiques déjà élaborés. Parmi ces nouvelles priorités, l'étude de l'énonciation dans le cadre de la pragmatique et, au-delà, celle des conditions de la communication ; l'étude transphrasique, et singulièrement l'analyse du discours et de son organisation. Parmi les concepts débordant peu à peu leur aire d'origine : ceux d'embrayeur et de connotation, convergeant vers le point précis où se noue la relation constante entre le discours et son émetteur d'une part, les catégorisations du monde discursif de l'autre.

L'énonciation, on le sait, doit être rigoureusement distinguée de l'énoncé. Alors que ce dernier peut être délimité et facilement rendu palpable (observation qui a sa contrepartie en poétique dans le postulat de la clôture et de l'immanence du texte), l'énonciation est un procès individuel d'utilisation du code, mettant en jeu des émetteurs et des récepteurs en interaction continuelle entre eux et avec les ensembles de situations qui les entourent. Les efforts vers une approche scientifique de l'énonciation, qui constituerait en quelque sorte la linguistique de la parole que récusait Saussure, sont récents. Outre que cette étude échappe aux cadres, même élargis, de la linguistique, puisqu'elle envisage la parole non seulement comme modèle de performance mais aussi comme une action, l'énonciation n'est pas un objet de connaissance directement observable (mais conçoit-on un objet directement donné ?) puisqu'on ne peut l'appréhender que dans son produit, l'énoncé. Une des façons d'aborder la difficulté est de replacer l'énonciation, en tant qu'action, dans une étude anthropologique des conduites symboliques. On conçoit l'intérêt que la sémiotique littéraire peut trouver à de pareilles études. Loin de réintroduire la vieille confusion entre le « poète », le « créateur » et son « œuvre », elle aide à distinguer plus clairement textes et productions de textes en montrant comment s'instituent leurs relations, et celles qui les unissent au récepteur. Mais elle apporte aussi et surtout sa contribution à l'examen des structures narratives en fournissant un appareil conceptuel éclairant la dichotomie discours / récit.

Devant la somme de questions ainsi posées par la marche rapide de la linguistique et de la sémiotique, le lecteur peut être pris d'un doute : à trop embrasser, ne risque-t-on pas de mal étreindre ? L'organisme en croissance ne risque-t-il pas d'engendrer ses propres anticorps ? On peut le penser lorsqu'on constate que les progrès effectués amènent parfois à formuler sur la nature des textes des observations qui, fort paradoxalement, rejoignent les thèses autrefois élaborées dans le contexte philosophique bien dépassé du crocéisme. Les thèmes qui reviennent sont ici le rapport du texte avec son référent (ou son pseudo-référent) et son caractère clos. Pourtant, le souci de l'énonciation, détournant l'attention du code sur l'énoncé, ne doit pas être un prétexte à hypostasier celui-ci (voire à le sacraliser : on peut s'interroger sur les majuscules dont le mot *Texte* s'est vu de plus en plus affecté). Or c'est bien cette tendance qui se profile derrière la phrase de Levin : « Le poème engendre son propre code, dont le poème est le seul message ». Mais on a opportunément pu rappeler que le texte littéraire restait doublement un objet linguistique : comme langage fini où, conformément à l'assertion de Levin, système et discours coïncident, mais aussi comme manifestation d'un langage naturel. Cette double sujétion, qu'on ne peut récuser, donne une grande complexité au phénomène de la perception littéraire en même temps qu'elle interdit de rejeter avec légèreté le recours au code et au modèle de communication (ou à ses expressions épurées, comme les langages mathématiques), bonnes bases de comparaison pour étudier la spécificité du langage poétique.

Ces discussions nous paraissent symptomatiques des deux dangers qui guettent la sémiotique dans son développement : l'idéalisme et le positivisme. Le premier est peut-être le plus menaçant, en cette ère d'une culture post-moderne qui proclame volontiers la faillite de la rationalité et à qui on aimerait volontiers rappeler les vers de Lucrèce :

> *Et dominos acres adsciscunt omnia posse*
> *Quos miseri credunt, ignari quid queat esse,*
> *Quid nequeat, finita potestas denique cuique*
> *Quanam sit ratione atque alte terminus haerens.*

Ce danger s'insinue à la faveur de certains rejets : rejet, nuancé ou non, de la proposition selon laquelle il n'y a de science que du général, rejet des logiques binaires, d'un métalangage où les mots seraient bi-univoques et l'exposé totalement explicite, rejet du souci expérimental de vérification.

Le second danger a été largement dénoncé au cours de la dernière décennie, et notamment par ceux-là qui réclament l'avènement d'une rhétorique générale ; il se manifeste dans la réduction abusive, en des cadres étroits, des problèmes les plus complexes. Tous deux se retrouvent dans le refus de discuter les présupposés méthodologiques ou idéologiques sous-jacents aux thèses acceptées. Ces deux travers, dont peu de travaux actuels sont exempts, pourraient témoigner de deux façons de concevoir les rapports entre linguistique et sémiotique : ou le rapport maintenu est étroit, et les résultats apparaissent comme sûrs mais pauvres, ou l'on tend à se dégager des modèles de la linguistique saussurienne, au risque de donner la caution métaphorique d'un langage actuel à des erreurs vieilles d'un demi-siècle, sinon davantage. Telle est l'importance des questions en jeu dans le débat passionné que nous vivons.

Une double hypothèque pèse sur ce livre.

La première est l'âge de certaines de ses pages. Car presque toutes ont déjà été publiées, mais de manière très dispersée, tant dans l'espace que dans le temps : une note bibliographique, que j'ai dissimulée à la fin de l'exposé [1], avouera ces errances. La seule refonte que ces articles ont subie est purement formelle : ils ont été redécoupés — parfois de façon importante — de façon à s'articuler de manière cohérente (enfin, de ceci le lecteur sera seul juge) et à éviter les doubles emplois. On a également apporté de nombreuses précisions bibliographiques [2].

Il est fréquent, dans ce cas, de se retrancher derrière « des amis bienveillants », dont la bienveillance est aussi grande, ou aussi suspecte, que le nombre ; amis qui vous auraient assuré que vos textes « conservent encore quelque actualité » et qui, à force « d'affectueuse pression », vous décideraient à « laisser republier » des travaux sur lesquels vous jetez un « regard désabusé ». Que l'amitié — en particulier celle d'Alain Baudot — ait joué un rôle ici n'est pas douteux. Mais, peu soucieux de me faire un rempart du corps mythique de mes complices, j'accepte le péril que me fait courir le temps.

---

1. Ci-dessous, p. 175.
2. Voir la bibliographie, p. 177-212. — Dans les notes en bas de page, les références renvoyant aux articles de revues sont présentées d'abord sous leur forme complète lors de leur première apparition dans un chapitre ; ensuite sous une forme abrégée. Pour les ouvrages, ne sont donnés que le nom de l'auteur et le titre. (N. D. É.)

Car il y a péril à offrir trop de recul à son lecteur : on risque bien de perdre sur deux tableaux. Dans le premier cas, on apparaît comme celui qui a fait des promesses et n'a pu les tenir. Par exemple, celle d'établir les fondements proprement linguistiques de la littérature. Cet espoir un peu naïf a été celui de la poétique naissante (et on en trouve peut-être la trace au chapitre III), mais a été déçu au cours des années qui ont suivi. Pour avoir lui-même tenté de tracer les limites du modèle linguistique dans une *Rhétorique de la poésie* collective, un membre du Groupe µ n'est pas trop mal placé pour percevoir ce qu'il peut y avoir de schématique dans les propositions que l'ère structuraliste avançait à propos de la modélisation du langage poétique, mais aussi pour apprécier ce qui a été fécond dans cette démarche de clarification.

Le second cas est l'inverse du premier. Est-il encore utile de republier des programmes, lorsque ceux-ci ont été réalisés ? Question que je me suis posée à propos des pages portant sur les notions d'isotopie, et de texte rhétorique. La réflexion sur ces points n'a cessé de se développer, et mes lignes sont forcément en retrait sur l'état actuel de la question. Mais sans doute peuvent-elles encore servir de guide, pour faire le tour du domaine agrandi et, en définitive, pour permettre de peser, aujourd'hui, les chances et les risques que présentent les démarches de la poétique.

La seconde hypothèque qui pèse sur l'ouvrage tient à une circonstance sans doute plus rare en sciences humaines.

Une bonne partie des concepts ici discutés l'ont été, à un moment ou un autre, au sein de l'équipe interdisciplinaire qui constitue à l'Université de Liège un Centre d'études poétiques, et qui a publié certains travaux sous le nom collectif et un tantinet mystérieux de « Groupe µ ». Ce qui risque de créer deux problèmes, le premier à l'auteur, le second au lecteur.

Ce dernier trouvera inévitablement, ci-après, des lignes et des pages qui ont été à un moment publiées dans le cadre collectif (c'est notamment le cas aux chapitres V et VI). Rien n'est cependant repris ici qui n'ait été, antérieurement, publié sous ma seule signature. Précision toute juridique, et qui laisse intact le problème de ma dette, laquelle est immense. Sans doute dois-je le meilleur de mes joies intellectuelles au travail qui s'est fait et se fait encore au Groupe µ. Mais s'agit-il encore d'un travail, lorsque seuls les liens de l'amitié — hors de tout programme élaboré par une instance extérieure ou supérieure — ont pu faire que de libres idées circulent, depuis longtemps déjà, entre chercheurs relevant de disciplines bien éloignées ? Le travail collectif a ceci de joyeux qu'on ne sait plus trop, arrivé à un certain point, ce que l'on doit au groupe, et ce que celui-ci vous doit.

L'autre retombée sera supportée par le seul lecteur. Le fait que deux ou trois chapitres soient parallèles à des travaux collectifs risque de rendre son travail malaisé : certaines pages lui apparaîtront comme elliptiques, ou trop denses ; d'autres préparaient la réflexion collective, et manquent donc peut-être de nuance par rapport à celle-ci. Mais il pourra lire les unes et les autres comme une introduction, ou comme un rappel.

Liège-Montréal, 1988.

PREMIÈRE PARTIE

DISCIPLINES

CHAPITRE PREMIER

DE STYLISTIQUE EN POÉTIQUE

Les termes *critique littéraire* sont loin de recouvrir une réalité cohérente. Tantôt, et le plus souvent, ils désignent l'activité qui consiste à juger un objet particulier, d'après une échelle de valeurs dont la nature peut être très variable (esthétique, idéologique, etc.), tantôt, dans un sens très large, ils désignent tout discours tenu sur le discours littéraire. C'est à la seule condition de donner cette dernière signification à *critique littéraire* que l'on peut faire état ici d'activités qui se veulent constitutives d'une science de la littérature. Encore ce dernier terme est-il bien vague ; il peut renvoyer à des préoccupations qui, en soi, sont étrangères à l'objet littéraire : psychologie, sociologie, etc. Nous ne nous intéresserons, ici, qu'à la seule discipline qui se soit explicitement assignée comme but d'étudier ce qui fonde la littérature dans sa spécificité, soit la poétique. Mais dans la mesure où ce panorama se veut historique autant que méthodologique, on ne peut séparer la poétique d'une autre activité partageant avec la première le point de vue selon lequel l'objet à étudier est verbal, et qu'il doit être appréhendé en tant que tel : c'est la stylistique, dont les démarches sont beaucoup plus proches de celles de la critique, au sens trivial du terme, que ne le sont celles de la poétique.

S'il est difficile de fournir ici un panorama réellement encyclopédique, c'est non seulement pour des raisons quantitatives — les travaux relevant des deux domaines visés étant difficilement dénombrables — mais aussi pour des raisons qualitatives, intéressant surtout la stylistique.

Chaque pas de cette discipline a en effet été accompagné de doutes quant aux limites à lui assigner et même quant à son existence ; mais il y a plus : on a pu assister ces dernières années à une redistribution, dans des cases nouvellement découpées dans le champ du savoir, de tous les travaux jusque-là qualifiés de stylistiques, en même temps que naissait, avec son propos théorique et ses exigences méthodologiques propres, la poétique. Non que l'on soit aujourd'hui passé du « désordre insensé » (H. Mitterand) de multiples stylistiques n'ayant rien à voir entre elles (stylistique génétique, stylistique des intentions, des effets, de la langue, etc.) à un consensus général sur l'objet et les pratiques de la nouvelle recherche. C'est tout d'abord le fondement même de celle-ci — l'idée d'une spécificité linguistique de la littérature — qui est mis en question. Mais c'est aussi sa méthodologie ; certains ne craindront pas de répéter à son propos ce que Charles Bruneau disait de la stylistique : « Si l'on se rappelle ce qu'il advint jadis de la tour de Babel, qui ne put être achevée par suite de la confusion des langues, on peut concevoir des craintes sérieuses au sujet de l'avenir de cette science encore au berceau [1]. » Mais bornons-nous pour l'instant à cette dernière — laissant en paix la poétique —, pour observer que, dans une certaine mesure, la prédiction de Bruneau semble s'être réalisée : on se réclame moins aujourd'hui qu'il y a vingt ans de cette stylistique qui ne déclenche plus, comme telle, les controverses ; la redistribution dont nous parlons a fait rentrer définitivement certains types de recherches que l'on croyait autonomes dans l'orbe d'autres disciplines linguistiques (sémantique, psycholinguistique, phonétique) tandis que certains travaux se montrent davantage pour ce qu'ils étaient vraiment : critique littéraire impressionniste, explication de textes, spéculation esthétique, répertoire scolaire de procédés, etc.

Ainsi, le dernier avatar de la stylistique aura été une clarification de ce à quoi elle pouvait et ne pouvait pas prétendre. Si l'on va proclamant la mort de cette discipline — ce qui déclenche chez les uns l'enthousiasme iconoclaste, chez d'autres la protestation effarouchée —,

---

1. Charles Bruneau, « La stylistique », *Romance Philology*, vol. V, 1951-1952, p. 1.

ce n'est cependant pas d'une mort ignominieuse ou par désintérêt qu'il faut parler : c'est de se réaliser que la stylistique meurt aujourd'hui. Et l'on sait ce qui fut et est le moteur de cette révolution : la linguistique qui, depuis quelques décennies, a élargi son territoire de juridiction en y ménageant une place aux questions sémantiques, en refusant de voir dans la phrase l'ultime unité analysable, et plus généralement en posant la question de ses rapports avec la *sémiologie* postulée par Saussure.

L'histoire de la stylistique peut dès lors apparaître sous la forme d'un cercle : d'abord conçue comme une discipline linguistique, elle a peu à peu fait de la littérature son objet, empruntant au passage certains caractères traditionnels du discours tenu sur cette littérature, et débouche sur une poétique qui se veut discipline linguistique à part entière, ainsi que l'a exprimé Roman Jakobson, en une formule saisissante [2].

1. La stylistique de la langue et la littérature

1.1. Développements de la stylistique appliquée

Ce n'est pas ici le lieu de s'étendre longuement sur la pensée de celui qui lança le mot de *stylistique* [3]. Disciple de Saussure et gagné à l'idée de « système de moyens d'expression », Charles Bally était mû par les deux idées suivantes : toute recherche linguistique est illusoire tant qu'elle n'unit point la pensée et le langage ; d'autre part, ce dernier est d'abord fait collectif : non seulement il sert à l'intercommunication, mais encore sert-il au locuteur à se situer dans le tissu social. Mais alors que la linguistique saussurienne tend, pour le besoin de ses modèles, à identifier la communication du langage naturel et la communication scientifique, la stylistique doit mettre l'accent sur les éléments affectifs de la pratique langagière. Dès l'abord, toutes les manifestations individuelles sont bannies : ainsi de l'œuvre littéraire, fait de parole. Pour faire très bref, on peut dire que ce programme recouvre une étude de

---

2. Roman Jakobson, « Closing Statements : Linguistic and Poetics » in *Style in Language* (s. la dir. de Thomas A. Sebeok), Cambridge (Mass.), M. I. T. Press / New York, J. Wiley, 1960, p. 350-377.
3. Sur l'histoire du mot, *cf.* André Sempoux, « Notes sur l'histoire des mots " style " et " stylistique " », *Revue belge de philologie et d'histoire*, vol. XXXIX, n° 34, 1961, p. 736-746.

l'énonciation et des variantes libres. Le rapport entre énoncé et énonciation est appréhendé à travers ce que Bally nomme les effets naturels, qui informent sur les sentiments éprouvés par le locuteur, et les effets par évocation, qui connotent les milieux (sociaux et autres) auxquels tels faits de langue peuvent être rapportés [4].

Parmi les divers développements de cette première stylistique, un seul nous retiendra : une telle discipline ne pouvait manquer de rencontrer sur son chemin le problème de la langue littéraire, pourtant exclue d'entrée de jeu. La raison de cette rencontre ne réside pas uniquement dans l'accident de l'intitulé choisi par Bally, mais bien dans un fait admis confusément dès son *Traité* (« Le langage spontané est toujours en puissance de beauté ») puis plus clairement dans *Le Langage et la Vie* : « La tâche de la stylistique interne est précisément, tout en se confinant dans la langue commune, de mettre à nu les germes du style, de montrer que les ressorts qui l'actionnent se trouvent cachés dans les formes les plus banales de la langue [5]. » En fait, l'opposition n'étant qu'un simple rapport hiérarchique, l'effort à consentir n'était pas bien grand pour faire entrevoir la possibilité d'une étude de l'actualisation de ces propriétés dans des discours particuliers. Et, parmi eux, le discours littéraire.

On sait que Jules Marouzeau introduisit dans la recherche la notion de choix qui, défini comme l'attitude de l'énonciateur vis-à-vis du matériel qui lui est fourni par la structure paradigmatique de langue, nous rapproche évidemment du style [6]. Non que ce dernier concept soit obligatoirement littéraire. Marouzeau va jusqu'à dire que « l'étude du style ne peut être entreprise utilement en fonction des œuvres [7] ». Mais s'il récuse les monographies d'auteur, il se rapproche des thèses esthétisantes en envisageant des monographies de procédés qui examineraient

---

4. Charles Bally, *Traité de stylistique française* ; voir surtout le paragraphe 21b, où Bally entend « séparer à tout jamais le style et la stylistique ». Le *Traité* avait été précédé d'un *Précis* en 1905.
5. Charles Bally, *Le Langage et la Vie*, p. 61.
6. Jules Marouzeau, *Précis de stylistique française*.
7. Jules Marouzeau, « Comment aborder l'étude du style », *Le français moderne*, vol. XI, n⁰ 1, janv. 1943, p. 6. Voir aussi « Nature, degré et qualité de l'expression stylistiques » in *Stil- und Formproblem in der Literatur*, p. 15-18.

les éléments constitutifs de la langue en vue d'observer « le parti qu'on peut en tirer pour conférer à cette langue une *qualité* ». Mot ambigu, et que bien des lecteurs ont traduit en *valeur*. Le pas est définitivement franchi avec Marcel Cressot qui, après avoir mené une étude descriptive de *La Phrase et le Vocabulaire de Joris-Karl Huysmans*, envisage *Le Style et ses techniques*, essentiellement dans le langage littéraire. Peut-être le mérite essentiel de Cressot est-il d'avoir affirmé, avec quelque confusion cependant, que le problème du langage littéraire était un domaine frontalier, intersection entre celui de la langue et celui du style, et d'avoir ainsi suggéré — mais sans recourir à l'ineffable, au « je ne sais quoi » — qu'il serait vain de vouloir donner une unité méthodologique à la discipline nécessairement composite qui allait devoir s'occuper de ce domaine [8]. Ainsi que nous le verrons, c'est ce problème précis qui servira de révélateur à la poétique.

Les noces entre littérature et stylistique pouvaient donc être célébrées. Elles le pouvaient d'autant plus facilement qu'une longue tradition philologique avait contribué à confondre l'intérêt pour les textes, littéraires surtout, avec l'intérêt pour la langue.

À côté d'une stylistique linguistique « pure », on put ainsi, à la suite de Charles Bruneau, parler d'une « stylistique appliquée à la langue littéraire ». Il s'agissait, dans l'esprit de Bruneau, de constituer une « science de ramassage » qui observerait et classerait des faits sans établir de lois (mais le simple classement ne présuppose-t-il pas une théorie, de sorte que l'expression serait presque oxymorique ?), en prévision d'une vaste synthèse à venir. Ce « ramassage » a surtout été pratiqué en Roumanie : à partir des années cinquante, fleurit un nombre impressionnant de monographies, à vrai dire trop souvent faites d'inventaires simplistes, et dont beaucoup sont dues à l'impulsion de Tudor Vianu. En France, la veine s'était épuisée plus tôt : les travaux les plus significatifs, ceux de Cressot, Nardin, Cohen, Schérer, s'échelonnent au cours des années quarante. Mais il est trop évident que si établir,

---

8. Attitude comparable chez Helmut Hatzfeld, qui récuse la distinction stylistique linguistique / stylistique littéraire mais sans se poser la question de l'homogénéité méthodologique de la discipline (« Questions disputables de la stylistique », in *Actes du Premier Congrès international de dialectologie générale*, p. 8-9).

localiser et dater des faits n'est jamais sans utilité, et que si aucune vérité n'est à rejeter, un tel programme ne peut aboutir à une connaissance intéressante ni de la langue ni des faits littéraires.

Du premier point de vue, c'est souvent avec légèreté que certains linguistes — en général européens et diachronistes — ont pris la langue écrite pour la langue même (erreur que ne pouvaient commettre leurs collègues américains) [9]. On est bien d'accord aujourd'hui pour admettre que l'intérêt d'un idiolecte aussi aberrant que celui d'un versificateur est assez médiocre : dès lors, une *Histoire de la langue française* apparaît bien peu, pour les chapitres rédigés par Bruneau, comme conforme à son titre : n'atteignant ni la langue française comme telle, ni les processus historiques (l'histoire étant un récit explicatif sur des faits de portée sociale), elle ne représente au plus qu'une contribution « ramassante » à l'exploration d'une certaine langue écrite.

Du second point de vue, on se condamne à ignorer la pertinence stylistique même de faits relevés : se demander si tel mot est une création de Góngora ou de Verhaeren n'a que peu d'intérêt si l'on n'envisage pas la fonction de ce terme dans un texte : un néologisme aux yeux de l'historien peut très bien ne pas en être un aux yeux du lecteur du texte, tandis que tel autre mot bien attesté peut dispenser cet effet, et il en va de même pour l'archaïsme [10]. Ce n'est donc pas en se servant des nomenclatures de la grammaire [11], qui ont pour effet de faire éclater les groupes de mécanismes stylistiques pertinents, que l'on peut aboutir à une description satisfaisante de l'objet littéraire. La critique la plus décisive qui ait été formulée contre ce type d'approche est celle que Michael Riffaterre adressait, en 1961, au *Francis Jammes* de Monique Parent, un des travaux les plus réussis de l'école de Bruneau [12].

---

9. Charles Bally parle de « l'habitude vingt fois séculaire d'étudier le langage à travers la littérature » (*Traité de stylistique française*, p. 21).

10. Voir Jean-Marie Klinkenberg, *Style et Archaïsme dans* La Légende d'Ulenspiegel *de Charles De Coster*.

11. Jules Marouzeau préconisait des monographies de procédés fondées sur les découpages de la grammaire (« Comment aborder l'étude du style », p. 3).

12. Michael Riffaterre, « Problèmes d'analyse du style littéraire », *Romance Philology*, vol XIV, n° 3, févr. 1961, p. 216-227.

Quoi qu'il en soit, ces nombreux travaux n'auront pas été inutiles. D'abord parce qu'ils ont permis le développement de techniques qui prennent tout leur intérêt dans d'autres secteurs de la linguistique, ensuite parce qu'ils ont permis d'établir des concepts et des distinctions utiles : une des questions longuement débattues dans la stylistique roumaine fut précisément la distinction à faire entre langue écrite et langue littéraire.

Dans l'idée de Bruneau, l'objet de la stylistique appliquée devait être une « langue d'auteur », échantillon de la langue globale [13]. C'est donc par contraste avec cette langue — un modèle évidemment — que l'œuvre peut être décrite. Nous retrouvons ainsi la notion centrale de choix, à laquelle on liera les concepts de norme et d'écart (le choix s'opérant dans une classe de variables libres, et l'élément choisi s'opposant au reste de la classe, choix et écart sont entre eux comme énonciation et énoncé). Concepts qui ont été les drapeaux au nom desquels nombre de stylisticiens et de poéticiens se sont battus, sans que la question soit vraiment vidée aujourd'hui.

Hérités de la tradition rhétorique, ces concepts, dont on a voulu faire des critères définitoires du langage poétique, ont été l'objet de critiques provenant d'horizons techniques et idéologiques fort différents. Un état complet de la question, auquel nous tenterons de contribuer plus loin [14], devra envisager successivement : 1) une typologie des définitions proposées de l'écart ; 2) une typologie des critiques adressées à ces définitions ; 3) un examen des contre-propositions formulées par les critiques, au terme duquel on s'apercevrait que la notion d'écart réapparaît fréquemment dans les propositions théoriques de ceux-là même qui la récusent.

---

13. Michael Riffaterre fait remarquer que cette « langue d'auteur » est en réalité une *parole,* et qu'en décidant de la traiter comme une langue, on se prive du bénéfice de l'observation *in situ* de ces faits de parole. Ce problème a été traité de manière originale par Eugenio Coseriu, qui substitue à la dichotomie saussurienne un système à trois termes où intervient la norme, ou parole sociale, tendant ainsi à rapprocher stylistique, linguistique et littérature (voir surtout *Teoría del lenguaje y Lingüística general : cinco estudios*). On rapprochera ce concept de celui d'écriture, au sens de Roland Barthes *(Le Degré zéro de l'écriture).*
14. Au chapitre III.

Mais ce n'est pas ici le lieu d'une discussion théorique. Notons simplement que ces conceptions ont engendré diverses méthodologies. Ainsi, à côté de l'écart qualitatif (que l'on a souvent, dans un esprit polémique, assimilé au « viol manifeste du code [15] »), il y a aussi l'écart quantitatif, qui appréhende précisément « l'usage spécifique des ressources communes [16] » et qui apporte un utile correctif aux travaux de l'école de Bruneau. « Ennuyeux tant ils se ressemblent tous [17] », ils doivent précisément cette uniformité au manque de données quantifiées. Ainsi naquit, en France sous l'impulsion de Pierre Guiraud [18], un courant stylométrique qui n'a pas comblé tous les espoirs qu'on mettait en lui. La faute n'en revient pas à la méthode elle-même (encore que la technique des mots-thèmes et des mots-clés, aujourd'hui tombée en désuétude, ait des faiblesses évidentes), mais sans doute à la complexion psychologique des « littéraires » : par tradition rebelle à la formalisation mathématique et tenté de refuser les notions de hasard et de probabilité dans un univers sacralisé, trahissant le concept d'information en lui donnant un contenu sémantique, leur monde pouvait difficilement pardonner à une méthodologie ne fournissant que des résultats sûrs mais mineurs [19] de ne pas leur permettre de dire le dernier mot du « secret de l'œuvre d'art ». Aujourd'hui, les mathématiques probabilistes montrent

---

15. Dans son article « La stylistique française, sa définition, ses buts, ses méthodes » (*Revue de l'enseignement supérieur*, n° 1, 1959, p. 42-60), Gérald Antoine, à la suite de Giacomo Devoto, arguait qu'une telle définition ne valait pas pour les auteurs « cristallins ». Argument fréquemment repris, mais sans véritable preuve (une litote ne serait-elle pas, elle aussi, une figure ?), et qui a fait l'objet d'une critique par Daniel Delas, « Préface » à Michael Riffaterre, *Essais de stylistique structurale*, p. 13-15. Voir aussi Paul Delbouille, « À propos de la définition du fait de style », *Cahiers d'analyse textuelle*, vol. II, 1960, p. 94-104.
16. Gérald Antoine, « La stylistique française, sa définition, ses buts, ses méthodes », p. 57.
17. Rebecca Posner, « Linguistique et littérature » (*Marche romane*, vol. XIII, n° 2, 1963, p. 41), qui partage le point de vue de K. J. Dover selon qui la stylistique doit être une linguistique quantifiée.
18. De Pierre Guiraud, voir *Langage et Versification d'après l'œuvre de Paul Valéry : étude sur la forme poétique dans ses rapports avec la langue* ; *Les Caractères statistiques du vocabulaire : essai de méthodologie* ; et *Problèmes et Méthodes de la statistique linguistique.*
19. Voir les solides études de Charles Muller (auteur d'une *Initiation à la statistique linguistique* et de *Principes et Méthodes de statistique lexicale*), et notamment *Essai de statistique lexicale : L'Illusion comique de P. Corneille.*

mieux leur utilité aux mains des traducteurs et des informaticiens que dans le domaine de la poétique, où, sous l'influence notamment de la linguistique générative, elles ont cédé le pas à des mathématiques déterministes, sur lesquelles nous aurons à revenir au chapitre III.

1.2. La stylistique dans la linguistique

Toutes ces considérations montrent bien que la stylistique de la langue ne peut plus, de nos jours, exister comme discipline de recherche autonome, comme « quatrième partie de la grammaire ». Stephen Ullmann avait déjà vu que « la stylistique expressive n'est pas une branche de la linguistique ; c'est une science parallèle qui examine les mêmes phénomènes sous un angle particulier [20] » : à côté de la phonologie, il y a donc ainsi place pour ce que Troubetzkoy a baptisé du nom de *phonostylistique* [21], pour une stylistique syntaxique à côté de la syntaxe, etc. En rencontrant le problème du style, la stylistique était donc appelée soit à déborder son domaine d'origine et à se transformer en une discipline littéraire, soit à se résorber dans d'autres disciplines linguistiques. Ainsi que le dit Tzvetan Todorov,

[...] pendant longtemps, le rôle du stylisticien était celui d'un éclaireur qui annexe des territoires nouveaux mais ne les exploite pas sérieusement avant l'arrivée du mécanicien bien équipé, le linguiste : le travail de comparaison et de distinction des synonymes accompli par Bally appartient aujourd'hui de plein droit à la sémantique : car, postuler que la différence entre deux synonymes n'est que stylistique, c'est ne laisser aucune place, entre le stylistique et le référentiel, pour le sens : ce qui ne saurait se concevoir [22].

Le problème reste alors de se demander dans quelle mesure il est intéressant de maintenir à l'intérieur de chaque discipline une distinction entre la partie stylistique et celle qui ne l'est pas. Les frontières proposées sont parfois fragiles : la notion de fonctionnalité n'explique pas tout dans les travaux de A. Martinet, et parler « d'information seconde », avec P. R. Léon, est un peu rapide.

---

20. Stephen Ullmann, « Psychologie et stylistique », *Journal de psychologie*, avr.-juin 1953, p. 143. Bally avait déjà insisté sur ce point (*cf. Le Langage et la Vie*, p. 62).

21. *Cf.* les travaux de Pierre R. Léon, et notamment « Principes et méthodes en phonostylistique », *Langue française*, n° 3, sept. 1969, p. 73-84 (bonne bibliographie).

22. Oswald Ducrot et Tzvetan Todorov, *Dictionnaire encyclopédique des sciences du langage*, p. 103-104.

Des solutions sont cependant avancées : dans sa *Sémantique structurale,* A. J. Greimas propose de nommer « description sémantique » celle qui part du corpus pour aboutir à la construction d'un modèle théorique, tandis que la démarche complémentaire, qui descend du modèle invariant pour réunir les diverses variables abandonnées et les constituer en structures systématiques, « sortes de sous-modèles rendant compte du fonctionnement et de la productivité des structures hiérarchiquement supérieures » serait une « description stylistique [23] ».

Todorov, dans la même voie, réserve ainsi un domaine propre à la stylistique :

> Si l'on postule que dans tout énoncé linguistique s'observent un certain nombre de relations, de lois, de contraintes, qu'on ne peut pas expliquer par le mécanisme de la langue mais uniquement par celui du discours [...], il y aurait, à ce moment, place pour une analyse du discours qui remplacerait l'ancienne rhétorique comme science générale des discours. Cette science aurait des subdivisions « *verticales* », comme la poétique, qui s'occupe d'un seul type de discours, le littéraire ; et des subdivisions « *horizontales* », comme la stylistique, dont l'objet ne serait pas constitué par tous les problèmes concernant tous les discours [24].

Outre qu'elle devrait faire son profit de l'analyse du discours et de la *Textlinguistik* [25], une telle stylistique se rapprocherait évidemment de l'étude de l'énonciation, qui considère la production linguistique non comme un donné clos et achevé, mais comme une conduite symbolique. Mais ce type d'étude, qui prend sa source lointaine dans la rhétorique, et qui est surtout pratiqué dans les pays germaniques et anglo-saxons, commence à peine à produire ses effets sur le plan de l'étude des styles [26].

---

23. Algirdas Julien Greimas, *Sémantique structurale : recherche de méthode,* p. 166 ; Greimas insiste sur la priorité épistémologique de la première démarche.
24. Oswald Ducrot et Tzvetan Todorov, *Dictionnaire encyclopédique des sciences du langage,* p. 104.
25. Sur l'analyse du discours, *cf. Langages,* n° 13, numéro intitulé *L'Analyse du discours,* ainsi que Teun A. Van Dijk, *Some Aspects of Text Grammars : A Study in Theoretical Linguistics and Poetics.*
26. *Cf.* John L. Austin, *How to Do Things with Words* ; John R. Searle, *Les Actes de langage. Essai de philosophie du langage* ; *Langages,* n° 17, numéro intitulé *L'Énonciation.*

2. La stylistique littéraire ou criticisme stylistique

2.1. Stylistique et critique

Ainsi qu'on l'a vu, la frontière entre la stylistique de la langue et l'étude de la littérature, que d'aucuns voulaient étanche, est bien fragile [27]. Précisons que le critère différenciateur de ces deux orientations n'est pas tellement l'opposition collectif *vs* individuel : la seconde a pu viser les « styles d'époque », et se caractérise plutôt par le fait qu'elle passe des choix possibles aux choix effectifs, de la description d'un système à celui de faits de parole. En d'autres termes, la stylistique littéraire fait son objet non plus de structures ayant des réalisations virtuelles, mais bien de l'œuvre.

Ce tournant capital dans l'histoire des études littéraires représente malheureusement une étape ratée : ici, l'œuvre est en effet prise pour un donné immédiat, la sacralisation de l'activité littéraire empêchant jusqu'à des linguistes éminents de voir que, même et surtout dans ce cas précis, toute science se doit de **construire** son objet. Spitzer soulignait bien que « le grand positiviste de la linguistique romane, Meyer-Lübke, se prononce avec respect pour la stylistique d'auteurs, qui est nécessairement esthétique et requiert un " talent artistique " de la part du critique [28] ». D'entrée de jeu, loin de se constituer en science de la littérature, la stylistique littéraire se donne ainsi comme une province de la critique. Même si plus d'un stylisticien récuse le rapprochement, pour certains, la stylistique est une auxiliaire de la critique [29], pour d'autres, elle en est une condition *sine qua non* [30], et dans nombre de cas, elle lui reste subordonnée, quand on ne procède pas à une identification pure et simple des deux activités [31]. C'est peut-être dans le domaine italien que

---

27. Une des démonstrations les plus théorisées de ce syncrétisme est due à Paul Imbs, « Analyse linguistique, analyse philologique, analyse stylistique », *Programme de l'année 1957-1958*, Centre de philologie romane, Université de Strasbourg, 1957, p. 61-79.

28. Léo Spitzer, « Les études de style et les différents pays », *Langue et Littérature*, actes du VIIIe Congrès de la F. I. L. L. M., 1961, p. 23.

29. Voir par exemple Mario Fubini, *Critica e Poesia : saggi e discorsi di teoria letteraria, con un saggio su* I generi nella critica musicale *di Luigi Ronga*.

30. *Cf.* Herbert Seidler, *Allgemeine Stilistik*.

31. Alfredo Schiaffini, préface à Léo Spitzer, *Critica stilistica e Storia del linguaggio. Saggi raccolti*, p. 3.

cette confusion — résolvant brutalement la question de la scientificité ou de la non-scientificité de la stylistique [32] — a été le plus généralement pratiquée [33].

De quelque niveau hiérarchique que soit la relation instituée entre critique et stylistique, ce lien n'en reste pas moins occulte : si la seconde doit fournir à la première « le dévoilement du visage d'une œuvre par la description minutieuse [34] », si elle peut même prouver la congruence des éléments du texte, tous les « critiques stylistiques » sont restés muets sur l'opération consistant à passer du constat formel aux jugements de valeur. Au moins Dámaso Alonso est-il franc : « *La última unicidad del objeto literario sólo es cognoscible por salto ciego y oscuro* [35] ». Autant vaut dire, dans ces conditions, qu'une description linguistique ne représente qu'un *ornamentum* dans l'œuvre du critique [36]...

Il est intéressant de constater que cette dissolution de la stylistique littéraire dans la critique est exactement parallèle à la dissolution de la stylistique de la langue dans les différentes disciplines linguistiques. Ni l'une ni l'autre de ces orientations n'ont su ou voulu se donner l'armature conceptuelle nécessaire pour défendre leur autonomie. Dans le cas de la première, le va-et-vient de la critique à la stylistique a même abouti à faire de celle-ci un règne impérialiste, puisqu'on réussit à y annexer G. Poulet, pur critique, ou E. Auerbach et sa *Mimesis* [37]. Ce flottement

---

32. Question qui fut à l'origine d'une controverse que signèrent Charles Bruneau et Léo Spitzer. C'est évidemment éluder le problème que d'écrire : « La critique sera scientifique dans la mesure où elle sera adaptée à la nature de l'œuvre, où elle restera fidèle à son essence et à son mode d'existence. » (Elsa Dehennin, « La stylistique littéraire en marche », *Revue belge de philologie et d'histoire*, vol. XLII, n° 3, p. 880.)
33. Tout un congrès s'est réuni autour de la notion de « critique stylistique » : voir *La Critica stilistica e il Barroco letterario* (s. la dir. d'Ettore Caccia), où les distinctions faites par Giacomo Devoto entre « Stilistica e critica » (p. 7-18) apparaissent infimes.
34. Ulrich Leo, *apud* Helmut Hatzfeld, « Questions disputables de la stylistique », p. 14.
35. Dámaso Alonso, *Poesía española : ensayo de métodos y límites estilísticos, Garcilaso, Fray Luis de León, San Juan de la Cruz, Góngora, Lope de Vega, Quevedo*, p. 197.
36. C'est une tout autre attitude que celle de Michael Riffaterre, qui se sert des jugements de valeur comme simples symptômes aidant l'analyste à détecter les stimuli linguistiques déterminant la réception du lecteur.
37. Avec quelque exagération, Michel Arrivé parle de la « tentative désespérée » de tel stylisticien tentant de sauver sa discipline en lui faisant englober plusieurs démarches critiques qui ne sont jamais réclamées d'elle (« Postulats pour la description linguistique des textes littéraires », *Langue française*, n° 3, sept. 1969, p. 9-13).

est-il étonnant dans la mesure où la stylistique s'est moins voulue un pont entre la linguistique et la littérature (malgré la formule célèbre de Spitzer) qu'un édifice interdisciplinaire où se voient fréquemment convoquées des bribes de psychologie comme d'histoire, de sociologie comme d'esthétique, sans qu'aucun ciment méthodologique vienne donner une assise à l'ensemble ? Malgré de nombreuses précautions et discussions « théoriques », les critères de recherche sont en général aussi vagues que celui d'intuition, exalté par Alonso : « *La intuición del autor, su registro en el papel ; la lectura, la intuición del lector. No hay más que eso* [38] ». Et la pluralité des étiquettes (stylistique des intentions, des effets, des thèmes, des formes) renvoie moins à des distinctions fondées en raison qu'à une grave incertitude quant aux buts même de la recherche.

2.2. Caractères essentiels : esthétisme et psychologisme

2.2.1. Cette évolution n'étonne point celui qui veut bien se pencher sur l'histoire de cette branche de la stylistique. Il s'apercevra que dès les origines, elle est lourde de graves hypothèques. Dès le moment où son nom est réellement lancé, cette stylistique avance dans des directions où elle se montre incapable de se réaliser. C'est à Karl Vossler, et à travers lui, à Benedetto Croce, que l'on fait unanimement remonter l'attitude antipositiviste qui sera celle des Spoerri et des Dresden. Or, le philosophe napolitain identifie hardiment les concepts d'art et d'expression, comme du reste d'expression et d'intuition, résorbant en conséquence la linguistique dans l'esthétique [39] ; le langage naît spontanément avec la représentation qu'il exprime et toute analyse des catégories linguistiques est rejetée au néant. Avec une pensée aussi totalisante que celle-ci, nous sommes évidemment aux antipodes du lieu que vise aujourd'hui la poétique, laquelle entend bien instaurer les procédures d'analyse de ce que Croce décrétait non analysable. Les thèses développées dans l'*Estetica* — qui approfondissent ici une idée de

---

38. Dámaso Alonso, *Poesía española...*, p. 44. Autre expression que l'on peut trouver légèrement inquiétante : « *La única manera de entrar al recinto es un afortunado salto, una intuición. Toda intuición es querenciosa, es acto de amor, o que supone el amor.* » (p. 197).
39. Benedetto Croce, *Estetica come scienza dell' espressione e linguistica generale.*

F. de Sanctis — ont cependant un point commun avec la poétique : que l'art est forme et non substance. Mais ce ne fut point là la leçon que l'on tira de l'enseignement du maître italien. Sa descendance s'incarne plutôt dans un panesthétisme illustré par Vossler, le Vossler deuxième manière qui fait de la stylistique le domaine du style, et qui définit ce dernier comme le nœud où tous les moyens d'expression trouvent leur convergence [40]. Mais est-on plus avancé pour la cause ? Les pages de l'histoire de la stylistique sont remplies de définitions du style, autant qu'il y a de définitions de la poésie ou du beau [41] : il s'agit bien d'un concept qui, ni clair ni distinct, est de moins en moins utilisé aujourd'hui [42].

2.2.2. On peut faire remonter la seconde orientation de la stylistique littéraire à Gustav Gröber, qui dans son *Grundriss* ménageait sa place à une linguistique psychologique que Bally tenta de réaliser [43]. Mais ces vues ne se voient appliquées à l'objet littéraire qu'avec le premier Vossler, dont le « Benvenuto Cellinis Stil » se veut analyse de style psychologique [44]. Vossler eut à son tour des descendants plus ou moins fidèles, mais les découvertes de la psychanalyse eurent tôt fait de montrer la fragilité des bases sur lesquelles cet édifice entendait se fonder. Est-ce dire qu'une « stylistique psychanalytique » allait se substituer à une « stylistique psychologique » ? On assista plutôt au phénomène contraire : les travaux qui se servent scrupuleusement des schémas freudiens — on peut remonter à Otto Rank et à Marie Bonaparte — relèvent de plein droit de la psychanalyse et d'elle seule. Comme le dit plaisamment Todorov : « Si l'analyse psychologique ou sociologique d'un texte n'est pas jugée digne de faire partie de la psychologie ou de la sociologie, on voit mal pourquoi elle serait accueillie

40. Karl Vossler, « Stil, Rhytmus und Reim in ihrer Wechselwirkung bei Petrarca und Leopardi », in *Miscellanea di studi critici in onore di Arturo Graf.*
41. Voir à titre d'exemple Stephen Ullmann, « Psychologie et stylistique », p. 61 et suiv. ; Bernard Dupriez, *L'Étude des styles ou la Commutation en littérature,* p. 69-122 ; Nils Erik Enkvist, *Linguistic Stylistics,* p. 11-26.
42. Nous tenterons de lui donner plus loin (chap. IX) un statut sémiotique cohérent.
43. Gustav Gröber, *Grundriss der romanischen Philologie.*
44. Karl Vossler, « Benvenuto Cellinis Stil in seiner *Vita.* Versuch einer psychologischen Stilbetrachtung », *Festgabe Gröber,* p. 414-451.

automatiquement au sein de la science de la littérature [45]. » C'est donc à la psychanalyse, et, si celle-ci la récuse, à la simple « critique littéraire », qu'il convient par conséquent de rendre la psycho-critique d'un Charles Mauron [46], et c'est à la pratique poétique qu'il faut renvoyer la « psychanalyse élémentaire » d'un Bachelard… Pourtant, de nombreux travaux se réclament encore d'une stylistique psychologique : à côté de ceux qui continuent à explorer le lien entre la *mens* d'un auteur et les configurations de son œuvre, d'autres tentent, audacieusement, d'établir des typologies systématiques, distinguant à l'infini des styles caractériels [47].

2.3. Illustrations

C'est, bien sûr, dans les ouvrages de Léo Spitzer que se montrent le mieux et les réussites esthétiques dues à l'habileté de l'essayiste qu'est souvent le stylisticien et les faiblesses méthodologiques du « criticisme stylistique ». Rappelons la procédure, bien connue, du cercle philologique [48] : il s'agit de partir d'un détail frappant (du point de vue qualitatif ou quantitatif), d'en induire une vue d'ensemble hypothétique (d'ordre psychologique), laquelle devra être contrôlée par d'autres observations de détail et deviendra le guide d'une « lecture totale ». « *The life-giving center, the sun of the solar system* [49] », ce nœud qui rend compte de la vision du monde d'un écrivain, peut alors être mis en relation avec une situation sociohistorique. Prenons un exemple : dans *Bubu de Montparnasse*, Spitzer constate l'emploi intensif de particules causatives en des circonstances où le lien causal est objectivement inexistant. Ce trait est hypothétiquement pris comme symptôme d'une « motivation pseudo-objective » génératrice

---

45. Tzvetan Todorov, *Poétique de la prose*, p. 22-23.
46. Charles Mauron, *Des métaphores obsédantes au mythe personnel : introduction à la psychocritique*.
47. V. Zancanella, *Psicologia analitica dello stile* ; Henri Morier, *La Psychologie des styles*.
48. Jean Hytier, « La méthode de M. Léo Spitzer », *The Romanic Review*, vol. XLI, n° 1, févr. 1950, p. 42-59. — On trouvera une bibliographie de Spitzer dans ses *Essays on English and American Literature*, et des recueils d'études dans *Études de style* et *Linguistics and Literary History : Essays in Stylistics*.
49. Léo Spitzer, *Linguistics and Literary History*.

d'une insatisfaction résignée, thème que l'on retrouve par ailleurs dans le roman. Cette attitude serait à son tour le reflet du fatalisme qui aurait pesé sur la psychologie française à l'époque de Charles-Louis Philippe. Dans cette façon de procéder, on retrouve clairement des caractéristiques de la stylistique littéraire en général : calque formel de la démarche scientifique, utilisation de concepts insuffisamment travaillés (comme « bonne observation », « forme intérieure », « racine psychologique »), postulat d'une cohésion des textes, de relations (non élucidées) entre donné verbal et complexion mentale de l'individu, entre celle-ci et le groupe, etc. [50]

2.4. Conclusion

De tout ce qui précède, faut-il conclure à la vanité de la stylistique littéraire ? Nous ne le pensons pas, et cela d'autant moins que toutes les critiques adressées à ce rejeton de la philologie l'ont été d'un lieu où s'énonce l'exigence d'une démarche scientifique. Il importe en effet de bien distinguer deux attitudes possibles face à un texte :

Dans le premier cas, l'œuvre individuelle n'est qu'un point de départ pour la connaissance du type de discours dont elle relève. Dans le second, elle reste le but dernier de la recherche, qui vise à décrire et par là même à interpréter. D'un côté, une étude des possibles discursifs (des « formes » littéraires, comme on disait naguère) ; de l'autre, une saisie du sens de l'œuvre. La première activité s'apparente, on le voit, à la *science* ; la seconde relève de l'interprétation [51].

Il ne peut donc être refusé à une stylistique le droit à l'existence. La question est bien plutôt de montrer ce que peut et ce que ne peut pas offrir ce type de démarche. Trop de ponts ont été jetés entre des lieux dont certains sont mythiques, trop de « théories », à trop vouloir embrasser, n'ont pu retenir un véritable objet de connaissance, trop de

---

50. La défense que H. Hatzfeld prend de la méthode spitzérienne en la rapprochant des acquisitions de la *Gestaltpsychologie* n'est pas convaincante (Helmut Hatzfeld, « Questions disputables de la stylistique », p. 16). Croce se retrouvait parfaitement dans le spitzérisme, même s'il se défiait du décadentisme à la d'Annunzio qui semblait pour lui se profiler derrière « la cosiddetta critica stilistica » (in *Letture di poeti e Riflessioni sulla teoria e la critica della poesia*, p. 284-294). Sur un plan plus large, voir Benvenuto Terracini, *Analisi stilistica. Teoria, Storia, Problemi.*
51. Tzvetan Todorov, « Les études de style. Bibliographie sélective ». Propos développé dans *Poétique*, n° 16.

syncrétisme a rempli les pages des revues de sciences humaines. Aussi la stylistique littéraire ne pourra-t-elle survivre que si elle s'accepte telle qu'elle est, sous le nom de criticisme ou sous tout autre nom qui interdirait le malentendu [52].

3. La poétique

3.1. Science et littérature

La mutation que la poétique représente dans le champ des études littéraires n'est pas, comme on le croit parfois, un simple accommodement des préoccupations antérieures, qui se verraient éclairées sous un jour neuf par le savoir linguistique, mais bien plutôt, ainsi que le suggère la citation qui précède, un bouleversement radical de l'attitude adoptée devant le texte. On connaît la proposition de Jakobson selon laquelle l'objet de la discipline à constituer n'est pas l'œuvre, ni même la littérature en tant qu'ensemble d'œuvres, mais bien la « littérarité », c'est-à-dire le caractère abstrait qui fait d'une œuvre donnée une œuvre littéraire [53]. C'est évidemment à cette seule condition que l'on peut concevoir une science de la littérature, puisqu'il n'y a de science que du général.

52. On n'a pas cependant renoncé aux grandes synthèses. Celle de Mircea Borcilă, « Aspecte ale unei sinteze teoretice în stilistică » (*Cercetări de linguistică*, n° 17, 1972, p. 309-321) pourra paraître un peu large. Le nom de stylistique a aussi pu recouvrir d'autres démarches encore comme chez Joseph Sumpf (*Introduction à la stylistique du français*). L'objet de la recherche n'est pas ici la spécificité du style littéraire, ou du langage poétique, mais bien un métalangage : « le discours sur la littérature, analysé selon les méthodes de l'analyse du discours » (Joseph Sumpf, *Introduction à la stylistique du français*, p. 87) ou, plus précisément encore, le modèle théorique de la didactique du français. Qu'on l'appréhende dans l'enseignement jésuite, dans la Grammaire générale ou dans les traités philosophiques de Sartre ou de Merleau-Ponty, ce *discours stylistique* ne peut être a priori tenu pour innocent, étant toujours perçu en connexion avec l'ensemble des discours antérieurs (nous retrouvons ici le concept d'*intertextualité*, qui aurait pu être fécond dans la démarche de Joseph Sumpf) et il ne peut être détaché de ses présupposés théoriques — et, au delà, philosophiques et idéologiques — implicites. Pour rendre compte de cet objet, la tâche la plus urgente est donc de rechercher les conditions formelles de sa naissance et de son développement, ainsi que les mécanismes récurrents de sa métalangue, dégagés par la confrontation avec les modèles d'énoncés philosophiques et linguistiques de la société en cause.
53. In Roman Jakobson, *Novejšzhaja russkaja poèzija*, p. 11.

La poétique entend ainsi prendre le tournant manqué lors de la première métamorphose de la stylistique : étendant de la langue à la littérature le champ de son investigation, cette dernière avait cru pouvoir faire de l'œuvre un objet. Mais le parallélisme linguistique / langue, stylistique / œuvre est évidemment trompeur, et le dernier terme de la proportion aurait au moins dû être remplacé par *langage littéraire* (ou *poétique*) ». Et pour que la démarche soit scientifique à l'égal de celle de la linguistique, il eût fallu aller plus loin encore, et refuser de se borner aux faits particuliers pour n'étudier que les lois qui les régissent [54]. C'est faute de comprendre cette prémisse capitale qu'une partie du monde universitaire polémique, aujourd'hui encore, sur le programme de la poétique, et que des distinctions fondamentales (comme celle de science et d'interprétation) ont bien du mal à se maintenir.

3.2. La révolution poéticienne

3.2.1. Assez curieusement, cette mutation ne s'est pas opérée par une transformation de la stylistique littéraire, ni même à travers le débat de l'application à la littérature de la stylistique linguistique. En gros, on observe plutôt une solution de continuité, le nouveau lieu de recherches s'étant constitué à partir de diverses influences extérieures que l'on peut, pour le domaine européen, ramener à trois. Si du moins on fait litière de l'influence — déterminante — des conditions sociologiques nouvelles : explosion démographique et remodelage de la morphologie sociale, drainant les couches jeunes de classes nouvelles vers les sciences humaines, expansion économique sans précédent, créatrice d'un optimisme qui ne pouvait ne pas rejaillir sur ces sciences.

Il faut d'abord mettre à part l'influence de ce qui s'était déjà constitué de la poétique dans le Formalisme russe [55], le New Criticism, etc.

---

54. Ainsi, dans son *Introduction à la littérature fantastique*, Tzvetan Todorov n'est il pas gêné d'envisager des textes purement virtuels.

55. Voir notamment Victor Erlich, *Russian Formalism : History and Doctrine* et Antonio García Berrio, *Significado actual del formalismo ruso : la doctrina de la escuela del método formal ante la poética y la lingüística modernas*. Recueils de textes : Tzvetan Todorov, *Théorie de la littérature : textes des formalistes russes* ; Witold Kośny (s. la dir de), *Texte der russischen Formalisten : Texte zur allgemeinen Literaturtheorie und zur Theorie der Prosa*, vol. I (voir dans notre bibliographie sous Striedter, Jurij).

En second lieu, il faut ménager une place à certains écrivains ou critiques qui, par leur pratique autant que par leur poétique — ce mot étant cette fois pris en son sens classique — ont préparé l'avènement d'un discours rigoureux sur la littérature. On pense évidemment à des philosophes comme Merleau-Ponty, qui cherchent dans le texte même les raisons de son existence, à des écrivains comme Ion Barbu, qui avait déjà rapproché mathématique et poésie, lisant dans l'une et l'autre une exigence de concentration des moyens d'expression [56], ou encore à Jean Paulhan et à son intérêt pour la rhétorique, à Mallarmé, à Valéry. Encore que l'on ne puisse, ainsi qu'on l'a fait [57], tenir ce dernier pour un linguiste, certaines de ses idées sonnent moderne dans la mesure où ce qui retient son attention, c'est le problème général du langage poétique, indépendamment de ses réalisations. On pense encore à des esthéticiens comme Matila C. Ghyka, à qui on doit une théorie mathématique de la forme visant à rendre compte des symétries qui se manifestent à la fois dans la nature et dans les divers langages artistiques, ou surtout comme Pius Şerban Coculescu, mieux connu en Occident sous le nom de Pius Servien. Ceci pour parler des aînés, à qui on adjoindrait volontiers Raymond Queneau, lequel énonce ses préoccupations structurales dès les années trente. Car les années soixante voient la mise en place de nouvelles formes littéraires, s'exprimant dans des lieux aussi différents que l'Oulipo et le nouveau roman, qui réclament de nouvelles approches critiques.

La troisième influence décisive fut, on l'a dit, le développement de la linguistique moderne, et notamment de la phonologie pragoise — qui, reprenant à Saussure l'idée fonctionnaliste, a travaillé les notions d'opposition et de modèle théorique, élaboré des procédures d'analyse componentielle —, de la glossématique — qui réintroduit la sémantique évacuée par Bloomfield, suggère d'utiles distinctions comme forme / substance, sémiotique dénotative / connotative. Mais il faut noter que, dans le domaine roman tout au moins, le chemin ne mena pas directement de la linguistique à la poétique [58]. Jusque-là barré par la

---

56. *Cf.* Cornelia Bejenaru, « Matematica şi poetica modernă », *Analele Universitatii Bucaresti, Limbe Romanice*, n° 20, 1971, p. 28-36.
57. Jurgen Schmidt-Radefeldt, *Paul Valéry linguiste dans les « Cahiers »*.
58. Situation fort différente ailleurs, et notamment dans les mondes slave et anglo-saxon. Voir par exemple *Style in Language* de Thomas A. Sebeok.

philologie, il fut plutôt parcouru par des chercheurs relevant de disciplines connexes : on sait quelle fut, en France, l'influence de l'ethnologie structuraliste et plus particulièrement de Claude Lévi-Strauss, pour qui les formes sociales sont articulées comme un langage [59]. Certains attribueront à ces détours, empruntés par plus d'un tard-venu à la linguistique, une autre partie des discussions, voire des confusions, auxquelles on a assisté dans les deux premières décennies.

3.2.2. Si, sur le plan théorique, il y a solution de continuité entre stylistique et poétique, il n'en va pas ainsi dans les faits historiques. Car c'est à la première enseigne que se sont réalisés des travaux qui occupent une place de choix dans la lignée des travaux théoriques sur le littéraire [60]. Nous pensons surtout à ceux de Michael Riffaterre, dont un article capital est à peine postérieur au colloque de l'Indiana. Œuvre en avance car elle met d'emblée entre parenthèses la notion de qualité : que le style appréhendé soit bon ou mauvais, peu importe puisqu'il y a style ; en avance également en ceci qu'elle ne vise pas d'abord à commenter des textes, mais à fournir les schémas qui, seuls, peuvent fonder une science de la lecture ou du style. Les concepts les plus originaux forgés par le professeur de Columbia sont ceux de *contexte*, d'*encodage* et d'*unité stylistique*. Loin d'exister par rapport à une norme linguistique extérieure au texte, cette dernière est produite par le jeu d'un trait contrastif et de son contexte immédiat. Cette notion de contexte est indissociable de celle de saturation : chaque répétition du procédé équivaut à une réduction progressive de l'effet de contraste et mène par ailleurs à une orientation nouvelle du contexte. Cette conception, qui doit une partie de ses prémisses à la théorie de l'information (encore insuffisamment exploitée par la poétique) et rencontre ici certains problèmes posés en intelligence artificielle, ne fait pas du texte un prétexte mais l'étudie

---

59. C'est en 1962 que parut, sous les signatures de Roman Jakobson et de Claude Lévi-Strauss, l'analyse de « " Les Chats " de Charles Baudelaire » qui a fait couler beaucoup d'encre. Voir les textes rassemblés par Maurice Delcroix et Walter Geerts, *« Les Chats » de Baudelaire : une confrontation de méthodes.*
60. Ceci sans compter que nombre de stylisticiens réclamaient expressément une certaine rigueur. Même un Dámaso Alonso voulait que la stylistique élabore des méthodes aptes à une étude systématique des textes (*Poesía española...*, p. 489-496) ; mais dans ces cas, l'œuvre reste bien le but ultime.

dans sa dynamique, c'est-à-dire dans le processus de lecture : décodage du procédé de style, constitution de *patterns* finalisant les structures du message, récurrence des parallèles et des contrastes.

Dans ses travaux plus récents, Riffaterre se penche davantage sur des textes concrets, renouant par là avec une pratique qu'il n'avait jamais totalement abandonnée [61]. Mais ces articles restent plus que jamais ceux d'un théoricien, l'analyste refusant de s'enfermer dans cet étroit empirisme descriptiviste qui a trop souvent été la plaie de la stylistique. À une *stylistique structurale* succède ainsi une *stylistique générative*. On peut cependant s'interroger sur la pertinence de cette dernière étiquette, les travaux en question n'ayant pas grand-chose de commun avec ceux d'Ohmann ou de Van Dijk : Riffaterre y montre plutôt comment la phrase littéraire, voire le texte, se déroulent souvent à partir d'une donnée sémantique initiale, traitée suivant un petit nombre de règles différant de celles du discours commun [62].

D'autres travaux précurseurs se sont réalisés dans le cadre de la glossématique, encore que celle-ci n'utilisait guère le terme de stylistique. C'est dans les excellents essais de Hans Sørensen sur Valéry [63] que l'on trouve les premières applications à la littérature des dichotomies hjelmsleviennes : la forme du contenu définit le motif (qui détermine thèmes, genres, composition), la substance du contenu étant le « prétexte » non linguistique, la langue et le style hypostasiant la substance et la forme de l'expression. Ces vues sont développées par A. Stender-Petersen dans une *Esquisse d'une théorie structurale de la littérature*, qui lie « l'instrumentalisation » sur le plan de l'expression à « l'émotionalisation » sur celui du contenu, ce qui permet d'élaborer une matrice engendrant quatre genres simples (lyrique, dramatique, épique, narratif), fournissant un plus grand nombre de produits de croisement.

3.2.3. Parce qu'elle instaure une rupture par rapport aux conceptions antérieures, une des premières tâches de la poétique consiste à

---

61. Voir la partie « Les mots » de l'important recueil d'*Essais de stylistique structurale,* préf. et trad. par Daniel Delas. Le premier travail important de Riffaterre, encore relativement classique, consiste en une étude du *Style des* Pléiades *de Gobineau : essai d'application d'une méthode stylistique.*
62. Voir par exemple « Modèles de la phrase littéraire », in *Problèmes de l'analyse textuelle...,* p. 133-151.
63. Hans Sørensen, *La Poésie de Paul Valéry : étude stylistique sur « La Jeune Parque ».*

affirmer cette solution de continuité, voire à faire *tabula rasa* de toute une tradition fondée soit sur des considérations extrinsèques à l'objet constitué — faire du texte la manifestation d'une psychologie ou d'un moment historique —, soit sur des considérations intrinsèques mais menant à des apories ou à des tautologies : par exemple nommer le sens d'un texte, en ignorant ce qu'est le sens. Épistémologique, cette rupture est nécessairement polémique. Et cela d'autant plus naturellement qu'elle accompagne chronologiquement d'autres ruptures atteignant, par d'autres voies, le même objet littérature : analyse marxiste, psychanalyse, etc. [64] C'est ainsi que les travaux de poétique voisinent très tôt, dans les revues ou les collections, avec d'autres écrits de nature plus franchement philosophique. Le lieu de jonction est représenté par la sémiotique (l'expression *sémiotique littéraire* apparaît d'ailleurs souvent comme synonyme de *poétique*) : étudiant non seulement les divers modes de communication mais encore les processus de production du sens, cette sémiotique fait en effet voir que des concepts comme « réalité », « œuvre » ne sont pas donnés naïvement, mais sont construits de façon cohérente par une idéologie dont les lignes directrices sont : occultation des forces de production, sémantisation, hiérarchisation, etc. Or, c'est précisément sur cette batterie de concepts que se fonde l'attitude humaniste envers « les lettres ». Faut-il dès lors s'étonner que les propositions paradoxales — en dehors de la δόξα — énoncées par la poétique résonnent profondément chez ceux-là qui, installés dans le monde même de la littérature (écrivains, critiques), remettent en cause leur propre activité ? Et faut-il s'étonner qu'il en résulte, en échange, des tâtonnements dans les démarches de la poétique, science qui d'emblée se refuse le confort soporifique d'un certain positivisme [65] ? Une telle situation ne va pas sans jeter certaines zones d'ombre sur cette poétique qui, pas plus que sa devancière, n'a

---

64. Voir par exemple Charles Grivel, *Production de l'intérêt romanesque. Un état de texte (1870-1880) : un essai de constitution de sa théorie* ; Joseph Sumpf, *Introduction à la stylistique du français*.
65. Ce courant s'est particulièrement développé dans la mouvance de la revue *Tel Quel* et fait son profit de la pensée de Jacques Derrida, Jacques Lacan, Louis Althusser, Julia Kristeva (*La Révolution du langage poétique. L'Avant-garde à la fin du XIXᵉ siècle : Lautréamont et Mallarmé*) et a de nombreuses répercussions à l'étranger (exemple : Stefano Agosti, *Il Testo poetico. Teoria e Pratiche d'analisi*). Pour une bibliographie de sémiotique, voir le numéro de *VS* intitulé *Bibliographia semiotica* (nᵒˢ 8-9, 1974).

encore réussi à clarifier totalement ses rapports avec la critique littéraire.

C'est ainsi que l'on vit un Roland Barthes, lequel a fait plus qu'un autre pour l'avènement d'une poétique en France [66] professer qu'agir en critique « c'est renvoyer l'œuvre au désir de l'écriture, dont elle était sortie ». Cela signifie-t-il autre chose que ce que préconisait Théophile Spoerri, un des stylisticiens les plus idéalistes : connaître l'œuvre par une participation active à l'acte créateur [67] ? Et c'est ainsi qu'un certain maniérisme envahit parfois la recherche : jargon technologique, mépris des références et du savoir accumulé, utilisation éristique de *curiosa* mathématiques ou linguistiques.

3.3. Travaux

Le travail de critique mené par la poétique est solidaire d'une affirmation constructive : ce dont l'absence se fait sentir n'est point l'accumulation de données (le corpus réuni par la philologie étant suffisant), mais le cadre cohérent où pourraient s'inscrire les études de détail à venir. D'où une certaine efflorescence de théories, aussi diverses que générales, qui menace peut-être la poétique d'une « surthéorisation ». Pourtant, à y regarder de près, le meilleur des propositions théoriques se nourrit bien d'observations. Ainsi l'hypothèse de Todorov sur l'existence d'une grammaire universelle, gouvernant aussi bien la structure de la phrase dans diverses langues que l'univers de la narration, reçoit sa démonstration dans une des analyses les plus serrées qui soient du *Décaméron* de Boccaccio [68]. Mais une tentative aussi totalisante que celle-là était peut-être prématurée, et les travaux du chercheur le plus solide dans le domaine de la poétique s'orientent aujourd'hui dans d'autres directions.

Une importante distinction doit en effet être maintenue entre les lois régissant les relations paradigmatiques sur lesquelles repose le texte, et celles qui régissent l'organisation syntagmatique de celui-ci. Ce sont ces deux voies de recherche que nous décrirons succinctement.

---

66. Chacun de ses ouvrages lance des idées neuves, sans toujours les exploiter à fond. Citons surtout de Roland Barthes, *Le Degré zéro de l'écriture, Michelet par lui-même, Sur Racine, Critique et Vérité, S / Z.*
67. Théophile Spoerri, « Éléments d'une critique constructive », *Trivium*, vol. VIII, 1950, p. 165-187.
68. Tzvetan Todorov, *Grammaire du « Décaméron ».*

3.3.1. Un ouvrage, très critiqué en son temps, marque clairement, dans le domaine français, le début des travaux portant sur les unités textuelles : c'est la *Structure du langage poétique* de Jean Cohen. Cet ouvrage s'inscrit dans une lignée de travaux ressuscitant, mais non sans bouleversements, une tradition que l'on croyait étouffée par la stylistique, et qui avait mieux survécu dans les domaines germanique et anglo-saxon : celle de la rhétorique [69]. Ce courant néo-rhétorique est si important, et déborde si largement le cadre de la poétique que nous en traiterons à part, au chapitre II. Mais notons dès à présent que l'apport rhétorique à la poétique ne repose plus guère sur des concepts comme « sens propre » et « sens figuré » mais entend plutôt interpréter les relations entre les divers sens en interaction dans les langages symboliques et systématiser le petit nombre d'opérations logiques ou sémantiques engendrant les tropes. C'est ainsi qu'à partir d'un double découpage (référentiel / sémantique) et de deux opérations simples (adjonction / suppression) la *Rhétorique générale* du Groupe μ élabore une matrice tropique applicable à d'autres domaines qu'à celui du mot : récit, poème, structure des personnes, signe iconique, signe plastique, etc.

Un autre type de recherche au niveau des éléments du texte peut concerner les motifs et les thèmes, dont on a vu qu'ils n'étaient pas à exclure de la poétique. Ici encore, cette dernière enjambe les siècles pour retrouver les *topoi* de l'ancienne rhétorique, et se repose le problème du lien entre la littérature et son référent : qu'est-ce que la fiction, le réalisme [70], le vraisemblable [71] ? Comment appréhender les mythes déposés dans les cultures et auxquels vont puiser tous les discours [72] ?

---

69. Encore qu'un Heinrich Lausberg ait toujours tenu que la stylistique ne pouvait en aucun cas se passer de la rhétorique (*cf. Handbuch der literarischen Rhetorik : Eine Grundlegung der Literaturwissenschaft*). On perçoit mieux aujourd'hui qu'abstraction faite de ses aspects normatifs et de l'idéologie qu'elle véhiculait, la rhétorique ancienne représentait bien un embryon de théorie générale des discours, comme d'ailleurs la *Poétique* d'Aristote. Ce que montrent de nombreuses recherches historiques. État de la question dans le n° 16 de *Communications* intitulé *Recherches rhétoriques*, et au colloque *Zur Kritik des geltenden Rhetorikverständnisses*.

70. Voir *Le Discours réaliste*, numéro spécial de *Poétique*.

71. Voir le n° 11 de *Communications* intitulé *Recherches sémiologiques : le vraisemblable*.

72. Gilbert Durand, *Les Structures anthropologiques de l'imaginaire : introduction à l'archétypologie générale*.

Mais toutes ces recherches mettent en jeu des concepts qu'il est difficile de traduire en termes sémiologiques, et sont encore promises, pour un temps indéterminé, à bien des tâtonnements.

Pourtant, si toute science passe historiquement par quatre étapes (empirique, expérimentale, analytique et axiomatique), en certaines de ses divisions, la poétique est bien près du stade ultime, grâce à *Poetică matematică* de Solomon Marcus que l'on analysera plus loin en détail [73].

Par une série d'axiomes et de théorèmes, le mathématicien en arrive à proposer un modèle théorique de la sémantique poétique : le langage lyrique se caractériserait par la tendance à l'infinité des significations de chacune des phrases qui le constituent et une absence totale de synonymie, et donc de *substitutibilité* ; ceci à l'opposé du langage scientifique, où l'homonymie n'existe pas (puisqu'il est bi-univoque), tandis que la synonymie de chaque proposition est infinie (l'expression n'ayant pas ici d'importance en elle-même). La formulation rigoureuse et unifiée de ces traits se caractérise à la fois par son élégance et sa grande puissance, puisque le modèle constitué rend compte de nombreux critères qui ont jusqu'à ce jour été proposés comme définitoires du langage poétique : autotélisme, remotivation du signe, etc.

3.3.2. La seconde direction où s'engage la poétique est l'étude des relations nouées entre les éléments coprésents du texte. À une étude de type sémantique correspond ainsi une étude syntagmatique, à un examen de la symbolique tropique répond une approche figurale du discours. Le « style » à la recherche duquel s'épuiserait la stylistique littéraire, ne serait-il point une de ces figures discursives particulières ?

Les travaux s'inscrivant dans ce courant sont assurément nombreux et abordent des problèmes allant de l'examen des styles direct, indirect, etc. [74] jusqu'à la description de systèmes beaucoup plus complexes. Si l'on pose l'hypothèse que les textes observables ne sont que les fragments d'un tissu beaucoup plus vaste, on peut étudier les relations nouées entre ce qui est immédiatement manifesté et ce qui ne l'est pas comme un jeu d'oppositions, de rappels et de parallélismes. Depuis les travaux de Mikhaïl Bakhtine, sur lesquels Julia Kristeva avait attiré

73. Solomon Marcus, *Poetică matematică*. Voir notre chapitre III.
74. *Cf.* Gérard Genette, « Discours du récit », in *Figures III*.

l'attention [75], ce jeu est connu sous le nom d'*intertextualité*, et est patent dans le cas du pastiche, de la parodie [76], de la citation, de l'ironie et du cliché [77] ; il est encore à étudier avec rigueur dans les autres types de discours. La notion d'intertextualité constitue ainsi un autre argument pour autoriser la poétique à revenir aux concepts de genres et d'écoles, préoccupations tout d'abord provisoirement écartées (mais qui ont pu être reprises à nouveaux frais, et ont même mérité que l'on crée le néologisme qu'est *architextualité*).

Mais la voie la plus féconde pour l'analyse des relations syntagmatiques semble actuellement être l'analyse discursive. C'est surtout dans le cas du récit que les relations interpropositionnelles ont été étudiées [78]. Ici encore, il faut sortir du domaine roman pour trouver les pères fondateurs : encore que l'on puisse remonter à certains chapitres de la rhétorique classique, ou faire mention des propositions d'Étienne Souriau, c'est à Vladimir Iakovlevich Propp que l'on doit une *Morfologija skazki* constituant la première grammaire du récit, à vrai dire exclusivement centrée sur le conte populaire [79]. Plus tard, et indépendamment, Claude Lévi-Strauss mit au point des procédures analogues pour décrire les mythes à travers leurs manifestations particulières. Ces recherches se rejoignent pour faire du procès de transformation d'un agent en un autre le trait du récit minimal. Ces transformations sont évidemment complexes et ne peuvent être schématisées que grâce à des concepts soigneusement définis, comme ceux d'unité narrative simple (fonction), d'actant, etc. Travail entrepris par un nombre important de

75. Mikhaïl Bakhtine, *Problemy poetiki Dostojewskogo*.
76. Sanda Golopenția-Erețescu, « Grammaire de la parodie », *Cahiers de linguistique appliquée*, n° 6, 1969, p. 167-181. Voir aussi Attilio Barilli, *Retorica della satira*, ainsi que Claude Bouché, *Lautréamont : du lieu commun à la parodie*.
77. Voir les travaux de Michael Riffaterre.
78. Vues d'ensemble dans le n° 8 de *Communications* intitulé *Recherches sémiologiques : l'analyse structurale du récit* ; dans Philippe Hamon, « Mise au point sur les problèmes de l'analyse du récit » (*Le français moderne*, vol. XL, n° 3, juill. 1972, p. 200-221) et « Analyse du récit : éléments pour un lexique » (*Le français moderne*, vol. XLII, n° 2, avr. 1974, p. 133-154) ; et dans Silviana Micelli, « Stuttura e senso del mito » (*Quaderni del circolo semiologico siciliano*, n° 1, 1973).
79. Vladimir Iakovlevich Propp, *Morphologie du conte*, suivi de *Les Transformations des contes merveilleux* et de E. Mélétinski, *L'Étude structurale et typologique du conte*, trad. du russe par M. Derrida, T. Todorov et C. Kahn.

chercheurs parlant heureusement le même langage, et au premier rang desquels il faut placer Claude Bremond [80].

3.4. Perspectives

Nous en sommes ainsi revenu à notre point de départ : fécondée par la linguistique, la poétique féconde à son tour cette linguistique en la forçant à s'étendre dans les trois dimensions. En longueur tout d'abord, la poétique réclame la constitution urgente d'une linguistique transphrastique [81] et qui était déjà postulée par une vieille discipline dont on va reparler — la rhétorique — : c'est l'analyse du discours qui, au moyen de procédures formelles, étudie des groupes d'énoncés isotopes et les réduit à des structures minimales dont le discours est l'expansion. Travail en cours important pour les études littéraires, puisqu'il permettrait d'établir une typologie des énoncés, promesse d'une définition de la littérature autre que naïvement institutionnelle : elle sera un certain type de discours, à côté des discours didactique, scientifique, etc.

En profondeur, nous l'avons déjà dit, la poétique suscite une linguistique sortant des cadres du code et de l'énoncé pour aller à l'énonciation et à la pragmatique. Envisageant la parole comme une action, cette linguistique débouche ainsi sur l'étude anthropologique des conduites symboliques, parmi lesquelles l'acte d'écriture.

En hauteur enfin, se profile l'étude des sémiotiques métalinguistique et connotative, qui ne peut être dissociée de l'étude des mythes dans lesquels se manifestent les idéologies [82]. Ainsi la poétique dévoile-t-elle un enjeu épistémologique capital ; ce qui lui vaut une place

---

80. Voir surtout Claude Bremond, *Logique du récit.*
81. Teun A. Van Dijk, *Some Aspects of Text Grammars : A Study in Theoretica Linguistics and Poetics* ; Lita Lundquist, *La Cohérence textuelle : syntaxe, sémantique, pragmatique.* Deux outils conceptuels paraissent essentiels dans cette adaptation : celui de productivité (et l'on sait qu'il y a la productivité « gouvernée par les règles » et celle « qui change les règles »), et la distinction entre structure profonde et de surface. C'est cette dernière distinction qui semble autoriser la thèse selon laquelle il n'y aurait, entre le texte et la phrase, qu'une différence de degré, tous deux étant le produit de transformations de structures profondes en une seule phrase complexe de surface.
82. *Cf.* Augusto Ponzio, *Produzione linguistica e Ideologia sociale. Per una teoria marxista del linguaggio e della comunicazione.*

centrale dans l'ensemble des sciences humaines aussi bien que les passions qui ont naguère déchiré l'Université. Il faut enfin se résoudre à reposer des questions momentanément mises entre parenthèses : qu'est-ce que la littérature ? qu'en est-il de la notion de valeur ? les préoccupations qui agitaient les stylisticiens étaient-elles donc sans pertinence ? Il ne faut pas faire mystère du fait que la poétique, dans ses différentes divisions, embrasse des domaines homogènes mais bien larges et qui transcendent les domaines délimités par la société et l'histoire : l'analyse du récit vaut tant pour le cinéma, la bande dessinée, les faits divers de presse que pour les romans les plus élaborés, la théorie des tropes se révèle aussi féconde pour l'analyse du dessin publicitaire et du rêve ou l'approche de l'argot et de l'insulte que pour la lecture du poème... La nouvelle discipline n'entretient-elle dès lors pas la même ambiguïté que la stylistisque en mettant à son programme, comme le proposait Jakobson, la réponse à la question : « Qu'est-ce qui fait du message verbal une *œuvre d'art* » ? Il appartenait à l'introducteur du grand linguiste en France de tracer les « Limites de l'analyse linguistique en poétique [83] », et de mettre le chercheur en garde contre la tendance à traduire en termes de valeur les traits que sa technique lui permet de décrire aujourd'hui avec quelque rigueur.

D'autres questions encore — plus graves peut-être — sont posées. N'est-ce pas le projet même de la poétique qui est illusoire ? La poétique n'est-elle pas typiquement une création des *Golden Sixties*, cette décennie qui croyait au progrès indéfini, tant sur le plan économique que sur l'intellectuel et qui vivait un optimisme triomphant ? On pouvait alors croire que la linguistique, avec son hypostase conquérante qu'était le structuralisme, allait nous dire le dernier mot sur le haut langage qu'est la poésie, et, plus largement, qu'elle nous expliquerait la spécificité de tous les types de discours, en particulier du littéraire. Le procès de ces illusions est terminé à l'heure qu'il est, et la sentence a été prononcée. Nous reviendrons à ce procès — que nous avons en son temps contribué à instruire — mais pour l'instant, contentons-nous de

---

83. Nicolas Ruwet, « Limites de l'analyse linguistique en poétique », *Langages*, nº 12, déc. 1968, numéro intitulé *Linguistique et Littérature*, p. 56-70.

souligner qu'il subsiste des questions, passionnantes assurément, qui ne pourront trouver leur solution qu'en dehors du champ d'une linguistique très strictement entendue. Mais loin de désigner une faiblesse, comme on le veut parfois, cette limitation constitue un des plus sûrs garants de la poétique : elle sera science ou ne sera point, et elle ne sera que dans la mesure où l'on situera sa place exacte dans le domaine du savoir ; elle montrera ce qu'elle peut en désignant aussi ce qu'elle ne peut pas [84].

---

84. Pour l'information courante en stylistique, on pourra recourir aux bibliographies de Helmut Hatzfeld et Yves Le Hir, couvrant les années 1900 à 1965, mais ne concernant que les langues romanes (*Bibliografía crítica de la nueva estilística aplicada a las literaturas románicas* ; *Essai de bibliographie critique de stylistique française et romane, 1955-1960* ; *A Critical Bibliography of the New Stylistics Applied to the Romance Literature, 1953-1965*) ; ainsi qu'à Louis Tonko Milic, *Style and Stylistics : An Analytical Bibliography* ; et à Richard W. Bailey et Dolores M. Burton, *English Stylistics : A Bibliography*. Parmi les synthèses à consulter, celle qui est la plus accessible en français est très vieillie (Pierre Guiraud, *La Stylistique*) : on consultera de préférence Nils Erik Enkvist, *Linguistic Stylistics* ; et Milhail Nasta et Sorin Alexandrescu, *Poetică și stilistică : orientări moderne*. Pour la poétique, l'heure n'est pas encore aux vastes synthèses encyclopédiques. Pour l'information courante, on se reportera aux bibliographies publiées dans *Style* (Université de l'Arkansas), et notamment au vol. VIII, n° 1, hiv. 1974 (numéro consacré à *French Stylistics*) ; d'autres revues contiennent à l'occasion d'importantes rubriques bibliographiques : *Language and Style, Lingua e Stile, Strumenti critici, Poetics, Poétique, Poetics Today*. On pourra aussi se servir des panoramas de Tzvetan Todorov e de Milhail Nasta et Sorin Alexandrescu, déjà cités. Deux recueils de textes parmi d'autres : Seymour Chatman et Samuel R. Levin, *Essays on the Language of Literature*, Pierre Guiraud et Pierre Kuentz, *La Stylistique : lectures*. Pour la stylistique dans les pays de langue romane, voir notre synthèse, « Stylistics and Poetics » in *Trends in Romance Linguistics and Philology*, p. 45-78.

CHAPITRE II

LA RHÉTORIQUE
DANS LA POÉTIQUE

D'emblée, la recherche de méthodes qui seraient propres à la poétique est allée de pair avec une réflexion historique : n'y avait-il pas, dans le passé, des disciplines visant une généralité qui est la condition de toute science ? Et ces disciplines n'offriraient-elles pas des concepts à réévaluer à la lumière des connaissances récentes ?

Or une telle discipline existait, porteuse d'un nom qui lui valait un discrédit total : la rhétorique.

Toujours est-il que dès ses origines — dans les années soixante — la poétique apparaît comme inséparable de la rhétorique : dans deux articles célèbres de 1956 et de 1960, Roman Jakobson remettait à l'honneur un couple qui allait faire couler bien de l'encre — *métaphore* et *métonymie*[1] ; et, dès 1964, Roland Barthes notait que la rhétorique méritait d'être repensée en termes de linguistique structurale[2] ; au

---

1. Roman Jakobson, « Deux aspects du langage et deux types d'aphasie » et « Linguistique et poétique », in *Essais de linguistique générale*, respectivement p. 43-67 et p. 209-248.
2. Roland Barthes, « Rhétorique de l'image », *Communications*, n° 4, 1964, p. 40-51 ; « L'analyse rhétorique », in *Littérature et Société : problèmes de méthodologie en sociologie de la littérature*, p. 31-45.

même moment, Gérard Genette inaugurait avec *La Rhétorique et l'Espace du langage* une série d'études pénétrantes tournant autour du thème des *Figures*, tandis que Tzvetan Todorov annexait à un de ses premiers livres une ébauche de système de classification des tropes et des figures [3].
Cette rhétorique se trouve ainsi comme à l'origine et à l'aboutissement de la stylistique. Cette dernière, née au XIXe siècle, semblait être appelée à reprendre un flambeau qui s'éteignait entre les mains d'une rhétorique moribonde : *Stylistik oder Rhetorik*, devait dire Novalis, un des premiers à utiliser le terme. Et cette stylistique (qui s'est servie, sans toujours le dire, de concepts qu'elle avait hérités de son aînée, et affinés à son usage) a tendu, comme on l'a vu, à céder une part de sa place à une poétique fécondée par un courant « néo-rhétorique ».
Pour apprécier ces relations, et percevoir clairement la perspective de la néo-rhétorique, un détour par l'histoire est nécessaire.

1. Rhétorique classique et néo-rhétoriques

1.1. La rhétorique classique : une perspective cavalière

1.1.1. La rhétorique est née en Grèce, dit-on fréquemment [4]. En fait, sa naissance est triple, et il faut plutôt parler de « monde hellénique ». C'est en effet en Sicile, avec Corax (Ve siècle A. C. N.), que se

---

3. Tzvetan Todorov, *Littérature et Signification*. — C'est d'ailleurs à la rhétorique qu'est par la suite revenu Todorov dans le cadre d'une recherche sémiotique sur le symbole, type de signe ne connaissant qu'une relation binaire et se manifestant aussi bien sur le plan du verbal que sur celui de l'image visuelle (Tzvetan Todorov, « Introduction à la symbolique », in *Théories du symbole* et *Symbolisme et Interprétation*).
4. Pour une vision engagée mais très claire de la rhétorique ancienne, voir Barthes, « L'ancienne rhétorique, aide-mémoire » (*Communications*, n° 16, 1970, p. 172-223), qui peut remplacer la classique étude de Chaignet (*La Rhétorique et son histoire*). Lecture à compléter aujourd'hui par plusieurs travaux : Heinrich F. Plett, « Rhétorique et stylistique » (in Aron Kibédi Varga [s. la dir. de], *Théorie de la littérature*. p. 139-176) ; Olivier Reboul, *La Rhétorique* ; Renato Barilli, *Retorica* ; Josef Martin, *Antike Rhetorik : Technik und Methode* ; Vasile Florescu, *Retorică și Neoretorică : geneză, evoluție, perspective*, ainsi que *Retorica nel suo sviluppo storico*. Bibliographie sur divers points d'histoire dans *Communications*, n° 16, 1970, p. 230-233, à compléter par les données fournies par *Rhetoric Newsletter* (1978 +) et *Rhetorica* (1983 +), organes de l'*International Society for the History or Rhetoric*, ainsi que par *Rhetorik* (1981 +) et *Pre / text* (1980 +). Pour le Moyen Âge : James Jerome Murphy, *Rhetoric in the Middle Ages : A History of*

constitue un premier art rhétorique. Art d'abord exclusivement judiciaire : les conflits d'intérêts dans la société d'alors rendent nécessaire une maîtrise de la parole telle que celui qui en dispose puisse emporter l'adhésion de la collectivité. Mais deux autres dimensions de cette technique pratique ne tardent pas à compléter la première : la philosophique et la littéraire. Il reviendra à Aristote de théoriser pour la première fois la rhétorique, qu'il situe entre dialectique — science du raisonnement — et grammaire — science du langage. C'est à lui qu'on doit la formulation de distinctions restées longtemps classiques, comme celle des trois discours et celle des quatre (ou cinq) phases du discours.

1.1.2. La rhétorique aristotélicienne distingue quatre étapes dans la production d'un discours. Il s'agit de l'*inventio*, ou recherche des arguments (cette subdivision de la rhétorique a donné naissance à la théorie des « lieux » ou « topiques ») ; de la *dispositio*, ordonnancement de ces arguments suivant des lois logiques, psychologiques, sociologiques ; de l'*elocutio*, mise en forme verbale de ces arguments ; de l'*actio* (à compléter par la *memoria*), performance même du message devant son public.

1.1.3. Nous reviendrons sur le rapport entre ces parties : elles supposent en effet l'élaboration de disciplines distinctes, dont la relation avec une science de la littérature est problématique. Aussi importante pour nous est la théorie des trois discours, puisqu'elle pose implicitement la question du lien entre rhétorique et littérature. Ces trois discours se caractérisent chacun par un type d'acte social, par un critère de pertinence, par la préférence pour une certaine temporalité et pour une certaine technique. Le **discours judiciaire** vise l'accusation et la

Rhetorical Theory from Saint Augustine to the Renaissance. Pour l'Âge classique français : Aron Kibédi Varga, *Rhétorique et Littérature : études de structures classiques,* et Monique Dubucs et Bernard Meyer, « La notion de trope considérée à partir de Du Marsais et Fontanier » (*Le français moderne,* vol. LV, 1987, p. 55-83) ; sur la « réduction de la rhétorique », voir Gérard Genette, « La rhétorique et l'espace du langage » (*Tel Quel,* n° 19, aut. 1964, p. 44-54) et « La rhétorique restreinte » (*Communications,* n° 76, 1970, p. 158-171). La meilleure compilation des concepts et des taxinomies de la rhétorique classique est celle d'Heinrich Lausberg, *Handbuch der literarischen Rhetorik : Eine Grundlegung der Literaturwissenschaft.* Certains textes classiques ont été réédités récemment, comme *La Poétique* d'Aristote ou les traités de César Chesneau du Marsais et de Pierre Fontanier.

défense, a la vérisimilitude pour critère, se rapporte aux actes passés et a l'enthymème pour mécanisme principal. Le *délibératif* vise l'exhortation (il est conatif, dirait-on aujourd'hui), son critère est l'utilité, il se rapporte au futur, et privilégie l'exemple ; l'*épidictique* vise l'éloge ou la critique, a le beau pour critère, se rapporte au présent et a l'amplification pour mécanisme principal.

On notera que la rhétorique, ainsi cadastrée, côtoie l'art littéraire, sans se confondre avec lui. À côté de la *rhétorique*, qui reste utilitaire et valable pour l'univers du quotidien, la pensée classique envisage une *poétique*, œuvrant dans le monde de l'imaginaire (« Dans le premier cas, il s'agit de régler la progression du discours d'idée en idée ; dans le second cas, la progression de l'œuvre d'image en image [5] »). Distinction mais non exclusion pure et simple : des concepts élaborés dans le cadre de la *technê rhetorikê* — comme la cicéronienne théorie des trois styles : simple, sublime, moyen — seront sans difficulté transposés à la *technê poetikê*. C'est peut-être la fragilité de cette distinction qui dynamisera le plus toute l'histoire de la rhétorique : les uns tendent à maintenir intacte l'opposition, les autres à l'abolir.

1.1.4. La fusion, qui commence à s'opérer au début de notre ère avec la seconde sophistique (laquelle privilégie la notion de style), est consommée au Moyen Âge, alors que commence à se constituer la notion même de littérature. Enseignée dans le cadre du *Trivium*, la rhétorique y fait figure de discipline mineure, réduite qu'elle est à l'étude des ornements relevant de l'*elocutio*. À l'époque moderne, et surtout en France, la rhétorique ne se débarrasse pas de son statut ambigu, que résume bien la formule de Barthes : « La rhétorique est triomphante : elle règne sur l'enseignement. La rhétorique est moribonde : restreinte à ce secteur, elle tombe peu à peu dans un grand discrédit intellectuel [6] », et cela en même temps que s'accuse encore sa « poétisation ». En philosophie, on tendra à ne plus accorder droit de cité qu'à la seule démonstration fondée sur l'évidence.

Si les théoriciens tardifs ont finalement opté pour une conception purement littéraire, limitant la rhétorique à l'étude des procédés

---

5. Roland Barthes, « L'ancienne rhétorique, aide-mémoire », p. 178.
6. Roland Barthes, « L'ancienne rhétorique... », p. 192.

d'expression (« l'art de distribuer des ornements dans un ouvrage de prose »), c'est sans doute parce que les derniers rhéteurs, à mesure qu'ils prenaient conscience de la notion de littérature, ont senti confusément que pour l'écrivain moderne le commerce avec les figures primait le commerce avec le monde. Une fois liquidée l'idée que l'art est un agrément qui s'ajoute, il devenait possible d'envisager la rhétorique non plus comme une arme de la dialectique, mais comme le moyen de la poétique. Cependant, ces rhéteurs ont hésité devant les conséquences de leur découverte intuitive. Enfermés dans une tradition sclérosée, ignorant tout des spéculations esthétiques des philosophes allemands, tournés en ridicule par les littérateurs, récusés par les premiers linguistes (puis par les stylisticiens), ils abandonnèrent la partie. C'est que les prétentions normatives étaient condamnées par l'esprit moderne et devenaient proprement incompatibles avec le romantisme et les autres idéologies individualistes du XIXᵉ siècle [7].

1.1.5. Mais cette mort de la rhétorique n'était en fait qu'une éclipse. Ses biens n'avaient été que dispersés et légués en usufruit à d'autres disciplines (la stylistique, comme on l'a vu, mais aussi la

---

7. Le romantisme et, à sa suite, le symbolisme et le surréalisme créeront des textes se voulant résolument « antirhétoriques ». Mais cet antirhétorisme est d'accident et non d'essence (on a amplement montré — par exemple Groupe μ, « Avant-gardes et rhétorique », in *Les Avant-gardes littéraires au XXᵉ siècle* — qu'il y avait une rhétorique des avant-gardes ; voir ci-après chap. VII) : on décrirait mieux la situation en disant que les textes alors produits étaient déviants par rapport aux modèles véhiculés à titre d'exemples par la rhétorique moribonde. C'est de cette manière que Antonio García Berrio, dans *Significado actual del formalismo ruso*, explique les origines du formalisme russe. Il serait né d'une crise de la critique, inapte à rendre compte du nouveau type de textes en cours de production (en l'occurrence des textes futuristes). En parcourant les premiers textes de Jakobson réunis dans *Questions de poétique*, on peut mieux se rendre compte de l'influence du contexte littéraire contemporain sur les thèses du jeune linguiste, et de l'allure encore souvent « essayiste » de son propos qui, à l'occasion, se fait humoristique. (Ainsi ce qui est dit du concept de dominante nous paraît assez flou et ne dépasse pas en intérêt les propositions de Spitzer concernant le *clic* de son *Zirkelschluss* ou celles de Paul Imbs concernant l'emboîtement hiérarchique des styles). Mais on peut aussi mieux appréhender la naissance de certains thèmes, maintenant plus connus pour être ceux des formalistes russes, et qui apparaissent ainsi comme un éternel retour dans les travaux de Jakobson : concept de littérarité, importance du « procédé », disqualification de la fonction référentielle, autotélisme du message, donnent, du début à la fin, une cohésion à l'œuvre.

psychanalyse). Une descendante tente aujourd'hui de reconstituer une partie de l'héritage. Cette renaissance — ou cette naissance d'une *rhetorica nova* — a été saluée dès le début des années soixante [8], et a entraîné une redécouverte de l'héritage ancien [9]. Descendante directe ou indirecte ? Sur un point, elle est tout le portrait de son aïeule : déjà sur son berceau se disputaient les tenants d'une « rhétorique vraiment générale » et ceux qui lui souhaitaient d'être d'abord une rhétorique poétique. Sur les autres points, la nouvelle venue ne craint pas de forligner : elle revendique un statut que les généalogistes les plus généreux n'accorderaient pas à la devancière.

1.2. Science *vs* technique

Commençons par les différences qui sautent aux yeux. La première est une différence de statut. La rhétorique ancienne était essentiellement empirique, ce qui l'avait menée à des bricolages bien faits pour plaire à nos post-modernes, et à des taxinomies abstruses dont on s'est gaussé à juste titre : cela va du chleuasme à la propoïèse, collection de monstres où Queneau s'est amusé à glisser la peu connue synchise [10]. La rhéto-

---

8. Voir Alfredo Schiaffini, « Rivalutazione della retorica », *Zeitschrift für romanische Philologie*, n° 78, 1962, p. 503-518 ; et Francis Christensen, *Notes toward a New Rhetoric*. Les raisons de cette renaissance sont complexes et encore mal connues. Elles ne sont en tout cas pas attribuables au seul élargissement de la linguistique à la pragmatique et à la crise de la théorie de la communication. Il faut aussi faire une place à l'impact du courant formaliste en littérature (dominant dans les années soixante et soixante-dix, notamment avec le nouveau roman et avec l'Oulipo), qui rendait nécessaire la construction de nouveaux outils critiques.

9. Voir par exemple Renato Barilli, *Retorica* ; Chaïm Perelman et Lucie Olbrechts-Tyteca, *La Nouvelle Rhétorique*. Sur le point précis de la définition des tropes par la rhétorique française, voir Monique Dubucs et Bernard Meyer, « La notion de trope... ». Certaines taxinomies anciennes sont également réinterprétées, de manière personnelle, par Henri Morier, *Dictionnaire de poétique et de rhétorique*, ou Bernard Dupriez, *Gradus : les procédés littéraires (Dictionnaire)*. La coexistence de deux discours scientifiques parallèles — le « novateur » et le « réévaluateur » — a entraîné certains malentendus. Certains auteurs croient ainsi être novateurs parce qu'ils n'ont connaissance que des travaux de la seconde lignée. C'est par exemple le cas de l'ouvrage à succès de Georges Lakoff et Marc Johnson, *Les Métaphores dans la vie quotidienne*, qui enfonce bien des portes ouvertes.

10. *Cf.* Gérard Genette, *Figures*, p. 214 ; Groupe μ, *Rhétorique générale*, p. 9-10 ; Roland Barthes, *S/Z*, p. 219 ; Mary-Annick Morel, « Pour une typologie des figures de rhétorique : points de vue d'hier et d'aujourd'hui », *Documentation et Recherche en linguistique allemande*, n° 26, 1982, p. 1-2.

rique contemporaine entend analyser a posteriori les faits de parole et de discours et à dégager les règles générales de leur production. À l'énumération, elle substitue donc l'élaboration de modèles rendant compte de la généralité du phénomène envisagé, le souci du classement devenant ainsi accessoire [11]. Cette première opposition est étroitement liée à une deuxième : la rhétorique classique avait perdu, avec ses variantes baroque et néo-classique, toute fonction interprétative pour devenir un ensemble de règles normatives. La nouvelle n'entend plus fournir les moyens de produire, mais ceux de décrire. Ce qui nous mène à la troisième opposition : l'ancienne rhétorique se plaçait du côté de la production intentionnelle d'effets [12] ; la nouvelle disqualifie l'intention — ou, au moins, la replace au rang d'un simple facteur dans la compétence pragmatique — ce qui indique assez qu'elle se situe du côté de la réception et de l'herméneutique. Toutes ces oppositions ne sont sans doute que les corollaires d'une seule distinction : celle qui est à maintenir entre science et technique.

1.3. Rhétorique de la persuasion *vs* rhétorique littéraire

Il n'y a pas, avons-nous dit, *une* néo-rhétorique, mais deux. La première — appelée de ses vœux par Josef Kopperschmidt [13] — se veut théorie totalisante du discours. Elle constitue une réponse à l'appauvrissement dans l'analyse des démarches réelles de la pensée pratique, consécutif à la réduction cartésienne (par ailleurs, facteur de progrès). Elle s'appuie sur le fait que raisonner, ce n'est pas seulement déduire et calculer, mais aussi délibérer et argumenter. Elle étudiera donc les techniques discursives « permettant de provoquer ou d'accroître l'adhésion des esprits aux thèses qu'on présente à leur assentiment [14] » et

---

11. Voir Mary-Annick Morel, « Pour une typologie des figures de rhétorique... ».
12. Heinrich F. Plett, « Rhétorique et stylistique », in Aron Kibédi Varga (s. la dir. de), *Théorie de la littérature*.
13. Voir Josef Kopperschmidt, *Allgemeine Rhetorik : Einführung in die Theorie der Persuasiven Kommunikation* et Heinrich F. Plett, *Rhetorik : Kritische Positionen zum Stand der Forschung*.
14. Chaïm Perelman et Lucie Olbrechts-Tyteca, *La Nouvelle Rhétorique*... Sur cette première néo-rhétorique, voir en priorité ce dernier ouvrage ainsi que, pour une synthèse plus maniable, Chaïm Perelman, *L'Empire rhétorique*, et Chaïm Perelman et Lucie Olbrechts-Tyteca, « The New Rhetoric : A Theory of a Practical Reasoning »,

juxtaposera à la logique devenue *formelle*, une *logique naturelle*. La seconde néo-rhétorique entend tirer toutes les conséquences de la « totalisation poétique » opérée par son aînée, et part donc principalement de l'*elocutio* pour poser la question de sa relation avec la science de la littérature.

Dans le cadre du présent ouvrage, nous n'aurions en principe à tenir compte que de l'apport de la rhétorique à cette science, et ne devrions donc nous placer que dans la seconde néo-rhétorique. Toutefois, sans prétendre brosser un panorama complet des liens entre poétique et théorie du discours (esquissé par Antonio García Berrio et José Maria Pozuelo [15]), il faut noter qu'il n'y a pas de nette solution de continuité entre les deux rhétoriques, pas plus qu'il n'y en a entre une science et les techniques qui en sont dérivées, et pas plus qu'il n'y en a eu entre rhétorique et poétique au long de l'histoire (voir la pénétrante synthèse de Árpád Vígh [16]). Dès lors, le procès polémique fait à la néo-rhétorique de l'*elocutio* — volontiers qualifiée de « restreinte », par antiphrase à *Rhétorique générale* — peut être repris (voir § 3). On constate ainsi, par exemple, que Perelman relève le rôle du raisonnement par analogie, ce qui l'amène à discuter le statut de la métaphore [17]. À l'inverse, on observe vite que l'étude approfondie des figures ne peut aller sans une composante textuelle : on verra plus loin qu'une conception de la métaphore comme mot ne peut qu'aboutir à des apories, et qu'elle doit nécessairement être remplacée par celle de la métaphore-énoncé. Sans compter que la disposition — nous utilisons ce

in *The Great Ideas Today*, p. 272-312. Déjà classiques sont devenus les ouvrages, plus formalisés, de Jean-Blaise Grize, *De la logique à l'argumentation* et Georges Vignaux, *L'Argumentation : essai d'une logique discursive*. L'essentiel des travaux se réclamant de la pragmatique se situe également dans cette mouvance (voir la bibliographie de Jef Verschueren, *Pragmatics : An Annotated Bibliography*, à compléter par un supplément annuel paraissant dans le *Journal of Pragmatics*, et celle — plus sélective — de Anne-Marie Diller et François Récanati, *La Pragmatique*).

15. Antonio García Berrio, « Retórica como ciencia de la expresividad. Presupuestos para una retórica general », *Estudios de lingüística*, n° 2, 1984, p. 7-59 ; et José María Pozuelo Yvancos, *Del formalismo a la neorretórica*.

16. Árpád Vígh, « L'histoire et les deux rhétoriques », in *Rhétoriques, Sémiotiques*, p. 11-37.

17. Autres exemples de rapprochements succinctement présentés par Mary-Annick Morel, « Pour une typologie des figures de rhétorique... », p. 17-24.

mot à dessein — des figures le long d'un texte n'est jamais indifférente : elle implique de véritables stratégies textuelles, dont un échantillon sera fourni au chapitre VI.

Il n'est donc pas exclu que l'on puisse faire la jonction entre les deux tendances. Cette synthèse ne consisterait pas, bien entendu, à en revenir au compromis classique qui consistait à définir la rhétorique comme « l'art de bien parler pour bien persuader [18] », mais à constituer une discipline au statut scientifique, cette rhétorique générale à venir devant « étendre ses pouvoirs d'application à l'immense extension du texte verbal, de tout texte manifestant une intentionnalité de communication ou d'actualisation. Le texte littéraire, ou poétique, sera ainsi abordé dans le champ de cette rhétorique générale en tant qu'il satisfait à la condition générique de figurer parmi les textes articulés et énoncés [19] ». L'essai de Chaïm Perelman, *L'Empire rhétorique*, annonce la possibilité d'une articulation des deux néo-rhétoriques (qui ne sont pas encore en état de fusionner, en dépit des regrets de ceux qui ont décrit la seconde comme le produit d'une restriction généralisée). Toutes deux se fondent sur une compétence encyclopédique chez le récepteur, sur une δοξα partagée. En outre, de même que la rhétorique des tropes (qui est aussi une « logique des discours illogiques ») montre que la construction d'une lecture dépend d'une interaction entre un lecteur — toujours en situation, individuelle ou collective — et un *lectum*, cet essai montre le rôle éminemment actif de l'interlocuteur ou de l'auditoire dans l'établissement des valeurs d'un énoncé. Les deux rhétoriques apportent donc, à leur manière, une construction substantielle à l'élaboration d'une linguistique textuelle. Il semble que seule cette linguistique des discours, dépassant celle des signes, pourra amener à construire cette théorie de « la vie des signes au sein de la vie sociale » qu'un grand linguiste appelait de ses vœux.

---

18. C'est dans ce sens que va la synthèse d'Olivier Reboul : « Nous chercherons l'essence de la rhétorique non pas dans le style, ni dans l'argumentation, mais dans la région précise de leur intersection.» (*La Rhétorique*, p. 32-33.) Comme on va le voir avec Antonio García Berrio, « Retórica… », la pensée contemporaine envisage plutôt une « réunion » qu'une « intersection ».

19. Antonio García Berrio, « Retórica… », p. 10.

Mais il n'est peut-être pas nécessaire de se placer au niveau d'une telle généralité : outre que nombre d'exemples (voir le chap. VI) confirment la fragilité de la distinction, nombre de recherches de pointe montrent la synthèse entre les deux rhétoriques en train de se faire.

Un cas particulier illustrera ceci : celui du dialogue, objet relevant pleinement de la néo-rhétorique de l'argumentation [20]. Il s'agit d'une unité de discours « obtenue par la projection à l'intérieur d'un discours-énoncé de la structure de la communication » implicitement présente dans toute activité discursive, comme l'a montré Benveniste. Unité relevant bien de la rhétorique, car fondée sur des codes culturels très élaborés : le dialogue suppose ainsi l'existence, chez les partenaires, de systèmes complexes de représentations (sur eux-mêmes, leur relation, le monde) et se fonde fréquemment sur des présuppositions, rendant possibles des opérations d'inférence (par exemple, « T'as pas cent balles ? » ne constitue pas une interrogation sur la fortune du partenaire mais — et cette signification est obtenue par inférence — une invitation pour ce dernier à se délester d'une fraction de sa fortune) [21]. Sans doute plus qu'aucun acte discursif, le dialogue montre-t-il que la signification ne naît pas seulement d'un composant sémantico-logique, mais bien d'un composant interprétatif [22], qu'une grammaire transformationnelle de stricte observance est impuissante à prendre en compte. L'analyse du dialogue met en évidence l'existence de stratégies complexes entre partenaires (ce sont notamment les règles de coopération) [23]. Or toutes ces règles se retrouvent appliquées, avec des modalités particulières (notamment parce que des présupposés *sui generis* interviennent), dans le discours narratif et particulièrement dans le discours littéraire, qu'il s'agisse du théâtre ou du roman. On doit donc s'attendre à ce que s'y manifeste une interaction entre les phénomènes étudiés par la rhétorique

---

20. Pierre R. Léon et Paul Perron, *Le Dialogue.*
21. Oswald Ducrot, *Dire et ne pas dire : principes de sémantique linguistique.*
22. Robert Martin, *Inférence, Antonymie et Paraphrase : éléments pour une théorie sémantique.*
23. Paul H. Grice, « Logique et conversation », *Communications*, n° 30, 1979, numéro intitulé *La Conversation*, p. 57-72. Sur un type d'acte de langage particulier, voir, à titre d'exemple, Jacques Moeschler, *Dire et contre-dire : pragmatique de la négation et acte de réfutation dans la conversation.*

de la persuasion et ceux qui relèvent de la rhétorique de l'élocution. Ce n'est sans doute pas par hasard que Catherine Kerbrat parle de « trope communicationnel » lorsqu'il y a substitution non de contenus sémantiques, mais de destinataires (comme dans le célèbre « C'est à vous que je parle, ma sœur » de Molière, où le destinataire apparent n'est en fait qu'un destinataire secondaire) [24]. Or, la notion de trope semblait bien, jusqu'il n'y a guère, destinée à rester confinée au domaine de l'*elocutio* : on voit qu'elle en sort, poussée par on ne sait quelle nécessité.

2. Contributions de la rhétorique à la poétique

2.1. Concepts généraux

2.1.1. Une histoire événementielle se plairait sans doute à situer à l'origine du renouveau de l'*elocutio* l'influence de Jakobson, avec sa thèse sur l'opposition de la métaphore et de la métonymie. Ces figures qui sont respectivement de similarité et de contiguïté, correspondent à des mouvements opérés sur l'axe de la sélection (ou axe paradigmatique) et sur l'axe de la combinaison (ou axe syntagmatique).

D'emblée, ce modèle se donnait donc une grande généralité, puisque de tels axes existent dans tous les codes non linguistiques. Cette dichotomie, sans doute trop facilement applicable [25] et qui n'a pas eu les répercussions qu'on en attendait dans l'étude des aphasies, sert une thèse sur la poéticité des messages : « la fonction poétique projette le principe d'équivalence de l'axe de la sélection sur l'axe de la combinaison [26] » ; par exemple, la versification donne un statut particulier à la syllabe, en la mettant en rapport d'équivalence avec toutes les autres syllabes de la même séquence. Cette loi met en relation des plans du langage en principe indépendants : on peut ainsi affirmer que « la rime implique nécessairement une relation sémantique entre les unités qu'elle lie [27] ».

---

24. Catherine Kerbrat-Orecchioni, « Quelques aspects du fonctionnement du dialogue au théâtre », in *Le Dialogue*, p. 133-140.

25. *Cf.* Groupe μ, *Rhétorique générale*, p. 9.

26. Roman Jakobson, *Essais de linguistique générale*, p. 220.

27. Roman Jakobson, *Essais...*, p. 233.

2.1.2. Tout à la définition de la fonction poétique, Jakobson omet de formuler sa conception de la rhétoricité. Car il est évident qu'un mouvement quelconque sur un des axes définis ne produit pas nécessairement une figure. À supposer que ces axes constituent de bons critères de description, il resterait encore à décider de ce qui fait que tel mouvement crée une figure et tel autre pas. On peut prendre un exemple précis, sur lequel on a beaucoup débattu ces dernières années [28] : celui de la synecdoque. Celle-ci est classiquement décrite comme la figure qui substitue le général au particulier (ou vice versa) ou la partie au tout (ou vice versa). Mais il est évident qu'un déplacement sur l'axe de la généralité ne produit pas nécessairement une figure : dire « l'animal bondit » quand le contexte indique clairement qu'il s'agit d'un chat ne relève vraisemblablement pas de la rhétorique.

Ce critère de rhétoricité, on l'a tôt défini à l'aide du concept d'écart, qui avait déjà fait l'objet de controverses en stylistique [29]. Ce concept est la pierre angulaire de la théorie défendue en 1966 par Jean Cohen [30]. Celui-ci définissait la poésie non plus sur la base de critères quantitatifs, comme on le faisait généralement jusque-là (« la poésie, c'est de la prose avec des structures additionnelles »), mais sur un plan résolument qualitatif (« la poésie, c'est de l'anti-prose »). Ce concept général d'écart recevait une illustration détaillée sur plusieurs plans. Par exemple sur le plan métrique mais aussi sur le plan sémantique. Dans le premier cas, la poéticité réside dans le taux de distorsion entre pauses métriques et pauses syntaxiques. Sur le second plan, Cohen a consacré une particulière attention au phénomène de la prédication, la poéticité résidant par exemple dans le taux d'impertinence (« poissons chantants ») ou de redondance de l'épithète (« ta tête blonde »).

Le concept d'écart ne va pas seul, dans cette théorie : fondé sur l'observation des relations syntagmatiques, il va de pair avec celui de réduction de l'écart. Ce qui crée la figure est un mouvement qui, à la détection de l'impertinence dans un énoncé, fait se succéder la réévaluation de cet énoncé ; ou, mieux, c'est une tension qui se manifeste entre

---

28. Voir ci-après, chapitre VII.
29. Voir plus haut, chapitre premier, § 1.1, et surtout ci-après, chapitre III.
30. Jean Cohen, *Structure du langage poétique*.

deux types de règles. Car si la figure est déviante par rapport à des règles établies par une certaine linguistique, elle est régie par des règles d'un autre niveau, et tout aussi générales que les premières [31].

2.1.3. L'idée de cette généralité a été défendue dans *Rhétorique générale*. Cet ouvrage du Groupe μ explore systématiquement le domaine autrefois couvert par l'*elocutio*, à l'aide de concepts adaptables à d'autres domaines. Ces concepts sont celui d'articulation d'une part, la notion d'opération rhétorique de l'autre.

Pour des raisons de commodité, je restreins ici mon propos au trope, pièce essentielle de la stratégie du texte rhétorique. Cet instrument a été redéfini dans *Rhétorique générale* comme une classe particulière de métaboles (ou figures du langage) : les figures comportant une manipulation sémantique, ou métasémèmes. Situons rapidement ces figures dans le champ de la rhétorique.

Toutes les opérations rhétoriques reposent sur une propriété fondamentale du discours : il est décomposable en unités de plus en plus petites. La théorie de la double articulation est trop connue pour que nous nous attardions davantage à cette particularité. L'inventaire de tous les découpages possibles dans le code linguistique est pour nous de première importance, puisqu'il nous permet de délimiter les domaines respectifs des quatre grandes familles que nous serons amené à distinguer parmi les figures rhétoriques ou métaboles. Cette quadripartition résulte de deux dichotomies appliquées simultanément. La première est la distinction bien connue entre signifié et signifiant ou, plus grossièrement, entre la forme plastique des unités linguistiques et leur contenu sémantique. La seconde est le clivage qu'il y a lieu de faire entre les deux grands niveaux se dessinant dans l'ensemble des découpages : celui du mot et celui de la phrase. On obtient dès lors quatre domaines hiérarchisés de métaboles possibles : celui de l'aspect sonore ou graphique des mots ou des unités d'ordre inférieur (grosso modo la morphologie),

---

31. Comme le souligne Mary-Annick Morel (« Pour une typologie… », p. 2) à la suite de Chaïm Perelman et Lucie Olbrechts-Tyteca (*La Nouvelle Rhétorique…*, p. 228-229), une « figure n'atteint son objectif que si, tout en étant perçue comme usage inhabituel, son emploi paraît normal dans la situation de discours créée par l'orateur, et si, par conséquent, la distinction perçue de prime abord, entre l'usage normal de la structure et son usage figuré dans le discours s'abolit grâce à l'effet même du discours ».

celui de l'aspect sémantique de ces mots, celui de la disposition formelle de la phrase (ou syntaxe) et celui de la valeur logique et référentielle de la phrase. Il existe donc quatre grandes classes de métaboles. Ce sont respectivement les métaplasmes, ou figures altérant la forme des unités signifiantes minimales que sont les mots, les métasémèmes, figures de sens opérant au niveau de ces unités minimales, les métataxes, ou figures agissant sur le plan syntaxique et formel, et enfin les métalogismes, qui représentent ce que la rhétorique ancienne nommait « figures de pensée ».

	EXPRESSION	CONTENU
MOTS (ET <)	Métaplasmes	Métasémèmes
PHRASES (ET >)	Métataxes	Métalogismes

Tableau I. — *Les domaines des métaboles.*

Ayant ainsi décrit le matériel sur lequel s'effectuaient les opérations rhétoriques, il ne nous reste plus qu'à décrire ces opérations elles-mêmes. Nous pouvons en distinguer de deux types. Les premières opérations, ou opérations substantielles, altèrent la substance des unités sur lesquelles elles portent. Les secondes, les opérations relationnelles, sont conservatrices, puisqu'elles se bornent à modifier l'ordre des éléments qui composent l'unité sans attenter à leur nature elle-même.

Les opérations substantielles ne peuvent être que de deux sortes : celles qui suppriment des unités et celles qui en ajoutent. Ainsi, dans le domaine des métasémèmes, nous pouvons observer des suppressions d'unités de signification (c'est-à-dire de sèmes), ce qui peut nous donner le trope connu sous le nom d'antonomase généralisante. C'est également par suppression que nous obtiendrons, dans le domaine des métalo-gismes cette fois, ces figures que la rhétorique traditionnelle nomme litotes ou suspensions. On peut également obtenir des métaboles par adjonction. Dans le domaine des métataxes, cela donnera naissance à la figure appelée épanorthose ou encore à la polysyndète. Le métalogisme par adjonction sera évidemment l'hyperbole. Nous ne pouvons entrer ici dans le détail de chacune de ces figures, dont l'analyse mérite un long développement.

Il est encore possible de concevoir à côté de l'adjonction et de la suppression, une opération mixte qui résulterait de l'application concomitante d'une adjonction et d'une suppression. Dans le domaine des métasémèmes, c'est d'une telle manœuvre que procède la figure si importante qu'est la métaphore. Soit la proposition « le roseau pensant ». L'idée de départ est évidemment celle de *homme*. Il y a tout d'abord eu suppression de certains sèmes spécifiques au terme *homme*, mais maintien d'un noyau sémique constituant ici une sorte de degré zéro que pourrait exprimer la formule *être faible*. Il y a ensuite eu enrichissement de ce noyau par certains sèmes propres au végétal que le botaniste nomme *arundo donax*. Mais ce n'est pas ici le lieu de s'étendre sur cette question autour de laquelle philosophes, esthéticiens et linguistes disputent depuis si longtemps. Avant de quitter le domaine de l'adjonction-suppression, notons que cette opération donne évidemment, sur le plan des métalogismes, des figures telles que euphémismes, allégories, paraboles, périphrases, qui toutes procèdent d'une substitution réglée.

Il faut remarquer que chacune de ces trois opérations substantielles générales admet un cas particulier. Ainsi l'altération destructive peut être quelconque, c'est-à-dire partielle, mais elle peut également être complète. Un bon exemple de métataxe par suppression complète est représenté par l'ellipse. Il en va de même de l'adjonction, qui peut être quelconque, ou répétitive dans le cas où elle se bornerait à ajouter à une unité cette unité elle-même. Quant à l'opération mixte, elle peut également être partielle, ou complète lorsque toutes les unités sont supprimées et remplacées par d'autres, mais elle peut encore être négative quand, sur le plan du signifié, elle substitue à une unité sa propre négation. Dans le champ des métasémèmes, une telle adjonction-suppression négative est représentée par l'antiphrase.

Les altérations relationnelles sont plus simples puisqu'elles se bornent à modifier l'ordre linéaire des unités sans pour cela affecter la nature des unités elles-mêmes. De telles opérations ne sont évidemment possibles que dans les domaines où les unités linguistiques se présentent selon un ordre linéaire.

Au niveau du signifié, les unités linguistiques que sont les sèmes sont évidemment dépourvues d'un ordre spatialement représentable. Les altérations relationnelles n'ont donc de sens que dans les champs métaplasmique et métataxique. Notons qu'il est possible d'envisager, pour une même métabole, des combinaisons plus ou moins complexes d'une altération substantielle, quelle qu'elle soit, et d'une altération relationnelle (voir le cas du *loucherbem* en argot [32]). D'autre part, la quatrième opération, que nous nommerons permutation, admet elle aussi un cas limite. Elle peut être quelconque — et sur le plan des métataxes, nous pourrons ici évoquer l'hypallage, l'hyperbate ou la tmèse — mais elle peut également se faire par inversion. Dans ce cas, l'ordre des unités dans la chaîne parlée est tout simplement renversé. Toujours sur le plan des métataxes, c'est par ce procédé que nous obtiendrons le chiasme, l'anaphore et l'antimétabole.

Il est donc possible de récupérer toutes les « figures de langage » autrefois répertoriées par les arts de rhétorique dans un unique tableau à double entrée. En abscisse, les quatre domaines de métaboles, lesquels nous sont fournis par les découpages successifs établis par la linguistique, et en ordonnée, les quatre opérateurs que nous venons de décrire longuement. Par exemple, la troncation (*fac* pour *faculté*) est un métaplasme par suppression, la suffixation parasitaire *(cinoche)* un métaplasme par suppression-adjonction, la synecdoque particularisante référentielle (*voile* pour *bateau*) un métasémème par suppression, l'hyperbole un métalogisme par addition, la tmèse une métataxe par permutation…

Ce tableau n'a évidemment qu'une valeur matricielle et ne prétend pas recenser tous les types connus de figures. Mais au moins possède-t-il une certaine qualité heuristique, en ceci qu'il concilie le souci structural d'une représentation synthétique des phénomènes de littérature et l'exigence parallèle d'une distribution aussi complète que possible desdits phénomèmes. À chaque niveau, et dans chaque case du tableau, de nouvelles recherches seront évidemment nécessaires afin de déterminer toutes les nuances possibles de chacun des types de figures ici schématisées. Il faut montrer avec exactitude le mode d'action des opérateurs recensés et également structurer chaque champ en fonction de sa réalité linguistique propre. Ce travail n'est pas encore achevé à l'heure qu'il est.

---

32. Groupe μ, « Figure de l'argot », *Communications*, nᵒ 16, 1970, numéro intitulé *Recherches rhétoriques*, p. 70 et suiv.

On peut encore classer ces transformations autrement. On dira alors que, dans ces règles, deux sont simples (l'adjonction et la suppression), et deux sont complexes (la substitution et la permutation, pouvant être conçues comme des combinaisons des deux premières règles). Mais toutes ces règles sont constitutives du langage lui-même. Quel en est l'usage proprement rhétorique ?

Le trope constitue, comme toute métabole, une modification du niveau de redondance calculable du code, modification perçue grâce à une impertinence distributionnelle. Cette impertinence est réduite grâce à la présence d'un invariant induit par le contexte, et qui est, dans le cas de la métaphore (que nous prendrons comme exemple), l'intersection des sèmes du degré donné de la figure et de la classe de ses degrés construits (nous préférons « degré donné » et « degré construit » à « sens propre », « sens figuré », « teneur », « véhicule », en ce que ces termes n'impliquent aucune hiérarchie). L'invariant est fourni par les classèmes ou sèmes récurrents. Dans le cas de la métaphore publicitaire « Mettez un tigre dans votre moteur », *tigre*, degré donné, remplit une variable x dont le contenu est partiellement prédéterminé par la redondance du message (énergie, souplesse, etc.) : c'est la classe des degrés construits, constituée par le paradigme des signifiés possédant le classème x. Notons que l'invariant peut être induit par un phénomène de *feed-back* aussi bien que de *feed-forward* (ici, il s'agit plutôt de *feed-back*, l'élément déterminant du contexte étant *moteur*).

Cette dernière remarque laisse entendre que la dynamique textuelle joue, ainsi que nous le verrons, un rôle capital dans les processus rhétoriques. Elle fait également voir que l'identification du trope dépend encore de variables extra-linguistiques très diverses et souvent occultées. Je n'en veux que deux exemples : le présent trope n'est évidemment possible que dans la mesure où l'énoncé qui le véhicule est prononcé dans une société qui vit dans la croyance de la non-existence de moteurs fonctionnant par insertion de félins ; la rhétorique, comme la « sémantique des mondes possibles », doit obligatoirement prendre en compte les grandes représentations mentales élaborées par les sociétés, représentations que l'on désignera du nom d'encyclopédies. Cette discussion nous retiendra au chapitre VII. Autre variable : les conditions de l'énonciation. Si le trope pris pour exemple est décodé de la façon indiquée, c'est qu'il est perçu dans tel cadre indiquant une isotopie dominante : une station service, ou une page publicitaire (où l'on incite plus volontiers à la consommation de dérivés du pétrole qu'à l'achat de fauves).

Mais nous pouvons imaginer la même phrase prononcée par un dompteur désireux de soumettre son numéro au directeur d'un cirque en déclin : le trope réside alors dans *moteur* (si nous négligeons la synecdoque *tigre* pour *spectacle de dressage de tigres*) et l'énoncé se lit alors comme un encouragement métaphorique à rendre un dynamisme à l'entreprise défaillante. On voit donc que si l'impertinence distributionnelle constitue un indice de l'existence d'un trope, celui-ci n'est pleinement identifié qu'à travers la lecture que fait le récepteur des conditions d'énonciation du message.

Pour décrire correctement la relation qui s'établit entre degré donné et degrés construits, il nous faut rappeler que l'analyse des tropes conduit à deux types de décomposition sémantique radicalement différents [33] : le premier type est celui de la décomposition référentielle, ou décomposition sur le mode Π (les parties étant entre elles en rapport de produit logique : il y a équivalence entre les propositions « *x* est un arbre » et le produit logique des propositions « *x* a des feuilles » et « *x* a des racines » et « *x* a un tronc », etc.). Dans la décomposition conceptuelle ou sur le mode Σ, les sous-classes sont mutuellement exclusives et font au sein du genre une disjonction : il y a équivalence entre la proposition « *x* est un arbre » et la somme logique des propositions « *x* est un chêne », « *x* est un peuplier », etc. On notera que cette double décomposition

---

33. Groupe μ, *Rhétorique générale* ; Francis Édeline, « Contribution de la rhétorique à la sémantique générale », *VS*, n° 3, sept. 1972, p. 69-78 ; Tzvetan Todorov « Synecdoques », *Communications*, n° 16, 1970, p. 26-35 ; Nobuo Sato, « Synecdoque, un trope suspect », in *Rhétoriques, Sémiotiques*, p. 116-127. Comme on le verra ci-après (chap. VIII), l'analyse des figures n'est pas sans avoir de graves répercussions sur la théorie sémantique. En termes clairs — et peut-être scandaleux — la question s'énonce de la manière suivante : qu'est-ce qui est linguistique dans la sémantique ? Le fait est que les concepts strictement linguistiques sont vite inopérants pour expliquer les tropes comme la métonymie, ainsi que le remarque Hugh Bredin (« Metonymy », *Poetics Today*, vol. V, n° 1, 1984, p. 52) à propos de *Rhétorique générale*, sans tenir compte des corrections postérieurement proposées par F. Édeline dans l'article cité ci-dessus, ou par le Groupe μ dans *Miroirs rhétoriques*. Le trope qui rend le plus urgentes ces corrections est la synecdoque, comme on le verra ci-après, mais le problème se pose évidemment aussi à propos de la métaphore, qui gagne à être traitée aussi en termes de cognition. Voir à ce sujet Umberto Eco, « The Scandal of Metaphor. Metaphorology and Semiotics », *Poetics Today*, vol. IV, n° 2, 1983, p. 217-257.

donne une assise logique à la distinction « lexique concret » / « lexique abstrait » (tout en la relativisant, puisque la concrétude et l'abstraction ne résident plus ici dans les choses, mais bien dans l'analyse à laquelle elles sont soumises). Mais surtout elle est capitale pour la définition des tropes, qui consistent en déplacements le long des séries attributives ou distributives, selon l'un ou l'autre mode.

À partir de ces deux modes, et des deux opérations simples d'adjonction et de suppression, on peut envisager une matrice tropique profonde.

Cette matrice engendre quatre tropes de base, qui sont la synecdoque généralisante conceptuelle (ou SgΣ : des sèmes sont supprimés), la synecdoque particularisante référentielle (ou SpΠ : des parties de représentation d'objets sont ici supprimées), la SpΣ et la SgΠ (sèmes et parties ajoutés) :

	Π	Σ
A	SgΠ	SpΣ
S	SpΠ	SgΣ

Tableau II. — *La matrice tropique.*

Il est malaisé de trouver des exemples de ces quatre types de synecdoques, que la rhétorique classique avait confondus sous une étiquette unique et sans pouvoir en donner une définition correcte. La métaphore et la métonymie apparaissent dès lors comme des tropes complexes : la métaphore accouple deux synecdoques fonctionnant de façon inverse et déterminant une intersection entre degrés donnés et construits. La relation entre les deux synecdoques de la métonymie s'effectue, elle, via un ensemble encyclopédique les englobant tous deux, sur le mode Π.

Ces tropes posent des problèmes complexes, qui seront examinés plus loin (voir chapitre VII), et sont à la base d'un dynamisme textuel qui devra, lui aussi, être étudié (voir chapitres V et VI). Mais résumons-nous ici en soulignant que la rhétorique réside dans la simultanéité de trois opérations complexes. Ce sont 1) l'identification d'une relation d'impertinence dans le syntagme (dans « boire l'obstacle », le complément ne respecte pas les règles distributionnelles imposées par le

verbe) ; appelons par convention l'élément impertinent *degré perçu* ;
2) le calcul aboutissant à restituer aux éléments en relation un statut
conforme à ces règles (dans l'exemple choisi, cela consisterait à *a*) attri-
buer un sens « liquide » à *obstacle* ou *b*) à éliminer le classème « objet
liquide » dégagé par *boire*, en respectant les règles d'homogénéité du
contexte qui, ici, imposent la solution *b*) au détriment de la *a*) ; appelons le résultat de cette restitution *degré conçu* ; 3) l'établissement d'un
lien dialectique entre degré conçu et degré perçu ; dans l'énoncé « Les
faucons du gouvernement », un échange s'institue entre le degré conçu
(« hommes politiques ») et la représentation que l'on se fait du degré
perçu (« agressivité »). C'est cette tension qui est sans doute l'essentiel
du mécanisme, et qui donne aux énoncés rhétoriques la densité et la
polysémie qu'on leur reconnaît.

   Notons deux choses à propos de ce mécanisme. D'abord qu'il ne
permet plus de définir la figure comme un élément isolé (un mot, par
exemple). C'est un ensemble syntaxique entier qui la détermine. Elle est
donc le moteur d'un dynamisme textuel [34], qui se manifeste par exemple
dans la métaphore filée (voir ici même, chapitre VI). Ensuite qu'il
mobilise non un contenu sémantique strict, mais des contenus mytho-

---

34. C'est aussi la position de Paul Ricœur dans *La Métaphore vive*. Si la rhétorique
peut, selon les cas, prendre pour unité de référence le mot, la phrase ou le discours, c'est
à ce dernier point de vue herméneutique que se place l'auteur : la problématique qui s'en
dégage « ne concerne plus la forme de la métaphore en tant que figure du discours
focalisée sur le mot : ni même seulement le *sens* de la métaphore en tant qu'instauration
d'une nouvelle pertinence sémantique mais la *référence* de l'énoncé métaphorique en
tant que pouvoir de " redécrire " la réalité » (p. 10). La principale tâche de la
rhétorique devient ainsi la recherche du pouvoir qu'a la métaphore de redécrire et recréer
la réalité, tant sur le plan littéraire que sur le plan philosophique. Soucieux de
différencier le point de vue strictement sémantique (qui ferait de la métaphore une
dénomination déviante) du point de vue proprement rhétorique (lequel, replaçant la
métaphore dans le cadre de la phrase, en fait un cas de prédication impertinente),
Ricœur entend prouver que « l'indéniable subtilité de la nouvelle rhétorique s'épuise
entièrement dans le cadre théorique qui méconnaît la spécificité de la métaphore-énoncé
et se borne à confirmer le primat de la métaphore-mot » (p. 9). Pourtant la *Rhétorique
générale* (que l'auteur nous fait l'honneur d'analyser comme étant le travail le plus
représentatif de la recherche néo-rhétorique), décrit le trope non comme un écart
statique par rapport à un degré zéro absolu, mais bien comme un contraste dynamique
entre une « marque » et une « base » : ces deux concepts — assez généraux pour qu'ils
puissent renvoyer à la « métaphore-énoncé » tout autant qu'à la « métaphore-mot » —
forment une paire indissociable, moteur d'une constante recherche du sens textuel, que
nous décrirons au chapitre VI.

logiques ou encyclopédiques (voir le chapitre VII) : un sémanticien de stricte observance nierait sans doute que *faucon* contienne le sème « agressivité », sur lequel repose pourtant la métaphore. Cette constatation aboutit à mettre en question les fondements d'une « sémantique restreinte ». Nous aurons à revenir plus loin sur tout ceci, et particulièrement sur le rôle joué par le composant encyclopédique en sémantique.

2.2. Généralité du modèle rhétorique

Ce modèle — quoique proposé à partir d'une réflexion sur l'*elocutio* — débouche bien sur une rhétorique générale. Générale dans la mesure où elle est fondée sur une matrice simple engendrant non seulement les tropes, mais aussi toutes les autres figures, sans en privilégier aucune (et surtout pas la métaphore, trop souvent prise pour « figure centrale » [35] et trop souvent limitée au mot), sans en mépriser aucune. Générale encore en ceci que sa portée dépasse le cadre de l'*elocutio*, puisque l'analyse des tropes révèle des processus symbolisateurs et sémantiques fondamentaux. Générale enfin dans la mesure où elle étend considérablement le champ de la figure jusqu'à englober toutes les formes du « discours ».

À bien y regarder, l'hypothèse d'une grande rhétorique est postulée par le projet même de la sémiotique. Car s'il y a une rhétorique linguistique — définie comme la classe des usages linguistiques où la fonction de communication cesse d'être première — et si par ailleurs existent des lois générales de la communication et de la signification — ce qui constitue le postulat de la sémiotique —, alors il doit exister une rhétorique générale dont les règles peuvent rendre compte des phénomènes rhétoriques se manifestant dans divers champs sémiotiques [36].

---

35. C'est elle qui a suscité le plus de publications et de controverses. Voir les bibliographies de Warren A. Shibles *(Metaphor : An Annotated Bibliography and History)* et de Jean-Pierre Van Noppen *(Publications on Metaphor after 1970 : A Preliminary Bibliography : Linguistic Approaches and Issues).*

36. Pour la rhétorique de l'image visuelle, voir par exemple Groupe μ, « Plan d'une rhétorique de l'image » (*Kodikas / Code*, vol. II, n° 3, 1980, p. 249-268) et « Structure et rhétorique du signe iconique » (in *Exigences et Perspectives de la sémiotique : recueil d'hommages pour A. J. Greimas*, p. 449-461), ainsi que notre ouvrage à paraître, *Traité du signe visuel.*

Mais restons sur le terrain qui nous intéresse pour souligner que le modèle rhétorique est apte en principe à décrire toutes les structures littéraires à n'importe quel niveau. Les règles prosodiques, par exemple, peuvent être considérées comme l'adjonction au code de contraintes supplémentaires. Soit encore ce qui s'est développé un peu partout depuis une vingtaine d'années sous le nom de poésie « concrète » ou « spatialiste » : pour une bonne part, c'est un genre qui exploite les possibilités linguistiques négligées des « métaboles du support », c'est-à-dire les variations sur le support graphique et typographique du message.

Un grand nombre de travaux menés à l'enseigne de la poétique ne se réclament cependant pas explicitement de ce modèle. C'est notamment le cas de l'analyse du récit, qui n'est qu'un cas particulier de l'étude des relations interpropositionnelles. Ce type d'analyse a pris naissance dans des domaines aussi différents que l'esthétique (Souriau), l'étude du folklore (Propp) ou l'ethnologie (Lévi-Strauss) ; ces recherches se rejoignent pour décrire le trait minimal du récit comme le procès de transformation d'un agent en un autre. Ces transformations sont évidemment complexes, et ne peuvent être approchées qu'à travers des concepts rigoureux comme unité narrative simple (fonction), actant, etc. [37] Autant d'unités et de schémas sur lesquels peuvent s'exercer les opérations rhétoriques décrites plus haut [38].

Les concepts rhétoriques une fois définis, il reste à envisager la relation de la rhétorique au poétique.

On s'épuiserait à chercher sur le plan linguistique une spécificité de la littérature (et singulièrement de la poésie, qui en représente une sorte de quintessence). Un examen critique des différentes thèses sur ce point [39] aboutit à disqualifier tous les critères exclusivement formels par lesquels on avait cru pouvoir décrire la poésie. On montrera ci-après (chapitre V) que la figure — avec son effet de « totalisation » — est

---

37. Algirdas Julien Greimas, *Sémantique structurale : recherche de méthode* ; *Du Sens* ; *Du Sens II* ; Algirdas Julien Greimas et Joseph Courtès, *Sémiotique. Dictionnaire raisonné de la théorie du langage* ; Claude Bremond, *Logique du récit*.
38. Voir Groupe μ, *Rhétorique générale,* p. 171-199, et « Rhétoriques particulières (Figure de l'argot. Titres de films. La clé des songes. Les biographies de *Paris-Match*) », *Communications,* n⁰ 16, 1970, p. 110-124.
39. Groupe μ, *Rhétorique de la poésie : lecture linéaire, lecture tabulaire,* p. 23-37.

bien une condition nécessaire du poétique, mais qu'elle n'en est pas une condition suffisante. Un autre critère — non linguistique, celui-là — doit sans doute intervenir pour isoler, dans le « genre proche » qu'est la classe des discours rhétoriques, « la différence spécifique » que constitue le discours poétique.

3. L'éclatement des cadres

En indiquant ainsi elle-même ses limites, la rhétorique définit son rôle dans la science de la littérature : un rôle auxiliaire. Il revient à d'autres disciplines — la sociologie, l'anthropologie — de définir l'objet littérature et, peut-être, d'en dire le dernier mot.

Mais sur un autre plan — épistémologique celui-là —, la contribution de la rhétorique est plus importante. Discipline moderne dans sa démarche, elle reste fidèle au programme de sa devancière classique : constituer une science du discours des hommes en société. Nourrie par le savoir linguistique élaboré au XXᵉ siècle, elle féconde à son tour celui-ci en l'encourageant à élargir des cadres qu'il avait, en un geste utile, très strictement délimités [40].

Et il nous reste peut-être à revenir un bref instant sur l'opposition entre ce qui serait une rhétorique restreinte — celle de l'*elocutio* — et une rhétorique authentiquement générale — cette « Rhétorique générale textuelle » postulée de plusieurs côtés. On a déjà vu que, sur le plan strictement technique, cette opposition ne pouvait tenir bien long-temps : plusieurs exemples ont montré que l'étude des figures contaminait bien vite des domaines qui, dans la rhétorique classique, appartenaient plus à la *dispositio* et à l'*inventio* qu'à l'*elocutio*, et qu'une étude sérieuse de celles-là impliquait qu'on prenne en considération les ressources que celle-ci met à leur service.

Mais la question n'est pas seulement technique : elle est aussi épistémologique et elle vaut qu'on s'y arrête. C'est que la réduction de la

---

40. L'interpénétration de la linguistique et de la littérature, ayant remis les deux concepts en question, a été maintes fois dramatisée. Voir le ton suggestif des articles de Pierre Kuentz, « Remarques liminaires » (*Langue française*, nº 7, sept. 1970, numéro intitulé *La Description linguistique des textes littéraires*, p. 3-13) et Roland Barthes, « De l'œuvre au texte » (*La Revue d'esthétique*, vol. XXIV, 1971, p. 225-232).

rhétorique à l'*elocutio* semble bien avoir partie liée avec le formalisme que nos dernières lignes du chapitre premier ont cavalièrement mis en perspective historique. Le procès fait au formalisme des années soixante, en effet, n'épargne pas la néo-rhétorique.

Dans son livre *Del formalismo a la neorretórica*, José María Pozuelo a rapporté les arguments principaux du réquisitoire : la rhétorique née dans le giron structuraliste était « fondamentalement formaliste, et refusait visiblement son idéologie », et ne pouvait que déboucher sur une « conception faisant fi du rapport au discours social, autonomisant et verbaliste ». Pour atteindre ce niveau de formalisme, cette rhétorique-là ne pouvait être « qu'une " rhétorique restreinte ", cantonnée et auto-limitée à l'*elocutio*, et plus particulièrement aux tropes, pour finir par ne plus être qu'une théorie de la métaphore [41] ».

Le portrait est sévère. On verra qu'il n'est pas ressemblant en tous points, et que la restriction tant redoutée a au contraire permis de notables généralisations.

Mais que serait cette « rhétorique générale textuelle » encore dans les limbes ? Elle est annoncée comme un fait non seulement réclamé de manière pressante depuis quelques années, mais aussi comme une évolution fatalement programmée par l'évolution de l'épistémologie occidentale. On avance généralement plusieurs causes pour l'expliquer : la conscience que la rhétorique « peut jouer le rôle d'un horizon où se concrétiserait la nécessaire *interdisciplinarité* des sciences humaines [42] » (ce que le Groupe μ soutenait déjà en 1967) [43], cette discipline impliquant par elle-même une globalité susceptible de bloquer tous les -*ismes* réducteurs ; l'évolution de la linguistique, qui se déplace de l'étude du système vers celle de la parole ; ce que l'on a pu désigner du nom de « crise de littérarité » ; et, enfin, « la connexion entre rhétorique et étude des moyens de persuasion dans une société [...] où la propagande se fait de plus en plus pressante [44] ».

41. José María Pozuelo Yvancos, *Del formalismo a la neorretórica*, p. 181.
42. José María Pozuelo Yvancos, *Del formalismo...*, p. 185.
43. Groupe μ, « Rhétorique généralisée », *Cahiers internationaux de symbolisme*, nᵒˢ 15-16, 1968, p. 103-115.
44. José María Pozuelo Yvancos, *Del formalismo...*, p. 187-188.

Cette description est assurément convaincante, et ouvre une perspective sur un avenir généreux. Mais il nous faut y introduire deux nuances d'importance.

La première : la critique du provincialisme méthodologique véhiculé par tous les -*ismes* et celle du positivisme formaliste ne sauraient être un prétexte pour rompre avec la loi de toute démarche scientifique, une démarche qui doit se soumettre aux quatre conditions suivantes : être logiquement ordonnée, univoque, explicite et vérifiable. Or, nous craignons que le retour de l'irrationnel dans la culture occidentale des années quatre-vingt, et sans doute des années quatre-vingt-dix — qui exerce les ravages que l'on sait —, puisse prétexter les limites des disciplines élaborées antérieurement non pour dépasser ces limites, mais pour promouvoir je ne sais quel néo-primitivisme régressif.

Ce qui nous amène à la deuxième remarque : le désir presque instinctif d'une discipline intégrante ne peut déboucher sur une récupération totale de la rhétorique classique. Or, on peut à bon droit suspecter une certaine nostalgie vis-à-vis de ce grand édifice chez ceux qui se plaisent à souligner les atteintes actuelles à son intégrité comme autant d'insultes à l'humanisme, et qui avancent des formules du genre « La *Rhétorique* d'Aristote ne se voulait pas " générale " (encore moins " généralisée ") : elle l'était [45] ». Nous ne voyons quant à nous aucune raison d'accepter sans discussion que le champ de l'ancienne rhétorique doive nécessairement constituer le point de départ de la néo-rhétorique générale programmée. On peut tout au plus accueillir cette idée comme hypothèse de travail. Mais les raisons de ne pas aller plus loin surgissent vite. On trouvait en effet dans ce champ bien des préoccupations qui sont à l'origine de disciplines ou de techniques aujourd'hui autonomes : cela va depuis la psychologie sociale jusqu'au marketing. L'histoire a remodelé les frontières de l'ancien empire, en y dessinant de nouveaux royaumes et de nouvelles républiques. Certes, cette nouvelle géographie n'est pas définitive : il n'y a jamais rien d'irrévocable dans l'histoire des républiques, même dans celles des sciences humaines ou autres. Nous affirmons simplement que les frontières de la néo-rhétorique peuvent

---

45. Gérard Genette, « La rhétorique restreinte », p. 158.

être fort différentes de celles de la paléo-rhétorique, sans que ce soit nécessairement un sujet de scandale.

De telle sorte que la réflexion doit se porter sur les deux constituants de l'expression « rhétorique générale » ; réflexion sans laquelle elle resterait un simple slogan, ou un titre pour un livre (et les titres sont toujours peu ou prou raccoleurs). En d'autres termes, nous poserons les deux questions : quels sont les domaines de l'ancienne rhétorique susceptibles de nous intéresser, et pourquoi ? puisque ni la Bible ni le Code civil ni aucun autre pouvoir ne peut nous contraindre à partir des frontières de l'ancien empire. Le plus important, dans le processus de sélection des domaines, est de définir explicitement les objectifs de la recherche. Deuxième question : que signifie « généraliser » ? Élargir un champ de juridiction, en collectionnant des objets différents et en les traitant avec des méthodologies différentes, en une aimable juxtaposition bien éloignée de la véritable interdisciplinarité ? ou est-ce adapter à des objets moins connus des méthodes élaborées pour des objets mieux connus, en mettant en lumière les traits qui les rendent justiciables d'un même modèle ? Et encore une fois, comment et pourquoi sélectionner ces objets, élaborer ces modèles, concevoir ces méthodes ?

Or, on peut observer que l'*elocutio*, en dépit des nécessaires élargissements que nous avons indiqués, a encore sa légitimité dans le champ du savoir contemporain. Elle l'avait et elle l'a encore sur le terrain linguistique. Elle comble en effet une lacune de cette discipline qui, jusqu'il y a peu, ne pouvait rendre compte des énoncés à sens muliples, pourtant si fréquents, et si variés à la fois dans leurs structures et dans leurs usages sociaux. Et aujourd'hui, cette partie de la rhétorique est bien près de voir son programme réalisé. La pragmatique ne saurait exister sans une théorie de la polyphonie, et les notions de présupposés et de sous-entendus y sont cardinales.

Mais alors, cette *elocutio*-là ne serait-elle qu'une province d'une linguistique généreusement comprise ? Et la néo-rhétorique qui lui correspond serait-elle condamnée à disparaître au fur et à mesure que la pragmatique se développera, et que ses exigences affecteront les autres parties de la linguistique ? On voit en tout cas que la rhétorique contribue à l'établissement d'une théorie de l'interprétation des énoncés

dans laquelle la dimension encyclopédique (« l'agressivité » du *faucon*) aurait sa place [46].
Mais on voit que la polyphonie existe en d'autres langages, où la notion d'encyclopédie est aussi importante, comme les sémiotiques visuelles [47]. De sorte qu'il reste légitime de chercher à articuler l'*elocutio* linguistique aux rhétoriques non linguistiques au sein de la sémiotique.

---

46. Voir ci-après le chapitre VII, pour une tentative de ce genre.
47. *Cf.* l'ouvrage à paraître du Groupe μ, *Traité du signe visuel. Sémiotique et rhétorique.*

DEUXIÈME PARTIE

TEXTES

CHAPITRE III

VERS UN MODÈLE THÉORIQUE
DU LANGAGE POÉTIQUE

1. « Choses » et modèles

Comme on l'a vu, divers domaines — l'esthétique, la critique littéraire, puis la stylistique et enfin, plus près de nous, la poétique et la néo-
rhétorique — ont été traversés par une question identique : quels sont
les critères définitoires du langage poétique ?

Depuis que l'étude du discours littéraire a rompu avec l'impres-
sionnisme pour se vouloir description scientifique (c'est-à-dire logiquement ordonnée, univoque, absolument explicite, vérifiable), divers
critères ont été avancés pour rendre compte de l'usage poétique du
langage. Si cette discussion, encore en cours, prend souvent un tour
polémique, c'est le plus souvent à cause de préjugés essentialistes,
existant tant dans le chef de ceux qui ont proposé des critères que chez
ceux qui ont critiqué les premiers. La faille épistémologique peut être
double : incompréhension de la notion de modèle, ou croyance à l'existence d'*un* modèle correct et définitif. Il est donc nécessaire de redire
qu'un modèle ne reproduit que certains côtés de l'objet ou du phénomène étudié : le modelage souligne des analogies, ou des isomorphismes, entre l'objet modelé et celui qui sert de modèle, et cela sans
rechercher une adéquation terme à terme qui, tautologique, perdrait

toute valeur explicative. Ainsi les modèles mathématiques de la langue sont-ils des constructions mathématiques (objet-modèle), lesquels conservent certains aspects des phénomènes linguistiques (objet modelé) [1]. La seconde erreur méthodologique soulignée, rare dans les disciplines qui se sont tôt formalisées, est encore fréquente en sciences humaines. En fait, toute réalité descriptible peut indifféremment être appréhendée à l'aide de plusieurs modèles plus ou moins adéquats, ce degré d'adéquation étant fonction d'un choix axiologique.

Pour éclairer ce propos, on pourra rapprocher la poétique des positions de la linguistique générative. On connaît les exigences des linguistes contemporains vis-à-vis des grammaires. La grammaire est une machine (au sens mathématique), constituée d'un ensemble de règles qui permettent d'engendrer tous les énoncés d'une langue et ceux-là seuls. À ce niveau d'adéquation descriptive, il n'y a pas de grammaires par essence meilleures les unes que les autres : descriptifs, pointillistes, les ouvrages de Grevisse ou de Le Bidois *sont* des grammaires du français. Mais un second degré d'adéquation peut être atteint : l'adéquation observationnelle. Autrement dit, dans ces grammaires plus adéquates, les relations entre énoncés doivent pouvoir être décrites en termes de processus génératif (comme l'ambiguïté, la proximité syntaxique, etc.). À ce niveau, on peut encore avoir le choix entre plusieurs grammaires. La plus explicative sera évidemment la plus simple : celle qui rendra le mieux compte de la quasi infinité des énoncés effectifs d'une langue — elle sera donc aussi la plus *puissante* — avec le plus de simplicité possible (petit nombre de règles utilisées, et simplicité interne de chaque règle : deux exigences qui peuvent être contradictoires). Qu'on songe encore ici aux divers systèmes de géométrie : à l'aide du plus petit nombre possible de postulats et du plus petit nombre possible de règles logiques, ils tentent d'élaborer les modèles spatiaux les plus complexes.

L'exemple de la grammaire devrait aider le poéticien à se garder du préjugé philosophique qui consisterait à se demander si telle proposition pour la description des phénomènes dont il entend rendre compte est adéquate dans l'absolu : la seule question pertinente est celle de savoir

---

1. Voir Solomon Marcus, *Lingvistică matematică*. Mais la notion de modèle n'est sans doute nulle part expliquée avec autant de clarté que dans *Le Signe* de Umberto Eco (chapitre III).

si tel modèle descriptif est plus adéquat que tel autre pour décrire tel objet d'un point de vue donné, explicitement formulé. Cette attitude est communément admise en sciences exactes : John Lyons rappelle spirituellement qu'aucun physicien ne dirait que la théorie de la relativité fournit la meilleure explication possible des données dont elle prétend être le modèle ; on dira simplement qu'elle est plus correcte et plus puissante que la théorie fondée sur la physique newtonienne [2]. Peut-être est-ce une des plus grandes leçons du chomskysme d'avoir, en linguistique, relativisé la recherche en repoussant comme trop ambitieuse la poursuite de procédures de décision (fournissant les critères de *la* meilleure grammaire) pour lui substituer la constitution de procédures d'évaluation, lesquelles permettent de choisir entre des modèles différents. Mais ce bouleversement n'a pas toujours été compris, le mythe de *la* vérité encombrant encore les chemins des sciences humaines, paralysant même ceux-là qui s'en croient les plus libérés.

Si un tel blocage épistémologique freine encore la recherche linguistique proprement dite, on ne sera pas étonné de le retrouver dans l'étude de l'énoncé littéraire, discipline où l'utilisation de procédures formelles est encore trop récente. Il est particulièrement sensible en France, où la recherche s'est développée dans un climat passionnel que seuls pouvaient entretenir de trop nouveaux convertis [3]...

On pourra considérer comme symptomatique de cet état de choses la discussion interminable qui s'est déroulée à l'endroit de la notion de langage poétique.

2. Les critères du langage poétique

Cette discussion a été compliquée par le fait qu'en donnant le nom désormais célèbre de fonction poétique à une modalité de la communication, Roman Jakobson a ouvert la porte à une série de confusions qui font encore sentir leurs effets actuellement : les concepts de *poésie* et de *langage poétique* sont en effet loin d'être coextensifs [4]. L'héritage du formalisme russe est de toute manière refusé aujourd'hui puisqu'on

---

2. John Lyons, *Chomsky.*
3. Voir par exemple Michael Riffaterre, *Essais de stylistique structurale,* p. 261-285.
4. Roman Jakobson, « Closing Statements : Linguistic and Poetics », in *Style in Language,* p. 350-377.

conteste fréquemment — c'est la position que nous adopterons aussi au chapitre V — que la littérature soit un discours autonome, comportant sa spécificité intrinsèque, et par conséquent qu'il existe un langage poétique (LP), définissable par un opérateur général, dont toutes les figures ne seraient que des réalisations particulières. On pourra ainsi trouver plus économique de situer le discours littéraire dans une typologie des discours, ce qui ferait intervenir des critères externes, sociologiques notamment, et résoudrait la difficulté qu'il y a à définir le message poétique, où différents codes (linguistique, sociologique, topologique, etc.) sont à l'œuvre, comme une sous-classe des messages linguistiques. Le LP doit plutôt être considéré comme une intersection : celle du poétique et du linguistique : thèse que nous reprendrons plus loin [5].

Il n'en reste pas moins que le message poétique est doublement soumis aux structures linguistiques (en tant que système autonome de signification et en tant que manifestation d'un langage naturel), et qu'il est dès lors licite de rechercher les critères internes qui le définissent dans cette perspective. Cette recherche a jusqu'à présent été une préoccupation centrale de la théorie littéraire. Parmi les définitions qui se sont voulues générales et non tautologiques, citons celles-ci, que nous retrouverons et examinerons plus loin : l'autotélisme et la densité (Jakobson) ; la promotion du principe d'équivalence au rang de procédé constitutif de la séquence ; la corrélation du plan de l'expression et du plan du contenu (Greimas). Le message poétique se définirait encore par son caractère mémorisable [6], comme message au niveau transphrastique [7], comme ensemble de connotations singulières [8], etc. Certains de ces critères ne définissent en fait que l'*effet* du LP, et non l'opérateur lui-même (ainsi l'autotélisme) ; d'autres sont encore à l'état d'hypothèses à vérifier, ou apparaissent comme trop vastes, ou encore trop étroits. Un dernier critère, hérité des traditions rhétorique et stylistique, est encore plus utilisé en sémiotique poétique ; il s'agit du concept d'écart, ou plutôt des concepts de norme et d'écart. Depuis une vingtaine d'années,

---

5. Voir le chapitre V.
6. Par exemple chez Samuel R. Levin, *Linguistic Structures in Poetry*.
7. Voir Archibald A. Hill, *Introduction to Linguistic Structures : From Sound to Sentence in English,* et Samuel R. Levin, *Linguistic...*
8. Louis Hjelmslev, *Prolegomena to a Study of Language*.

ce concept, auquel nous nous arrêterons à présent, a fait l'objet de critiques provenant d'horizons techniques et idéologiques très différents.

3. Le concept d'écart

Développée, l'analyse de ce concept devrait, comme nous l'avons annoncé, envisager successivement :
• une typologie des définitions proposées de l'écart ;
• une typologie des critiques adressées à ces définitions ;
• un examen des contrepropositions formulées par les critiques.
Nous nous bornerons ici à l'essentiel.

D'abord la typologie de l'écart. Le concept d'écart a une extension plus ou moins importante selon le niveau linguistique où on l'appréhende — la norme pouvant être le système (type 1), une parole supposée non marquée (type 2), ou encore les lois internes du discours où l'écart se manifeste (type 3), et le champ d'application qu'on lui réserve (restriction au vocabulaire, ou extension à la théorie du récit par exemple) [9].

Ensuite, les critiques de l'écart. Ces critiques sont de deux types : techniques, elles contestent l'utilité et la maniabilité du concept, trop polysémique ou trop abstrait ; épistémologiques, elles sont souvent formulées à partir d'un lieu idéologique qu'il importe de définir.

Les critiques techniques sont de trois types :

a) L'écart ne prendrait pas en considération ce qui fonctionne « normalement » dans le texte, et ne rendrait donc pas compte du fonctionnement rhétorique du discours, où tout élément est pertinent. Cette critique, qui laisse intact le type 3, met l'accent sur la nécessité de l'étude syntagmatique du texte.

b) Les écarts de type 1 et 2 renverraient à un point de référence unique et stable (le vocabulaire technique dénonçant d'ailleurs cette fixité : « norme », « degré zéro », etc.). Or, ce point est inexistant, puisque tout élément linguistisque peut être constitutif du texte, et donc être marqué. Critique utile, puisqu'elle permet de corriger le tir : le point de référence ne doit pas être une unité linguistique précise, mais la classe de toutes les unités commutables avec l'unité du texte. La

---

9. Cet examen a été commencé par Nicole Gueunier, dans la revue *Langue française* (nᵒ 3, sept. 1969, p. 34-35), à quoi nous renvoyons pour l'essentiel.

référence ne serait donc pas unique mais plurielle. Une seconde correction est également suggérée par cette critique : s'il est utile de conserver le *construct* que serait un point de référence unique, il doit alors être élaboré sous la forme d'un *modèle* théorique, et ne pas être défini comme une classe d'objets observables.

c) Certaines opérations qui traduisent, dans la réalité linguistique, l'opérateur fondamental (ainsi les adjonctions, suppressions, suppressions-adjonctions et permutations du Groupe μ) ont une réalité qui n'est pas niable, mais seraient impertinentes, puisque ce sont ces opérations mêmes qui constituent le langage [10]. C'est toute la querelle de la catachrèse, dont le statut de figure a été longuement discuté par les anciens rhéteurs. En fait, le LP se distingue par la tension qu'il institue, à l'intérieur même du message, entre l'unité du texte et la classe des unités de référence. Ainsi, dans l'exemple donné au chapitre précédent « Mettez un tigre dans votre moteur », *tigre* ne remplace pas *essence* en l'abolissant dans le message, pas plus qu'il ne *traduit* le signifié *essence*, mais les impertinences classématiques introduisent la tension qu'est la polysémie interne. Cette explication rend également compte de la critique selon laquelle la notion d'écart serait statique : il y a bien circulation du sens, et non transformation unilatérale de l'un en l'autre.

Les critiques épistémologiques s'adressent moins au concept d'écart conçu comme opérateur qu'aux connotations du mot, et, en définitive, aux conceptions du littéraire qu'il masquerait. La première connotation incriminée est la connotation tératologique : d'abord défini, peu adroitement, comme une « faute voulue », l'écart ne pourrait rendre compte que de phénomènes voyants, voire pathologiques. Cette critique est irrelevante dans la mesure où l'on ne restreint pas l'opérateur à ses effets « baroques » (ainsi, la litote, est également un écart). Elle est plus pertinente dans la mesure où le concept d'écart mènerait à considérer le LP comme un code isolé, un ornement exceptionnel et superflu, et finalement comme une anomalie sociale [11]. Il y a évidemment ici un passage d'un sens à l'autre du terme écart, qu'il faut refuser en attribuant au

---

10. Voir Nicolas Ruwet, « Synecdoques et métonymies », *Poétique*, n° 23, numéro intitulé *Rhétorique et Herméneutique*, sept. 1975, p. 371-388.
11. Position de Julia Kristeva dans « Pour une sémiologie des paragrammes », *Sèmiôtikè : recherches pour une sémanalyse*, p. 174-207.

LP un statut de pratique sociale. On souligne enfin volontiers que le concept de norme ne peut naître que dans une pensée dominée par la notion d'ordre, laquelle devrait disparaître dans une épistémologie matérialiste. Ces deux critiques idéologiques sont légèrement contradictoires, puisque la première vise l'écart en tant que subversion du code, ce qui évidemment est incompatible avec sa valorisation dans une société normative.

Notons enfin la récurrence du concept d'écart.

Il est curieux de constater que la notion d'écart réapparaît dans les propositions théoriques de ceux-là même qui la récusent avec le plus d'énergie. Nous n'en voulons pour preuve que deux exemples, provenant de régions méthodologiques différentes.

Henri Meschonnic, qui illustre un néo-crocéisme, défend une conception moniste du poétique, qui se veut matérialiste, mais qui a tous les traits de l'idéalisme :

> L'écriture est une pratique matérialiste du langage définie comme l'homogénéité et l'indissociabilité de la pensée et du langage, de la langue et de la parole, de la parole et de la graphie, du signifiant et du signifié, du langage et du métalangage, de l'être et du dire [12].

Dans cette conception du poétique, la notion de LP serait absente. Et du coup, la distinction entre sens propre et sens figuré y apparaît évidemment comme absurde. Cependant, afin de ne pas résorber purement et simplement le linguistique dans l'esthétique, et l'expression dans l'intuition — ce qui serait crûment souligner le caractère idéaliste de la thèse —, l'auteur doit envisager les modalités selon lesquelles la valeur de l'œuvre est produite, à travers un travail de restructuration du langage. Ce qui l'amène bien à définir la parole poétique comme écart par rapport à un code commun, retrouvant ainsi la définition, vague, de la norme comme expression qualitativement banale : « la valeur-œuvre ne vit que du *conflit* entre la nécessité intérieure du *message* individuel (qui est créativité) et le *code* (genre, langage littéraire d'une époque, etc.), commun à une société ou à un groupe », ou : « Le mot poétique est déformé-réformé : enlevé au langage puis travaillé, toujours le mot de la communication, en apparence, mais différent, d'une différence qui ne s'apprécie pas par un écart mesurable, mais par une lecture-écriture. »

---

12. Henri Meschonnic, *Pour la poétique.*

On reconnaît dans ces lignes une allusion aux thèses de Jean Cohen, le théoricien qui a le plus explicitement défendu le concept d'écart, et qui est violemment pris à partie par Meschonnic lui-même. Mais on voit mal ce qu'on gagne à réfuter un écart mesurable pour invoquer un écart qui ne le serait pas.

Une autre critique relève d'une pensée nettement plus formalisée. Julia Kristeva adresse en effet à l'écart les critiques épistémologiques que nous avons rappelées [13]. La conception d'un LP isolé, exclu de l'utilité sociale, manifeste l'incompatibilité entre la logique scientifique élaborée par notre société, hiérarchisée et restrictive, et la logique propre de ce langage subversif qu'est la poésie, lequel n'est écart que par rapport à la première logique, purement institutionnelle. Il est donc nécessaire, pour rendre compte du LP, d'élaborer un appareil logique qui prenne en considération à la fois les deux systèmes. Or, remarque Kristeva, le LP contient tous les codes, y compris celui de la logique binaire du langage courant. Ce n'est donc que dans ce LP que se réalise pratiquement la totalité des codes dont nous disposons. Dans cette perspective, le langage n'est plus un mécanisme géré par certains principes posés à l'avance d'après des emplois restreints du code (l'emploi du « langage normal », les principes de la logique binaire), mais comme un organisme de parties complémentaires, dans lequel la pratique littéraire revêt une valeur exploratoire.

Ces propositions ont pu être commentées comme une véritable révolution copernicienne, puisqu'elles substituaient en quelque sorte un « poétocentrisme » au « prosocentrisme » courant. On notera cependant qu'elles maintiennent, même si c'est sous la forme logique d'une inclusion, la tension prose / poésie, selon le vieux schéma de René Nelli (prose fermée / poésie ouverte). Cette opposition en rencontre d'autres, comme unité de sens / pluralité de sens : en faisant intervenir des logiques non binaires, Kristeva rend compte des phénomènes de poly-sémie interne, étudiés par la rhétorique : le *tigre* de notre métaphore, pour reprendre un exemple simple et aujourd'hui rebattu, est *à la fois tigre* et *essence* (ce refus des principes de non-contradiction et de tiers exclus pouvant d'ailleurs expliquer l'effet généralement euphorisant de

---

13. Julia Kristeva, « Pour une sémiologie… ».

la poésie ; mais n'anticipons pas). À travers tout ceci, on voit que le LP continue à se spécifier par une tension entre un code manifesté par notre logique binaire et une pratique qui est expérimentation des potentialités du code, affranchissement de certains réseaux linguistiques, dynamisme brisant l'inertie des significations du signe, et donc écart [14].

4. Élargissement du modèle de l'écart

4.1. Corrections du modèle

Le triple examen auquel on s'est livré (ici de façon sommaire) conduit à ne pas évacuer trop précipitamment la notion d'écart, dont le procès n'a pas toujours été correctement instruit. Certes, les termes mêmes de « écart » et surtout de « norme », dont on a vu les inconvénients sérieux, appartiennent à un choix terminologique provisoire. Mais, à l'usage, cet opérateur très général apparaît comme un modèle pertinent, ayant donné des résultats tangibles dans des domaines très définis (comme la phonostylistique), mais aussi dans des domaines sémiologiques très vastes (comme la rhétorique). On constate également que le concept, somme toute banal, d'altérité du message poétique est récurrent chez tous les théoriciens.

Le concept d'écart peut donc être conservé dans une définition du LP, à la condition expresse de tenir compte des critiques formulées plus haut (pluralité des variables dans un système hiérarchiquement fluctuant, liquidation des connotations de marginalité, etc.) et de faire son profit des formulations qui l'améliorent. C'est ainsi qu'en rhétorique, on substituera aux oppositions produit d'écart / degré zéro, véhicule / teneur, figuré / propre les notions de *degré perçu* et de *degrés conçus* (ou mieux : *concevables*).

---

14. Autre exemple du retour à l'écart : celui de Joseph Sumpf qui, dans son *Introduction à la stylistique du français*, définit le *style* (non le procédé de style isolé) comme un *ensemble* paraphrastique procédant à la « désambiguïsation » des ambiguïtés ou confusions grammaticales identifiables dans le texte au niveau du détail. (Évidemment, il faut prendre ici paraphrase dans un sens particulier : deux phrases de même signification sont paraphrastiques l'une de l'autre ; des propositions ambiguës identifient deux phrases non paraphrastiques). De là, le postulat du modèle didactique : pour rapprocher le texte du lecteur, on reconstitue le seuil d'acceptabilité ou de compréhension franchi par le poète et on lève l'ambiguïté en fondant sa syntaxe propre. Voici manifestement une autre manière de convoquer le couple norme-écart.

On devra en particulier tenir compte des aménagements suivants, que nous résumons :

a) Aucune terminologie n'étant innocente, on saura que celle-ci a de très nettes connotations tératologiques, des implications morales et politiques suspectes et qu'elle n'exprime qu'une opposition toute statique.

b) Puisque tout élément linguistique peut être constitutif du texte et donc marqué, le point de référence ne peut être une unité linguistique précise, mais la classe de toutes les unités commutables avec l'unité du texte. La référence n'est donc pas unique (ce qui présupposait l'emploi du mot *norme*) mais plurielle.

c) L'écart ne procède pas par substitution pure et simple d'un élément *anormal* à un élément *normal*, qu'il *traduirait*. Le langage poétique se distingue par la tension qu'il institue, à l'intérieur même du message, entre l'unité du texte et de la classe des unités de référence : il y a bien circulation du sens, et non transformation d'un sens en un autre [15].

d) Le domaine de référence doit, autant que le langage poétique, être construit sous la forme d'un modèle théorique, et ne doit pas être considéré comme une classe d'objets observables dans la réalité. Car l'examen auquel on s'est livré montre que, malgré quelques tentatives dont les plus dignes d'intérêt n'ont pas toujours été les plus retentissantes, la notion de modèle n'a été qu'imparfaitement assimilée par de nombreux poéticiens. Au lieu de porter sur les conditions de puissance et d'économie (ce qui suppose notamment qu'on procède à la vérification expérimentale des modèles), les critiques adressées à l'écart n'ont le plus souvent été que la manifestation de préoccupations extérieures au problème et d'a priori philosophiques. Fallait-il, dès lors, s'étonner de voir la notion d'écart réapparaître dans les propositions théoriques de ceux-là même qui la récusaient ?

4.2. Systématique de l'opposition LP / LC

La plus intéressante des formulations nouvelles examinées est peut-être celle de Kristeva, dont le mérite essentiel nous paraît être d'avoir

---

15. *Cf.* Gérard Genette, « Langage poétique, poétique du langage », in *Figures II. Essais*, p. 123-153.

rejeté le LP en dehors de l'existence quotidienne, en en faisant un modèle théorique et une limite (au point que le LP n'est pas défini comme une pluralité, mais bien comme une infinité).

On peut voir ici la possibilité de rendre compte des discussions interminables sur la portée pratique des opérateurs poétiques, car, si le LP est une limite, on est en droit de compléter le modèle théorique ainsi élaboré en faisant également, de façon symétrique, une limite du langage exploré et subverti par la pratique poétique. Au lieu d'une relation d'inclusion, nous aurions donc une relation de coïnclusion. Au modèle théorique qu'est le LP, on peut donc continuer à opposer un « langage prosaïque » qu'on ne s'évertuerait plus à chercher dans la réalité (la norme, insaisissable, est-elle le « langage courant » ou le « langage scientifique » ?), mais qui serait un modèle théorique de la communication (LC). La relation entre ces deux pôles dans un message pourrait donc être graphiquement représentée comme une fonction dans le tableau dont les coordonnées seraient asymptotes. Tout message, plus ou moins « prosaïque » ou plus ou moins « poétique », serait ainsi situé en un point de la courbe, qui pourrait servir à établir une typologie des discours poétiques. On retrouve donc ici la dichotomie langage lyrique / langage scientifique de Pius Servien, mais relativisée, et on se rapproche des propositions de Solomon Marcus.

Les caractéristiques des deux modèles LP et LC peuvent s'opposer dans le tableau suivant :

	(a) LC	(b) LP
1.	Logique binaire	Logiques non binaires
2.	Bi-univocité	Plurivocité infinie
3.	Transitivité	Intransitivité
4.	Arbitraire	Motivation
5.	Absence de redondance	Redondance totale
6.	Communication interindividuelle	Solipsisme

Tableau III. — *Langage de communication et langage poétique.*

Ce tableau réclame certaines observations :

a) Chacune des caractéristiques doit être, nous insistons là-dessus, considérée comme un **construct** théorique. Si l'on tient compte des instances de réalisation, on verra, par exemple, que la caractéristique (a5) est contraire à l'observation selon laquelle la redondance est immédiatement liée à la notion de communication, tout code comportant des unités d'information et des unités de contrôle ; mais on peut théoriquement concevoir un code LC ne comportant que des unités d'information.

b) Toutes ces caractéristiques sont solidaires les unes des autres. Ainsi :

• le principe d'identité (a1) est conservé pour assurer l'univocité des signes (a2) et une communication efficace (a6) ;

• le LP est totalement intransitif (b3), la totalité des codes ne pouvant renvoyer qu'à elle-même (b5) ;

• complètement intransitif (b3) et composé de signes plurivoques (b2), le LP cesse d'être communication (a6), puisque logiquement antérieur à toutes les oppositions (on pourrait faire son profit, ici, de la pensée de Jacques Derrida).

c) Ce tableau rend compte des nombreux critères qui ont été proposés jusqu'à ce jour comme définitoires du LP, et qui avaient été critiqués comme insuffisants : l'autotélisme du message, concept sousjacent dans de nombreuses théories et rendu célèbre par Jakobson (b3), la clôture du texte (b5), la remotivation des signes (b3), la suprématie du signifiant, indissociable comme les autres du concept d'opacité des signes (b3), la multiplicité des isotopies du texte littéraire (phénomène sur lequel nous reviendrons [16]), face à un modèle théorique de discours à isotopie unique, l'ouverture du texte — qui peut coexister avec sa clôture, l'objet de chacune de ces propriétés étant différent — et la pluralité de ses sens (Barthes) (b1 et b2), l'individualité du message poétique, affirmée de Buffon à Meschonnic (b6).

5. Un exemple de modélisation : la poétique mathématique

Le modèle le plus puissant jusqu'ici élaboré pour rendre compte des particularités du langage poétique, modèle qui tient compte des considérations que nous venons de formuler, est sans doute celui du mathé-

---

16. Voir les chapitres IV et V.

maticien roumain Solomon Marcus, dont l'apport essentiel est d'avoir
dépassé les stades empirique, expérimental et analytique de la poétique
pour la faire passer dans son étape axiomatique grâce à une formulation
mathématique de l'opposition entre le langage poétique et le langage
scientifique. Ces recherches, qui ont été préparées par une suite d'ouvrages étudiant les structures algébriques du langage [17], trouvent leur
meilleure expression dans l'importante *Poetică matematică*, dont celui
qui ne lit pas le roumain pourra prendre une connaissance partielle dans
une série d'articles en français, anglais ou allemand [18]. Pour bien
comprendre l'allure que prennent les thèses de Marcus, il est peut-être
nécessaire de rappeler qu'elles s'inscrivent dans une tradition, solide en
Roumanie, d'étude positive du langage poétique. Ainsi, Pius Servien,
dont nous avons déjà cité le nom, avait-il déjà émis l'exigence d'un
métalangage qui, pour traiter de poésie, se fasse le plus distinct possible
du langage poétique, exigence qui n'est pas encore inactuelle [19]...
Servien avait ainsi aperçu, mais sans le secours de procédures
mathématiques et formalistes, l'opposition fondamentale entre langage
poétique et langage scientifique, et en avait perçu les propriétés primaires
(comme l'opposition homonymie / synonymie, que nous retrouverons
chez Marcus) et les propriétés dérivées du premier [20].

Dans la *Poétique mathématique*, le raisonnement prend l'allure
d'une suite de théorèmes démontrables à partir d'un nombre restreint de
postulats et d'une définition de ce qu'est un *langage sémantique*. Nous
n'entrerons évidemment pas dans le détail de ces démonstrations, d'un
certain degré de technicité, nous contentant d'en fournir ici les conclusions essentielles.

---

17. Solomon Marcus, *Gramatici și automate finite : lingvistică matematică* ; *Introduction mathématique à la linguistique structurale* ; *Modele algebrice ale limbii* ; *Modele
theoretic - ansambliste ale limbii.* Du même, voir aussi le stimulant recueil *Artă și știință.*
18. Citons « Poétique mathématique non probabiliste » (*Langage*, n° 12, déc. 1968,
numéro intitulé *Linguistique et Littérature*, p. 52-55) ; « Questions de poétique
algébrique » (in *Actes du Xe Congrès international des linguistes*, p. 67-76) ; « Langage
scientifique, structure rythmique, langage lyrique » (*Cahiers de linguistique théorique et
appliquée*, n° 4, 1967, p. 171-180).
19. Pius Servien, *Le Langage des sciences* ; *Principes d'esthétique* ; *Science et Poésie.*
20. Solomon Marcus, « Un précurseur de la poétique mathématique : Pius Servien »,
Revue roumaine de linguistique, vol. X, 1965, p. 415-424.

Marcus montre qu'en partant d'un vocabulaire fini *v*, le langage universel *l* (ensemble de toutes les phrases sur *v*) est dénombrable, et de là que tout langage est un ensemble au plus dénombrable, et donc fini. Dans le langage ainsi modelé, on dégage des relations binaires de synonymie et d'homonymie, mathématiquement définies en termes de classes et de relations (l'homonymie est l'association de plusieurs significations à un seul énoncé, la synonymie étant la relation inverse). D'autres définitions (qui devraient éclairer certains problèmes encore pendants de sémantique structurale) sont alors posées : synonymie totale et synonymie partielle, homonymies totale et partielle, contention et indépendance sémantiques, indices de synonymie et d'homonymie.

À partir de là, on peut envisager un modèle de langage sans homonymie, où l'ensemble des significations exprimées est au plus dénombrable. Ce langage pourra être dit *langage scientifique* si et seulement si l'indice de synonymie de chaque phrase de ce langage est égal à l'infini. Cette démonstration rend axiomatique les deux constatations banales selon lesquelles 1) les significations d'un langage scientifique effectif (ainsi les mathématiques) sont relativement indépendantes de leur expression linguistique (chaque signification exprimable dans un langage scientifique, un algorithme par exemple, admet donc une infinité d'expressions : c'est la synonymie infinie) ; 2) l'ambiguïté de l'expression y est nulle (absence d'homonymie). Évidemment, il ne s'agit là que de tendances, qui ne sont absolues que dans le *modèle* du langage scientifique. Dans les textes scientifiques effectifs, nous savons que l'utilisation partielle des langues naturelles relativise cette relation synonymie-homonymie.

À l'aide de la même collection de phrases, on peut également constituer un langage sémantique cette fois dépourvu de synonymie. Ce langage sera dit *langage lyrique* si l'indice d'homonymie de chaque phrase est égal à la puissance du continu. On en vient ainsi à montrer que l'ensemble des significations exprimées dans un langage lyrique a la puissance du continu, et que chaque sous-ensemble non vide de cet ensemble a également la puissance du continu.

Mais on se doit de dépasser ces considérations générales. On associera donc à ce langage lyrique une structure de valuation, afin de pouvoir distinguer entre les diverses significations de la même phrase. Cette structure de valuation — qui ne peut être associée à un langage scientifique, par définition sans homonymie — pourra être interprétée de la manière suivante : chaque signification *s* est exprimée par une phrase unique *x* et est saisie par une seule personne *n* dans un moment déterminé *t*. Les diverses implications de ces propriétés montrent que la structure de valuation introduit certaines restrictions dans l'ensemble des significations associées à une phrase donnée : ainsi la phrase *x* de signification *s*, saisie par *n* au moment *t*, sera saisie avec une autre signification *s'* par le même *n* au moment *t'* ultérieur, ou sera saisie avec une signification *s"* par une personne différente *n'* au même moment *t*, etc.

Nous pouvons nous arrêter ici et laisser de côté les développements de Marcus sur la structure rythmique des langages lyrique et scientifique, la série de topologies associées à ces langages afin d'accentuer le procès de leur mathématisation ou les applications, particulièrement probantes, de ces vues théoriques à des textes poétiques ou théâtraux roumains. Nous nous contenterons de souligner que l'opposition (voir tableau IV) constitue bien un modèle du langage poétique et que de cette

	HOMONYMIE	SYNONYMIE
LS	nulle	infinie
LL	infinie	nulle

Tableau IV. — *Langages scientifique et lyrique.*

opposition fondamentale découlent mathématiquement d'autres oppositions qui rendent compte de certaines caractéristiques, empiriquement reconnues, du texte littéraire. Citons-en quelques-unes : rationnel / affectif, densité forte / densité faible, traductibilité / intraductibilité, constance dans le temps et l'espace / variabilité dans le temps et l'espace, dénombrable / non dénombrable, transparent / opaque, transitif / réflexif, indépendance / dépendance par rapport à l'expression, logique / alogique, routine / création, explicable / ineffable, prévisible / imprévisible, répétable / non répétable, etc.

On ne perdra pas de vue que chacune de ces oppositions doit à son tour être considérée comme un modèle, et non comme une réalité observable. Sinon, on arriverait à plusieurs paradoxes, dont le moindre ne serait pas que la communication poétique constituerait, en définitive, une impossibilité : car la plurivocité et la surdétermination du langage poétique (homonymie infinie) interdiraient la transmission d'information. Or, l'expérience quotidienne nous montre qu'il n'en va pas ainsi, et qu'une signification poétique perçue par un récepteur peut aussi être perçue par un autre récepteur, chose impossible en théorie. Ceci est dû au fait que chaque message effectif du **langage courant** (et ce langage peut se vouloir poétique ou scientifique) peut être ramené, avec un résidu plus ou moins important, à un modèle du langage scientifique *ou* à un modèle du langage poétique (pour reprendre un exemple de Marcus, « deux et deux font quatre » peut aussi bien être la première ligne d'un manuel d'arithmétique que le premier vers d'un poème de Jacques Prévert). De sorte que la signification poétique peut être appréhendée par un processus d'approximation, et que la communication reste possible, la **poésie pure** ne pouvant exister dans le monde.

On notera qu'avec ses prolongements, l'opposition fondamentale réduite en un tableau que nous esquissions au paragraphe précédent et que Marcus formalise, rend encore mieux compte maintenant des nombreux critères du langage poétique qui avaient été critiqués comme inadéquats. Ainsi l'autotélisme du message poétique se justifie-t-il pleinement à la lumière de l'opposition transitivité / réflexivité : par son indice d'homonymie égal à l'infini et son ambiguïté infinie, le message poétique se disqualifie absolument comme communication et, par conséquent, en ne transmettant aucune information, n'a que lui-même dans sa visée. C'est de la même façon que se justifient d'autres critères que nous avons rappelés plus haut, comme les notions de clôture des textes (puisque chaque texte poétique manifeste avec des unités discrètes des significations ayant la puissance du continu, il se suffit à lui-même), de remotivation des signes arbitraires, etc.

Ce modèle nous paraît surtout donner une assise enfin solide à une autre notion récurrente chez presque tous les théoriciens d'aujourd'hui : celle qui s'exprime à travers des locutions telles que *texte pluriel*, *œuvre ouverte*, *poly-isotopie*, etc.

Alors que langage scientifique et langage poétique ont en commun de s'exprimer à l'aide d'unités discrètes (tout langage est, on l'a vu, au plus dénombrable), ils s'opposent entre eux par le caractère discret, dénombrable, des significations scientifiques, et le caractère continu, non dénombrable, des significations poétiques. Ce qui peut, à première vue, paraître paradoxal, si l'on ne savait que le continu peut être engendré par le discret. C'était peut-être l'idée de Barthes lorsqu'il voulait que dans la poésie moderne « les mots produisent une sorte de continu formel dont émane peu à peu une densité intellectuelle ou sentimentale [21] ».

En théorie donc, si une seule phrase du langage poétique est perçue par un unique récepteur, elle sera reçue avec une richesse de significations supérieure à celle de tout l'ensemble des significations exprimables dans un langage scientifique idéalisé, puisque chaque ensemble du langage poétique a la puissance du continu. Il ne faut pas chercher une autre raison à la mouvance de la valeur des messages poétiques effectifs : la valeur de chaque énoncé y est unique, fonction du temps où il est saisi et du récepteur qui le saisit. En effet, la structure de valuation étudiée permet de détacher une ou des significations potentielles. Et l'acte de lecture rend inévitable cette sélection des sens. La *Gestalttheorie* a en effet bien montré que la perception humaine avait un pouvoir organisateur : le flou et l'indistinct des stimuli que les sens reçoivent prennent forme, puis acquièrent sens, par l'intermédiaire de la perception, qui y introduit les lignes, les formes, les régularités, les structures. L'activité linguistique est, elle aussi, organisatrice, puisque c'est elle qui rend compte des perceptions. C'est elle, par exemple, qui, en donnant un nom aux couleurs — nous nous servons ici d'un exemple rebattu — introduit des solutions de continuité dans le spectre continu des ondes lumineuses. Devant l'infinité des significations poétiques, substance à formaliser, l'attitude du récepteur est la même : introduire des différences là où est l'unité, activer le foisonnement du sens, ou, pour le dire d'une manière plus technique, attirer la poésie dans l'univers de la sémiose.

Mais comment ce modèle est-il mis en œuvre dans la dynamique textuelle ? C'est à ce problème que sont consacrés les trois chapitres suivants.

---

21. Roland Barthes, *Le Degré zéro de l'écriture*.

CHAPITRE IV

L'ISOTOPIE,
FONDEMENT DU TEXTE

1. Présentation

Nous examinerons ici le concept d'isotopie, non pas systématique-ment, mais à travers un inventaire de questions, et particulièrement dans l'optique de son application aux textes littéraires.

Ce concept a été mis en avant par Greimas dans sa *Sémantique structurale*. Il s'agissait alors de donner un fondement à l'idée, « encore très vague et pourtant nécessaire, de *totalité de signification*, postulée à un message [1] » ou même à un texte entier, pourtant constitué d'un ensemble *hiérarchique* de significations, et cela en vue de faciliter la description des significations manifestées.

On saisit d'emblée l'importance de ce concept pour l'analyse du discours [2], puisque celui-ci se définirait non seulement par des règles logiques d'enchaînement des séquences, mais aussi par une cohérence sémantique encore à décrire malgré les progrès réalisés en intelligence artificielle. Importance également pour la traduction automatique, dont un des écueils est précisément la difficulté qu'il y a à délimiter et à

---

1. Algirdas Julien Greimas, *Sémantique structurale : recherche de méthode*, p. 53.
2. Voir Jean Dubois et Joseph Sumpf, « Problèmes de l'analyse du discours », *Langages*, n° 13, mars 1969, p. 3-7.

séparer les contextes isotopes afin de lever les ambiguïtés et les homonymies.

Il est piquant de noter que, au lieu de définir directement la continuité isotopique, Greimas l'approche *a contrario*, en donnant pour premiers exemples des genres qui affichent précisément une variation isotopique : ici le mot d'esprit, et plus particulièrement l'histoire où, par antanaclase, « toilettes » est successivement lu sur une isotopie vestimentaire et sur une isotopie hygiénique. Le bref récit initial établit un premier plan de signification homogène, le dialogue lui oppose brutalement un second, et les deux isotopies sont reliées entre elles par le *terme connecteur* commun (un signifiant / deux signifiés). Le plaisir « spirituel » réside ainsi « dans la découverte de deux isotopies différentes à l'intérieur d'un récit supposé homogène [3] ».

Il faut donc reconnaître l'existence de certains discours se déroulant simultanément sur plusieurs plans isotopes (exemple : l'énoncé *cet homme est un lion* prononcé dans une société archaïque d'hommes-lions, ou les énoncés mythiques de notre société, où le bifteck pommes frites est aussi « parcelle de francité »). C'est spécialement le cas des discours littéraires : ainsi celui où Baudelaire prétend être « [...] Un vieux boudoir plein de roses fanées », discours où le lecteur cherchera à homologuer les niveaux « description physique de la chambre » et « espace intérieur du poète ». De là un autre intérêt du concept d'isotopie, puisque celui-ci pourrait être fécond non seulement pour la sémantique générale, mais encore pour la description des « discours déviants » que sont le mot d'esprit, les mythes, le poème, soit tous types d'énoncés où se manifeste la fonction poétique jakobsonienne et qui se caractérisent par leur économie et leur densité de signification [4].

---

3. Algirdas Julien Greimas, *Sémantique structurale*, p. 71 (notons le postulat) ; voir aussi, *ibid.*, p. 70 et 91-92.

4. Point critiqué sur le mode épistémologique par Per Aage Brandt, « La pensée du texte » (in *Essais de la théorie du texte*, p. 183-215). Tel autre travail récent d'analyse littéraire fait usage du terme d'isotopie, mais sans explication ou commentaire, comme si le concept qu'il recouvre était immédiatement utilisable (*cf.* Claude Zilberberg, *Une lecture des « Fleurs du Mal »*). Le terme est aussi utilisé par Paul Ricœur et par Umberto Eco, *La Structure absente : introduction à la recherche sémiotique*, p. 166.

2. Difficultés

On voit immédiatement les difficultés que soulève, dans l'état actuel de nos connaissances, l'utilisation d'un pareil concept, qui serait bien inutile dans la mesure où il se contenterait de reprendre à nouveaux frais terminologiques et sans rigueur nouvelle la vieille et imprécise notion de « thème » ou de « sujet » d'un discours. N'en soulignons ici que deux :

2.1. Difficulté qu'il y a à dépasser le niveau de la phrase. Une première réponse réside sans doute dans le principe d'*expansion* (opération qui rend possible l'équivalence d'unités de dimensions différentes : *potato* et *pomme de terre*, mais aussi, si l'on en croit Ruwet, *Je t'aime* et tel sonnet de Louise Labé), appliqué au domaine sémantique [5]. Toutefois, les procédures pratiques pour décrire exhaustivement cette expansion manquent encore, malgré les efforts de certains générativistes.

2.2. Difficulté qu'il y a à reconnaître l'isotopie. Méthodologiquement le point de départ de cette « extraction » résiderait dans l'identification d'une redondance de certains lexèmes. Ceux-ci sont relevés avec leurs qualifications, lesquelles font ensuite l'objet d'un nouvel inventaire, comportant l'ensemble des lexèmes qu'ils qualifient, et ainsi de suite jusqu'à épuisement du corpus [6]. Reste évidemment le choix de la redondance constituant l'isotopie de base, choix sur lequel on ne nous éclaire guère, et qui semble en définitive reposer sur une intuition ne différant guère de celle de Léo Spitzer. On ne pourrait éviter le recours à la subjectivité et à l'empirisme qu'en disposant de techniques qui permettraient de mesurer l'importance d'une isotopie. Cette importance a une double source : sur le plan quantitatif, elle dépend du nombre de sèmes redondants dans les lexèmes distincts d'un contexte et de la proportion de lexèmes distincts recouvrant des sèmes récurrents ; sur le plan qualitatif, elle dépend de la situation plus ou moins périphérique des sèmes redondants, du caractère régulier de la

---

5. Voir Algirdas Julien Greimas, *Sémantique structurale*, p. 72 et suiv.
6. Algirdas Julien Greimas, *Sémantique structurale*, p. 223-226. Les exemples donnés par Greimas, ainsi que sa méthode, sont empruntés à Tashin Yücel, *L'Imaginaire de Bernanos*, thèse dont on trouvera un compte rendu par Nicole Gueunier dans *Le français moderne*, vol. XL, n° 1.

distribution de ces sèmes le long de l'axe syntagmatique, et de la nature des relations syntaxiques qu'entretiennent les lexèmes qui les recouvrent. Or, la sémantique ne nous donne pas encore de moyen pour mesurer toutes ces variables.

3. Définitions et corrections

Dispose-t-on à ce jour d'une définition de l'isotopie sur laquelle on puisse s'accorder, et qui en énumérerait les conditions d'existence ? Parmi les diverses approches de définition que Greimas a pu fournir de ce concept, détachons celle-ci, la plus complète et la plus citée :

> Ensemble redondant de catégories sémantiques qui rend possible la lecture uniforme du récit, telle qu'elle résulte des lectures partielles des énoncés [après résolution de] leurs ambiguïtés, [cette résolution elle-même étant] guidée par la recherche de la lecture unique [7].

Deux précisions complètent cette définition, qui s'applique évidemment à d'autres énoncés qu'au récit :

> Un message ou une séquence quelconque du discours ne peuvent être considérés comme isotopes que s'ils possèdent un ou plusieurs classèmes en commun,

et

> le syntagme réunissant au moins deux figures sémiques peut être considéré comme le contexte minimal permettant d'établir une isotopie [8].

On ne se leurrera pas sur la précision de cette définition, notamment en ce qu'elle n'explicite pas ce que sont lectures « partielle » et « uniforme ».

---

7. Algirdas Julien Greimas, « Éléments pour une théorie de l'interprétation du récit mythique » (*Communications*, n° 8, 1966, numéro intitulé *Recherches sémiologiques : l'analyse structurale du récit*, p. 188), où les mots entre crochets sont remplacés par [et de la résolution de] et [qui est]. Autre définition plus concise, en 1970 : « Faisceau de catégories redondantes, sous-jacentes au discours considéré » (*Du sens*, p. 10). Le *Dictionnaire des média : technique, linguistique, sémiologie* de Jean-Baptiste Fagès et Christian Pagano, p. 152, donne la définition : « Homogénéité d'un niveau donné des signifiés. Le calembour, par exemple, est un jeu sur deux isotopies, sur deux niveaux du signifié ».

8. Algirdas Julien Greimas, *Sémantique structurale*, p. 53 et 72. Il conviendrait cependant d'assigner une limite plus basse encore au contexte isotope minimal, puisque suffixes et radicaux connaissent des règles de combinaison d'ordre sémantique, qui ont précisément pour effet de garantir l'isotopie de l'ensemble. Confrontées, les deux précisions de Greimas laissent apparaître la possibilité de messages isotopes constitués de syntagmes non isotopes.

3.1. Isotopie et lecture

S'il faut entendre par lecture uniforme une lecture sans contradictions (qui ne mette pas en relation de détermination directe des sèmes *s* et *non-s*), il faut formuler une seconde condition, négative celle-là, mais aussi nécessaire : non seulement l'ensemble doit posséder plusieurs sèmes redondants (comme dans *grand* et *petit*, qui s'opposent sur l'axe de la grandeur), mais encore ne doit-il pas mettre ces deux sèmes en position de concordance lorsqu'ils sont dans des sémèmes contradictoires.

Si la lecture uniforme est une lecture sans contradictions, c'est qu'elle est sans cesse soumise à un test de contradiction, par confrontation avec un savoir préexistant, codé dans l'expérience collective (et en définitive dans le lexique) ou dans l'expérience individuelle. Ceci pose donc le problème d'une « isotopie collective » (de langue et non de parole), socialement codée, et qui débouche sur l'étude des mythes. La question n'a d'ailleurs pas échappé à Greimas, qui replace successivement l'énoncé *cet homme est un lion* dans la société européenne et dans un groupe de Simbas.

3.2. Isotopie et rhétorique

L'effort le plus remarquable en vue de montrer l'utilité du concept d'isotopie pour l'analyse des textes littéraires est celui de François Rastier. Il se fonde sur une généralisation notable, puisque l'isotopie devient chez lui « toute itération d'une unité linguistique quelconque », se constituant en « ensemble non ordonné [9] ». Cette définition appelle d'emblée deux remarques.

La première : l'extension de la notion d'isotopie du domaine sémantique à toute manifestation linguistique est-elle utile ? Certes, l'analyse structurale a, depuis Jakobson notamment [10], montré la fécondité de la recherche des corrélations entre les différents niveaux (phonologique, sémantique, etc.) ; mais ne faut-il pas protéger la recherche de confusions graves en évitant une définition aussi générale ?

---

9. François Rastier, « Systématique des isotopies » (in *Essais de sémiotique poétique*, avec des études sur Apollinaire, Bataille, Baudelaire, Hugo, Jarry, Mallarmé, Michaux, Nerval, Rimbaud et Roubaud, p. 94-96).
10. Voir Nicolas Ruwet, *Langage, Musique, Poésie*.

Si l'on ne craignait l'inflation terminologique, on préférerait parler d'*isophonie* (ou -*plasmie*), d'*isotaxie*, comme d'*isosémie*. Ensemble non ordonné, l'isotopie aurait « une définition syntagmatique, mais non syntaxique ». L'affirmation devrait être nuancée quand on sait qu'au moins une des conditions de la constitution d'une isotopie est de nature syntaxique et que la cohésion de l'isotopie dépend en partie de variables syntaxiques (voir remarques § 2 et 3.1.). En outre, si les termes de relation n'ont pas de contenu sémantique, mais se contentent de manifester les combinaisons classématiques, les négliger mène à laisser de côté un important résidu sémantique provenant précisément de ces combinaisons.

Dans le sonnet *Salut*, de Mallarmé, Rastier distingue : *a*) des isotopies sémémiques ou horizontales, ici au nombre de deux, enchevêtrées dans la pièce : « banquet » (i_1) et « navigation » (i_2) ; les sémèmes du texte s'y indexent soit directement, soit grâce à une lecture rhétorique. Car à côté, apparaissent *b*) des isotopies métaphoriques ou verticales, qui articulent deux (groupes de) sémèmes appartenant à deux champs distincts (ex. « poupe », de i_2, lisible rhétoriquement comme « bas bout de table » sur i_1). On aurait préféré ici des dénominations moins confuses, comme *isotopies orthosémémiques* pour *a*), les sémèmes qui les constituent par redondance s'y indexant directement, et *isotopies métasémémiques* pour *b*), tout trope — et pas seulement la métaphore — impliquant une polysémie interne et pouvant donc être indexé simultanément sur deux isotopies [11]. L'articulation des isotopies orthosémémiques par des métasémèmes ouvre le champ d'une troisième isotopie i_3 (ici « l'écriture »), qui fournit un modèle de lecture du texte à la fois cohérent (puisqu'il peut assumer le résidu de i_1 et i_2) et

---

11. Nous nous référons ici à la terminologie proposée dans *Rhétorique générale*. Les unités rhétoriques, quelque nom qu'on leur donne, se trouvent ainsi définies autrement que par l'arbitraire : éléments du texte (de dimensions variables) lisibles simultanément sur deux isotopies différentes au moins (voir Groupe μ, « Lecture du poème et isotopies multiples », *Le français moderne*, vol. XLII, n° 3, juill. 1974, p. 217-236). Sur l'abus du terme métaphore (dont on voit mal en quoi il s'opposerait ici à sémémique), voir Gérard Genette, « La rhétorique restreinte » (*Communications*, n° 16, 1970, numéro intitulé *Recherches rhétoriques*, p. 158-171). Greimas rappelle que J.-Cl. Coquet a attiré l'attention sur le rôle des « embrayeurs » d'isotopies (on préférera conserver les termes moins confus d'*élément connecteur* ou *médiateur*).

producteur. On est un peu gêné par la procédure suivie ici par Rastier qui, devant les difficultés qu'il y a à justifier par le sonnet lui-même la lecture métasémémique de toutes les occurrences sur i_3, recourt à d'autres pièces de Mallarmé pour établir une sorte de « dictionnaire idiolectal de métaphores » où les champs de l'« écriture », du « banquet » et de la « navigation » s'enchevêtrent.

Il n'en reste pas moins qu'une telle lecture cadre bien avec ce que l'on sait des structures de la poésie moderne, où l'isotopie *logos* semble fréquemment jouer un rôle de médiation entre divers champs sémantiques [12]. Après ces considérations, Rastier envisage une « stylistique des isotopies », c'est-à-dire l'étude des corrélations entre isotaxies, isophonies, isosémies, etc.

Cette analyse montre une fois de plus la pertinence de la rhétorique, qui fournit certaines procédures pour dégager et articuler les isotopies : elle pourrait également déboucher sur une méthodologie rigoureuse de la lecture des textes poétiques, puisqu'elle montre le caractère réducteur des lectures orthosémémiques unifiantes (selon lesquelles le texte n'a qu'un sens, fourni par l'isotopie orthosémémique la plus apparente) autant que des lectures cryptologiques qui construisent des métatextes plats (la lecture servant ici à interpréter les tropes qui mènent vers un sens unique et caché). Elle n'apporte cependant pas de réponse à tous les problèmes de la lecture.

Si l'on tient compte des enseignements de la théorie de l'information, dont procède la première stylistique de Riffaterre, on peut soutenir que la lecture balaie le texte à la recherche d'une isotopie où les unités linguistiques manifestées puissent s'indexer ; si plusieurs unités rhétoriques permettent le passage d'une isotopie i_1 à l'autre i_2, ce balayage tendra à indexer métasémémiquement sur i_1 le maximum d'unités orthosémémiques de i_2 et vice-versa [13]. Mais à partir de

---

12. Voir ci-après, chapitre V.

13. L'analyse de Rastier se fonde implicitement sur ce phénomène : la présence d'une itération de polysémies rhétoriques précipite la perception polysémique des autres unités linguistiques, qui peuvent ainsi se constituer en unités rhétoriques (c'est la deuxième modalité de perception d'une figure, la première étant la reconnaissance et la réduction d'une impertinence classématique). Cette remarque suggère une nouvelle correction : là où Greimas parlait de *faisceau*, Rastier parle d'*itération*. Il y a là, à tout le moins, une maladresse d'expression : on aurait avantage à définir l'isotopie — qui est

quelle proportion de métasémèmes le processus d'homologation se déclenche-t-il [14] ? Reste aussi le problème de la relation des isotopies entre elles. S'il n'est pas malaisé de voir que les tropes ménagent le passage de l'une à l'autre, encore faut-il savoir s'il existe entre elles une relation de présupposition. Pour Rastier et Greimas, il existe une telle hiérarchie. Mais cette hiérarchie pourrait être un retour aux lectures réductrices critiquées plus haut, et demande de toute manière à être démontrée.

Une théorie de la lecture trop exclusivement centrée sur la notion d'isotopie telle qu'elle est utilisée ici pourrait mener à un blocage épistémologique grave, en éludant les difficultés de la lecture linéaire au nom du « beau principe de Saussure incitant le lecteur à saisir les correspondances " hors de l'ordre dans le temps qu'ont les éléments "» (Jakobson). Ce refus est fréquent à l'heure actuelle et est facilité par l'absence (provisoire ?) d'une authentique « grammaire transphrastique ». Mais ne pas voir que les relations syntagmatiques programment, notamment par l'interaction des classèmes, des restrictions sémantiques [15], c'est accorder plus qu'il ne lui en revient au jeu de la polysémie, et donc s'interdire de décrire exactement le processus qui fait qu'un texte soit ouvert, sans l'être, en pratique, à l'infini [16]. Ce sont d'ailleurs ces restrictions qui programment les impertinences combinatoires dans

bien une propriété des énoncés — comme le champ ouvert par l'itération, et non comme l'itération elle-même. C'est en tenant compte de cette correction qu'il convient de lire l'introduction de Greimas aux *Essais de sémiotique poétique*, sous peine de contradiction, avec la définition de 1966 : « L'apparition, parmi les lexèmes polysémiques et, de ce fait, pouvant se lire sur plusieurs isotopies, d'au moins un lexème qui ne se lit que sur une seule isotopie, garantit l'autonomie de cette dernière ; l'existence d'un lexème qui ne se lit sur aucune des isotopies reconnues postule l'existence d'une nouvelle isotopie non encore reconnue. » (p. 18) La notion de champ nous renvoie aux champs stylistiques de Guiraud.

14. Ce problème rejoint celui de l'analyse quantitative des isotopies, soulevé au § 2.2 (ci-dessus, p. 91-92). Il réclamerait de nombreuses expérimentations ; mais c'est une tendance de ce que l'on pourrait appeler l'école poétique française que de bouder la démarche expérimentale.

15. Voir ci-dessus, dans ce même chapitre, p. 91-92.

16. Nous disons bien *en pratique*. Car l'ouverture du texte littéraire se justifie par l'homonymie théoriquement infinie du langage poétique (voir chapitre III).

lesquelles on peut voir l'essentiel du procès poétique et la clé des médiations entre isotopies [17]. Dès lors, au lieu de s'enfermer dans le dilemme « modèle linéaire, ou modèle tabulaire », il s'imposerait d'étudier la formation du réseau tabulaire *à partir* de la lecture linéaire. C'est à cette seule condition que le concept d'isotopie permettrait d'envisager une étude sérieuse de la « syntaxe topologique [18] ».

17. *Cf. Rhétorique générale* et la définition de la métaphorisation par Teun A. Van Dijk, « Aspects d'une théorie générative du texte poétique » (in *Essais de sémiotique poétique...*).

18. *Cf.* Francis Édeline, « Syntaxe et poésie concrète » (*Courrier du Centre international d'études poétiques*, n° 89, [1972], 20 p.). Sur les macrostructures textuelles, qui sous-tendent globalement les séquences de phrases, voir Teun A. Van Dijk, « Modèles génératifs en théorie littéraire ». Sur le développement du concept d'isotopie, voir Groupe μ, « Lecture du poème et isotopies multiples » (*Le français moderne*, vol. XLII, n° 3, juill. 1974, p. 217-236) ; « Isotopie et allotopie : le fonctionnement rhétorique du texte » (*VS*, n° 14, mai-août 1976, p. 41-65) ; *Rhétorique de la poésie...* ; ainsi que François Rastier, *Le Développement du concept d'isotopie* ; « Paradigmes et isotopies » (*Actes sémiotiques*, vol. V, n° 2, 1982, p. 8-10) ; « Isotopies et impressions référentielles » (*Fabula*, vol. I, n° 2, 1983, p. 107-120 ; et *Sémantique interprétative*.

CHAPITRE V

DU TEXTE RHÉTORIQUE
AU TEXTE POÉTIQUE

1. La poésie, la poétique, la rhétorique

1.1. « Poétique » et poésie : une ambiguïté

Dans notre examen critique des thèses de la poétique, nous avons délibérément passé un problème sous silence : celui que posent toutes les critiques qui ont pu être adressées à cette appellation de « poétique ». L'essentielle est évidemment la confusion qu'elle véhicule. De même que Charles Bally avait essayé de séparer à tout jamais style et stylistique, Roman Jakobson se montre précis quant aux rapports entre poésie et poétique : « *Any attempt to reduce the sphere of poetic function to poetry or to confine poetry to poetic function would be a delusive oversimplification* [1] » ; et, de fait, quelques exemples, dont le fameux *I like Ike*, montrent que cette fonction linguistique est à l'œuvre dans d'autres types de discours que celui de la poésie. Mais, outre que l'écrasante majorité de ses exemples est reprise à la littérature universelle, en plus d'un endroit, Jakobson semble bien faire du principe de réitération le

---

1. Roman Jakobson, « Closing Statements : Linguistic and Poetics », in *Style in Language*, p. 356.

trait définitoire principal de la *poésie*, et non seulement de la fonction poétique [2]. Il y a là un glissement dangereux, et une affirmation dépassant de beaucoup ce qu'autorisait la prudente position de départ. Il appartenait à l'introducteur de Jakobson en France, Nicolas Ruwet, de tracer *Les Limites de l'analyse linguistique en poétique* : Ruwet, qui donne ici à « poétique » le sens de « science de la poésie », admet que « la linguistique peut apporter à la poétique un certain nombre de matériaux, mais elle est incapable, à elle seule, de déterminer dans quelle mesure ces matériaux sont pertinents du point de vue poétique ou esthétique [3] ».

On se trouve donc devant un dilemme : ou bien la poétique, au sens jakobsonien, admet sa généralité et dès lors rend compte d'un ensemble de types de discours allant de la publicité à la liturgie (et en ce cas son appellation est bien trompeuse) ; ou bien, au sens de Ruwet, elle se donne les outils adéquats pour rendre compte de la poésie dans sa différence spécifique (mais elle doit alors renoncer à être stricte discipline linguistique, comme l'aurait voulu Jakobson).

Car la recherche d'une spécificité linguistique de la poésie s'est jusqu'ici révélée vaine, et sans doute est-ce cet échec qui justifie le propos désabusé de Greimas : « La littérature en tant que discours autonome comportant en lui-même ses propre lois et sa spécificité intrinsèque est presque unanimement contestée [4]. » Pour bien se persuader de la vanité de cette recherche, et de l'inexistence de ces lois, il suffit de faire rapidement le tour de toutes les grandes hypothèses formulées jusqu'ici quant à la spécificité linguistique du poétique.

1.2. Une spécificité linguistique du poétique ?
Quelques hypothèses infirmées

1.2.1. Commençons par Jakobson, puisque c'est à lui que nous devons la définition de la poétique. Pour lui, c'est le « rôle contraignant, déterminant » que joue en poésie la visée autotélique qui la différencie des énoncés où les procédés sont inconscients ou utilisés

---

2. Roman Jakobson, « Closing Statements : Linguistic and Poetics », p. 370 et suiv.
3. Nicolas Ruwet, *Langage, Musique, Poésie*, p. 211.
4. Algirdas Julien Greimas, *Essais de sémiotique poétique*.

pour appuyer une autre fonction du discours. Par exemple, le vers a eu longtemps un rôle mnémotechnique et, aujourd'hui, le langage de la propagande se sert de la figure pour renforcer la fonction phatique. Mais alors, dans cette optique, la nature poétique ou non d'un texte se mesure à la *quantité* des moyens mis en œuvre. On devrait ainsi considérer le vers holorime comme le superlatif du vers, et d'une façon plus générale, les maniérismes de tout genre comme un idéal. Or, au point de vue de la quantité relative des moyens rhétoriques utilisés, des formules telles que *Veni, vidi, vici* ou « Métro, boulot, dodo » ne sont guère moins remarquables que tel sonnet de Baudelaire ou de Mallarmé. Ces moyens rhétoriques, caractérisant les discours dont beaucoup ne sont aucunement répertoriés comme poèmes, ne peuvent donc être tenus pour définitoires du poétique.

1.2.2. Au lieu de fonder l'originalité du poétique sur la seule quantité des moyens utilisés, on a cherché depuis longtemps un critère dans « le pouvoir créateur » du poète. Le thème réapparaît dans *Linguistique et Poétique* de Daniel Delas et Jacques Filliolet. À propos de l'énoncé *I like Ike*, ces auteurs amorcent une explication peu convaincante de la spécificité du poétique *sensu stricto* en affirmant que, s'agissant d'un slogan politique, « les unités constituant la forme de l'expression et celle du contenu sont données dans ce cas préalablement à la constitution de l'énoncé qu'il s'agit uniquement de rendre efficace ». Par contre, quand la fonction poétique prédomine, c'est elle qui « assure la génération linguistique du message [5] ».

Que la fonction conative l'emporte, au point de vue de qui utilisait la formule dans le contexte électoral donné, cela n'est pas douteux. Mais on voit mal pourquoi on refuserait à l'auteur du slogan une créativité réservée aux seuls poètes : il n'est pas en l'occurrence moins innovateur que l'écrivain. Prétendre que l'originalité de son message est amoindrie du fait que, notamment, « la majorité des mots le constituant lui sont déjà donnés », c'est avoir une conception sacralisante de la littérature, oublier un peu vite que les poètes-poètes se contentent assez bien des simples « mots de la tribu » et que le contenu de leurs énoncés se réduit le plus souvent à des lieux communs. Au reste, Delas et Filliolet

---

5. Daniel Delas et Jacques Filliolet, *Linguistique et Poétique*.

ne s'attardent guère sur ce point et développent plutôt un autre critère, qui se ramène à ce qu'on a souvent appelé le *principe de clôture*.

1.2.3. Le texte poétique se définirait ici comme une « totalisation en fonctionnement ». La raison d'être du poème consisterait dans cet effort pour refermer le discours sur lui-même, chaque unité signifiant par ses rapports avec toutes les autres unités du texte.

C'est l'idée essentielle qui parcourt les communications au colloque *Problèmes de l'analyse textuelle / Problems of Textual Analysis*, communications groupées autour du thème de la phrase littéraire [6]. L'exigence d'une étude de l'engendrement de la structure de l'œuvre est formulée, en termes parfois impressionnistes, par Serge Doubrovsky [7]. Elle est reprise dans les travaux récents de Michael Riffaterre qui, ici, recherche des « Modèles de la phrase littéraire [8] » ou règles à l'origine de la réduction de l'arbitraire du signe en littérature, tandis que, pour sa part, Daniel Jourlait propose une vulgarisation des travaux de R. Ohmann [9]. Dans l'un et l'autre de ces articles, les thèses linguistiques connaissent cependant plus que des gauchissements : chez Riffaterre, les « règles » — surdétermination, conversion, expansion — constituent plutôt des constantes, et sont moins l'expression théorique d'une récurrence qu'une structure optionnelle toute de surface : chez Ohmann, également, il s'agit plus de simple commutation que d'engendrement, de perception plutôt que de compétence (ce qui nous ramène à une stylistique bien classique). La démarche est plus intéressante lorsqu'il s'agit d'envisager l'existence de phrases agrammaticales dans la théorie classique (ce que fait notamment Samuel R. Levin en se centrant sur la notion de « sélection » [10]) : ces phrases posent le problème des règles déviantes, qui à leur tour, posent celui d'une grammaire générative de l'œuvre elle-même,

---

6. Actes rassemblés et présentés par Pierre R. Léon, Henri Mitterand, Peter Nesselroth et Pierre Robert.
7. Serge Doubrovsky, « Littérature : générativité de la phrase » (in *Problèmes de l'analyse textuelle*, p. 155-164).
8. Michael Riffaterre, « Modèles de la phrase littéraire » (in *Problèmes de l'analyse textuelle*, p. 133-151).
9. Daniel Jourlait, « L'analyse du discours littéraire selon les méthodes transformationnelles américaines » (in *Problèmes de l'analyse textuelle*, p. 107-112).
10. Samuel R. Levin, « Some Uses of the Grammar in Poetic Analysis » (in *Problèmes de l'analyse textuelle*, p. 19-31).

fonctionnant comme un système isomorphe et parallèle à la langue. On sait que c'est à l'élaboration d'une telle grammaire que s'attachent les représentants de la *Textlinguistik* actuelle. Mais, là-bas comme ici, les règles élaborées restent toutes optionnelles, et là-bas comme ici, ce qui est appréhendé reste du ressort de la simple rhétorique : la spécificité littéraire reste intouchée.

Pour le tenant de la « totalisation poétique », tout contexte tend, à la limite, à devenir inopérant, ce qui importe étant « l'adéquation de la partie au tout et du tout à la partie ». Il est clair que la fermeture, en ce sens, rend compte d'un certain nombre de traits des œuvres poétiques et, en particulier, de ce fait qu'il n'est guère de discours qui se préoccupe moins de justifier son origine. Le poème énonce, affirme, désigne sans plus de références ; et l'on sait combien il est friand de la redondance. Certes, il peut dans bien des cas se prévaloir d'une très haute généralité, comparable à celle que vise le savant ou le philosophe, ce qui dispense de toute circonstancialité : le poème « dit » l'homme, la mer, la lune, les violettes. S'il descend à une plus grande particularité, c'est sans prendre plus de précautions. Qu'il énonce *je* ou *vous*, *Ophélie* ou *Yseult*, chacune de ces mentions semblent suffire pour qu'existe pleinement ce qu'elle désigne. C'est peu ou prou la thèse défendue par Jean Cohen dans un travail qui sera examiné ci-après (§ 1.2.5).

1.2.4. On peut encore rappeler la thèse cratyliste très répandue sur la « fusion du son et du sens », dans la mesure où elle a été prise en sémiotique en termes de « postulat de la corrélation du plan de l'expression et du plan du contenu [11] ».

Entre l'exigence vague d'une « adéquation » du fond et de la forme et des descriptions rigoureuses qui ont été faites à partir de l'hypothèse de l'isomorphisme des deux plans, il y a sans doute un acquis de scientificité, mais qui a peut-être détourné prématurément de l'examen du seul plan du contenu. (C'est ainsi que Greimas se refuse à envisager isolément le signifié poétique, dont les structures propres lui paraissent tout entières commandées par la « nécessité de mener de pair deux discours parallèles [12] ».) On ne peut certes minimiser le rôle capital que jouent

---

11. Algirdas Julien Greimas, *Essais de sémiotique poétique*, p. 7.
12. Algirdas Julien Greimas, *Essais de sémiotique poétique*, p. 17.

en poésie les structures de l'expression, ni l'intérêt que présentent les études mettant en lumière les relations d'opposition ou d'adéquation des deux niveaux, mais la thèse de l'articulation isomorphe se heurte encore à l'objection de non-spécificité : ici encore, on peut puiser à volonté dans des corpus extra-poétiques (proverbes, jeux de mots, slogans, etc.) pour produire des exemples flagrants de cooccurrence des formes de l'expression et du contenu. Greimas — qui avait par ailleurs finement analysé le proverbe « bonjour lunettes, adieu fillettes » — accorde au demeurant que la différence n'est que de degré et de « raffinement ».

1.2.5. Parmi les travaux qui entendent rester le plus longtemps possible en terrain linguistique pour définir la poétique, on peut citer *Le Haut Langage : théorie de la poéticité,* de Jean Cohen. Non que cet ouvrage formule une cinquième thèse radicalement différente de celles qui viennent d'être exposées. Mais ce travail les intégre toutes, de manière très élaborée, dans un modèle unique ; de sorte qu'il mérite un examen détaillé.

La poétique de Cohen est d'abord une rhétorique (et nous verrons que, malheureusement, elle n'a pas de beaucoup dépassé ce statut). Les figures y sont classées selon qu'elles constituent des écarts : 1) en *para* (par exemple : infraction au principe de la contradiction) ; 2) en *hyper* (exemple : infraction à la loi d'informativité comme dans « le mari de ma tante est un homme » ; 3) en *hypo* (infraction à la loi de complétude) ; mais aussi, 4) par rapport à la *loi d'importance* (exemple : « deux cosmonautes blonds débarquent sur la lune »). Chaque type de discours (performatif, constatif) constitue également ses normes par rapport auxquelles de nouveaux écarts sont possibles, et ainsi de suite.

Mais classer les écarts n'est pas retomber dans « la rage de nommer » des anciens rhétoriciens. Car toutes ces figures répondent, selon Cohen, à une règle fondamentale appelée « principe de négation complémentaire » : si x est qualifié de a, c'est qu'il peut ne pas l'être ; si tel être est grand, alors il existe des êtres petits. Toute la stratégie figurale de la poésie viserait à ébranler ce principe dans lequel on reconnaîtra un fondement de la pensée structuraliste :

> Ce qui distingue la figure de la non-figure, c'est l'opposabilité ou, si l'on peut dire, la « niabilité ». On peut nier *l'homme est méchant* mais non *l'homme*

est un loup parce qu'il n'est pas d'animal qui symbolise la bonté comme le loup la méchanceté [13].

L'envers — ou l'endroit, si l'on se place du point de vue de la poésie — de ce principe est celui de « totalisation ». Et le ton se fait ici un peu kristévien : « La stratégie déviationnelle, comme négation de la négation, rend le langage à sa positivité plénière. Et cette définition peut maintenant se proposer : la poésie est un langage sans négation, la poésie n'a pas de contraire. Elle est, comme telle, un procédé de totalisation du sens [14]. » « Le signifié poétique est totalitaire. Il n'a pas d'opposé [15]. » Toute la tâche du poéticien devient alors de décrire les mécanismes par lesquels la déviance refoule la négation complémentaire hors du discours. Mécanismes proprement sémantiques, bien entendu ; mais même les figures syntaxiques, comme la tendance paratactique bien connue de la poésie, seraient aussi des applications de la règle générale, car le parti pris a-syntaxique « bloque la négation en la frappant d'agrammaticalité [16] » et, privé d'opposition, le mot s'affirme comme totalité sémantique. Les mécanismes de déviance, pris isolément, sont décrits avec beaucoup de finesse et un sens des différences, des degrés et des parentés très aigu : impertinences, inconséquences, redondances, figures syntaxiques et phoniques sont examinées tour à tour.

On ne peut cependant dire que l'intégration des analyses de détail au système général soit parfaite, et que les familles de figures soient rapportées de manière irréprochable au modèle qui leur donnerait cohérence. On a, au contraire, l'impression d'une rigueur de détail cadrant mal avec le caractère flou de l'ensemble. Le concept de totalisation, par exemple, apparaît comme assez malléable. Deux remarques pour appuyer cette impression : Cohen analyse finement la redondance, dont il avait déjà abondamment traité dans *Structures du langage poétique* (exemple : « azur bleu »). Il fait justement remarquer que, pas plus que l'impertinence, la redondance ne supporte la négation (la négation d'une redondance étant une impertinence : « vieilles vieilleries » ; « jeunes vieilleries »). Fort bien. Mais on voit mal comment, par ce biais, introduire la notion de totalisation. Au contraire : la redondance

13. Jean Cohen, *Le Haut Langage : théorie de la poéticité*, p. 87.
14. Jean Cohen, *Le Haut Langage...*, p. 79.
15. Jean Cohen, *Le Haut Langage...*, p. 129.
16. Jean Cohen, *Le Haut Langage...*, p. 111.

introduit la partition là où elle n'était pas : en énonçant « azur bleu », le langage poétique ménage la possibilité d'existence d'*azurs non bleus*. La prégnance de l'idée de totalisation est telle qu'elle amène l'auteur à des erreurs dans des analyses pourtant marquées au coin de la rigueur. Ainsi dans l'énoncé « Aujourd'hui maman est morte » qui ouvre un texte littéraire, il est exact qu'il y a déviance, les *shifters* n'étant pas à même de remplir leur rôle. Mais on ne peut dire qu'à « *aujourd'hui* n'est opposable aucun autre jour, à *maman* nulle autre personne » et qu'en conséquence « ainsi est assurée la totalisation de la prédication. [...] La mort a frappé la seule personne au monde en ce seul jour du monde [17] ». Conclusion qui dépasse de toute évidence les prémisses : de ce que l'embrayeur est « frappé d'incapacité référentielle », il ne s'ensuit pas qu'il soit — et c'est encore moins le cas des autres termes de la phrase — vide de représentation sémantique : *maman* opère bien une partition du monde (en excluant les êtres de sexe mâle, ou non mobiles, etc.).

De ce que « le poète a pour seul but de construire un monde déspatialisé et détemporalisé, où tout se donne comme totalité achevée, la chose sans dehors et l'événement sans avant ni après [18] », la spécificité de la signification poétique serait d'être existentielle, pathétique. Au rebours du langage quotidien, qui ramène le perçu à d'autres perçus, et au langage scientifique, qui pense les choses comme pures relations, la poésie ne se réfère pas à l'expérience intégrée, mais à l'expérience brute et naïve :

Et c'est pourquoi la relecture poétique n'est jamais redondante. Le poème est inépuisable parce qu'il est saisi comme éprouvé et que l'éprouvé est un événement. À la différence du concept, il ne peut être stocké dans la mémoire, intégré au savoir du sujet. L'expérience est toujours à vivre ou à re-vivre. Et le langage qui l'exprime est lui aussi un vécu, un moment d'existence. Toute poésie en ce sens est événementielle [19].

Expression d'une intuition mille fois réaffirmée, jusque sous la forme d'un modèle (voir chapitre III).

La suite de l'exposé examine le lien entre la totalité et la pathéticité. Cohen mobilise ici une masse fort diversifiée de connaissances — des

---

17. Jean Cohen, *Le Haut Langage...*, p. 103.
18. Jean Cohen, *Le Haut Langage...*, p. 75.
19. Jean Cohen, *Le Haut Langage...*, p. 176.

fondements de la psychologie de l'apprentissage aux théories d'Osgood. (En prenant quelques risques, Cohen va jusqu'à émettre l'hypothèse que la langue française dans son ensemble va dans le sens d'un renforcement de la norme canonique sujet nominal + prédicat verbal, lequel implique la restrictivité de la prédication et du même coup sa neutralisation affective. Plusieurs faits plaident pour cette hypothèse de la restriction : l'universalisation de l'article défini, la manifestation autonome de la personne [20] et l'antéposition du sujet.) Une fois posée l'équivalence entre totalité et pathéticité, reste à envisager le poème non comme somme d'unités, mais comme tout organique :

> L'analyse a mis en lumière un mécanisme de transformation sémantique de chacun des termes. Mais cette transformation opérée, les termes entrent en relation les uns avec les autres et la question est de savoir de quelle nature est cette relation [21].

Ici encore, la réponse est la même : « C'est sur l'identité que repose la nécessité textuelle [22]. » On reconnaîtra une thèse se situant dans le droit fil de la pensée jakobsonienne. Mais elle est ici située dans le cadre d'une vaste réflexion anthropologique (la poésie ne serait, tout comme le discours de la science, qu'une réponse culturelle à l'immotivation des signes). La similarité est décrite par Cohen aux niveaux du signifiant *et* du signifié. Au premier plan, la récurrence agit comme *analogon* du signifié. Au plan du signifié, le poème apparaît comme une vaste tautologie pathétique : « Le pathème se constitue en isopathie [23]. »

Il restait un dernier pas à franchir pour faire de cette théorie générale du langage poétique une théorie de la poéticité à la plus large compréhension : aborder la poéticité des *choses*. À la fois défi et vérification.

---

20. Mais sur ce point précis, on peut facilement prendre la thèse en défaut. Jean Cohen dit, en effet, « Il suffit d'accentuer le pronom ou de pratiquer la mise en relief pour faire apparaître la mise en relief (c'est moi — et non pas toi), ce que l'amalgame du sujet dans le verbe ne permet pas de faire. Le phénomène d'emphase ne fait jamais que renforcer un trait préexistant. Dans *je chante*, il y a déjà une restriction qui est absente du verbe sans sujet. » (*Le Haut Langage...*, p. 197.) C'est méconnaître que le verbe sans sujet exprimé s'insère dans un système d'opposition pronom *vs* pronom zéro ayant précisément pour fonction de faire apparaître la restriction. Voir l'espagnol « *lo digo* », *vs* « *lo digo yo* ».
21. Jean Cohen, *Le Haut Langage...*, p. 201.
22. Jean Cohen, *Le Haut Langage...*, p. 201.
23. Jean Cohen, *Le Haut Langage...*, p. 214.

Défi, car jusqu'au *Haut Langage*, on s'était rarement avancé aussi loin dans une définition strictement linguistique du poétique. Mais il fallait sans doute que Cohen refasse le même chemin que Mallarmé : celui-ci, après avoir œuvré mieux que quiconque à la reconnaissance de la poésie comme être de langage, n'a-t-il pas dû confesser, devant la lune : « Elle est tout de même poétique, la garce » ? Vérification :

Puisque la poéticité appartient au monde aussi bien qu'au texte, le modèle construit à partir de la poésie verbale doit éprouver sa propre validité dans sa capacité de transposition à la poésie extra-linguistique. La poétique doit se montrer capable de passer des mots aux choses [24].

Ce saut vertigineux est l'objet du sixième et dernier chapitre. Cohen ne tombe évidemment pas, lui qui avait réservé cette question dans *Structure du langage poétique*, dans le poncif de la *nature* poétique de la chose : celle-ci est poétique « non par son contenu mais par sa structure, pour autant qu'elle remplit la totalité de l'espace qu'elle habite et ne laisse en conséquence aucune place à sa propre négation [25] ». Même règle donc que pour l'énoncé linguistique, à une nuance importante près : n'étant pas soumise à une structure modalisante (en dehors, précisément, de son appréhension par le langage), la chose ne peut connaître la négation complémentaire. Pourtant, le parallélisme peut être prolongé pour autant que l'on reste sur le plan phénoménologique : une chose pourra, comme un énoncé, être dite poétique si la perception qu'on en a est elle-même totalisante ; en d'autres mots plus simples : si cet objet semble occuper virtuellement tout l'espace et tout le temps, sans partage de cet espace et de ce temps. Le phénomène est décrit par la *Gestalttheorie* :

La structure ternaire du champ perceptif est fondée sur une double négation. L'objet n'est pas le sujet et il n'est pas le monde. Mais une telle structure n'est réalisée que dans certaines conditions et peut s'atténuer ou même disparaître dans d'autres conditions. Alors s'estompe la différence de l'objet au monde et en même temps de l'objet au sujet [...] Ainsi la qualité sensible n'est pas liée par elle-même à une région déterminée de l'espace. Elle peut le remplir tout entier, mais alors elle englobe le sujet lui-même pour devenir à la limite un de ses états [26].

---

24. Jean Cohen, *Le Haut Langage...*, p. 245.
25. Jean Cohen, *Le Haut Langage...*, p. 245.
26. Jean Cohen, *Le Haut Langage...*, p. 258.

La théorie peut donc opposer deux structures de champs :

L'une, totalisante et indifférenciée, est le corrélat phénoménal de la connaissance affective, tandis que l'autre, distincte et oppositive, constitue le corrélat de la connaissance conceptuelle [27].

Écrire, comme nous l'avons rapporté plus haut, que la poéticité est dans la structure des choses est encore trop imprudent : c'est dans la perception structurante qu'on en a que réside cette qualité. S'expliquerait ainsi que soient des invariants thématiques de la poésie universelle (cette universalité étant tout de même un peu rapidement affirmée) : la lune (à sa lumière, tout objet est perçu comme forme faible, tendant à se fondre dans le fond qui l'entoure), la nuit, la mer, et, plus généralement, les effets de paysage ou de voile. C'est encore ainsi que s'expliquerait la fécondité poétique d'objets qui seraient eux-mêmes des *analogons* imaginaires de la perception totalisante : la ruine, le navire, le miroir, ou de démarches subjectives ayant la même fonction : dans le rêve également, l'organisation du champ perceptif en dualité figure / fond s'abolit pour laisser place à une totale identité à soi. Perspective qui ouvre évidemment à un débat existentiel et métaphysique. Débat d'un autre ordre, et où la poétique ne peut, parce qu'elle est par définition non-poésie, que garder le silence.

Notre réserve — elle est de taille — portera sur le lien de nécessité qui est établi entre la structure de totalisation (essentiellement linguistique) et la poéticité. En d'autres termes, cette structure est, d'après Cohen, la condition nécessaire et suffisante de la poéticité. « La figuralité constitue la poéticité [28] » parce qu'elle permet l'abolition de la structure oppositive selon laquelle *a* n'est pas non-*a*. Telle est bien la nature de la figure de rhétorique, qui a toujours au moins pour fonction de faire coexister, en un même point d'un message en principe linéaire, deux significations distinctes. Elle a donc le pouvoir (ce pouvoir qui est ici conféré au seul poème) de supprimer radicalement les contradictions en les disqualifiant. Certes, un progrès est fait lorsqu'on aborde le « signifié poétique ». Mais la liaison entre rhétoricité et poéticité est, selon Cohen, de nature nettement causale :

---

27. Jean Cohen, *Le Haut Langage...*, p. 259.
28. Jean Cohen, *Le Haut Langage...*, p. 29.

[...] l'analyse a maintenant dégagé deux traits pertinents de la différence poésie / non-poésie. Le premier est structural. La non-poésie est liée à la présence de la négation implicite, la poésie à l'absence de cette négation. Le second trait est fonctionnel. Il oppose le sens des deux langages comme noétique et pathétique, ces deux types de sens étant phénoménologiquement opposables comme neutralité et intensité. Il reste alors à montrer la relation existant entre ces deux traits. Cette relation, on va tenter de montrer qu'*elle est de type causal, la totalité produisant la pathéticité.* La théorie devient alors explicative. Elle rend compte du phénomène de la poéticité comme un mécanisme de production d'un effet, la nature du sens, par une cause, la structure du sens [29].

Cependant, l'expérience la plus élémentaire montre que cette figuralité est constitutive d'une classe de discours bien plus large que celle des discours poétiques. On y retrouvera, pêle-mêle, l'argot [30], la publicité [31], le slogan [32], le jeu de mots [33], la liturgie, le mot d'esprit, les créations glossolaliques [34], etc.

D'ailleurs, l'auteur lui-même nous donne des exemples de discours où la structure totalisante est à l'œuvre mais sans que l'on puisse les accoupler au poème d'une manière telle que le concept de « poétique » qui s'en dégage rende compte de l'expérience intuitive du genre. Dans un excursus brillant mais peu nécessaire à l'exposé, Cohen montre que le roman policier fonctionnerait lui aussi d'après la loi de totalisation : dans son univers *clos*, le personnage — c'est-à-dire *tous* les personnages (enquêteur compris), est suspect et n'est *que* suspect (dans ce qu'il dit, fait, ne dit ou ne fait pas). Et c'est avec la solution que réapparaît la structure oppositive, destruction de la totalité :

Le dénouement introduit le monde englobant. Les coupables ne sont plus seuls. Avec le monde extérieur réapparaissent les innocents. Aux coupables posés seuls dans l'univers romanesque s'opposent maintenant les non-coupables [35].

29. Jean Cohen, *Le Haut Langage...*, p. 179. Nous soulignons.
30. Voir l'étude du Groupe μ, « Figure de l'argot », in « Rhétoriques particulières », *Communications*, n° 16, 1970, numéro intitulé *Recherches rhétoriques*, p. 71-93.
31. *Cf.* Jacques Durand, « Rhétorique et image publicitaire », *Communications*, n° 15, 1969, numéro intitulé *L'Analyse des images*, p. 70-95.
32. *Cf.* Olivier Reboul, *Le Slogan.*
33. *Cf.* Pierre Guiraud, *Les Jeux de mots.*
34. *Cf.* Tzvetan Todorov, « L'étrange cas de Mlle Hélène Smith (pseudonyme) », *The Romanic Review*, vol. LXIII, n° 1, févr. 1972, p. 83-91.
35. Jean Cohen, *Le Haut Langage...*, p. 252.

Notons que d'autres genres (comme celui du récit biographique dans la presse à gros tirage où le personnage n'est qu'action et exclusivement orienté vers le succès [36]) pourraient susciter le même type d'observations.

1.2.6. Tous ces échecs — et il en est de plus brillants que d'autres — ne peuvent en tout cas fournir un prétexte pour pratiquer une fuite en avant et pour renvoyer ce problème à une sémiotique qui aurait pour tâche d'établir une typologie générale des discours et qui, comportant autant de psychologie et de sociologie que de linguistique, se donnerait une méthodologie aussi vague que l'a été celle de la stylistique, puis de cette poétique qui marque le pas aujourd'hui.

La définition du poétique ayant souvent été posée par rapport au linguistique mais aussi, conformément à une tradition séculaire, par rapport à une série de catégories esthétiques, sans doute faudrait-il, afin de tracer authentiquement les « limites de l'analyse linguistique en poésie », distinguer soigneusement ce qui, dans le phénomène poétique, est linguistique et ce qui ne l'est pas. Démarche d'autant plus urgente sur le plan méthodologique que la vieille thèse d'une parenté entre l'expérience poétique et l'expérience mystique a pu refaire surface en sémiotique. Greimas, en effet, constatant que la poésie « semble, à première vue, indifférente au langage dans lequel elle se manifeste », ajoute qu' « au point de vue des effets de sens produits sur l'auteur, on pourrait, par extension, considérer comme poétique ce qui pour d'autres civilisations relève du sacré [37] ».

Sans doute y a-t-il beaucoup à dire sur cette comparaison, d'ailleurs valide et à laquelle pourrait sans doute souscrire le Jean Cohen du *Haut Langage*. Les deux seules choses que nous ayons, quant à nous, à souligner ici, sont que cette proposition porte sur l'*effet* du texte poétique et non sur sa structure, et que la question de cette structure spécifique continue à se poser avec autant d'acuité. La seconde est que l'on peut être d'accord avec l'idée que l'effet poétique peut se produire indépendamment d'un support linguistique et donc que son fondement repose sans doute sur de grandes catégories culturelles et anthropologiques.

---

36. Groupe μ, « Les biographies de *Paris-Match* », in « Rhétoriques particulières », *Communications*, n° 16, 1970, numéro intitulé *Recherches rhétoriques*, p. 110-124.
37. A. J. Greimas, in *Essais de sémiotique poétique...*, p. 6.

Revenons donc à notre programme qui est de distinguer ce qui, dans le phénomène poétique, est linguistique et ce qui ne l'est pas.

Convenons pour cela de nommer **rhétorique** la discipline linguistique s'occupant de certains types d'énoncés dont la linguistique générale ne s'est guère préoccupée jusqu'à présent : les sens indirects, et les ensembles discursifs de dimension supérieure à celles de la phrase. Certes, cette définition n'est pas à l'abri de toute critique, puisqu'elle semble exclure de la rhétorique tout ce qui n'est pas à proprement parler linguistique, momentanément ou non : par exemple, l'énonciation (*cf.* chap. III). Convenons donc que, dans ce qui suivra, le terme aura, chaque fois qu'il est employé sans autre précision, le sens de « rhétorique strictement linguistique ».

Cette **rhétorique linguistique** recouvre notamment tout le champ de la fonction poétique jakobsonienne. Quant au domaine littéraire — et plus particulièrement le domaine de la poésie —, nous lui dénions toute spécificité linguistique. La discipline devant décrire la poésie se définit plutôt comme l'intersection de deux ensembles : celui de la rhétorique d'une part, qui lui donne ses fondements linguistiques, celui de l'esthétique d'autre part. Cette esthétique peut en effet définir le *pathos* poétique, lequel s'actualise indifféremment dans de multiples substances : poésie verbale, mais aussi cinéma, rêve, rêverie, spectacle naturel, peinture, musique, etc. De tout ceci, on peut déduire une **rhétorique poétique**, nécessairement composite, dont la tâche est d'étudier le lien organique existant entre les faits linguistiques décrits par la rhétorique et l'effet poétique obtenu par certains textes particuliers [38]. Ce que nous ferons dans les deux divisions suivantes.

2. La lecture rhétorique

2.1. Lecture, isotopie et allotopie

Ainsi que nous l'avons souligné, ce qui nous importe est moins ici d'étudier les tropes comme une structure statique (ce qui a abondam-

---

38. Une « rhétorique poétique » est donc une des « rhétoriques particulières » dont certaines ont déjà été étudiées par le Groupe µ (« Rhétoriques particulières [Figure de l'argot ; Titres de films ; La clé des songes ; Les biographies de *Paris-Match*] », *Communications*, n° 16, 1970, numéro intitulé *Recherches rhétoriques*, p. 70-124).

ment été fait ailleurs) mais de les envisager en fonctionnement dans le texte. Nous sommes donc ramenés au processus de la lecture. Celle-ci induit, au fur et à mesure qu'elle avance dans un texte, un champ sémantiquement homogène où elle inscrit toutes les unités de texte qu'elle aborde, le modifiant ainsi constamment. C'est ce champ que nous nommons *isotopie*, dont nous rappelons la définition : c'est la propriété des ensembles limités de signification comportant une récurrence de sèmes identiques et une absence de sèmes exclusifs en position syntaxique de détermination.

Lorsqu'un champ est reconnu, certaines unités balayées par la lecture peuvent ne pas s'indexer sur l'isotopie ou, en d'autres termes, s'afficher comme allotopes [39]. C'est ce fait qui déclenche le décodage du trope, dont l'invariant est induit par l'isotopie reconnue. Devant une allotopie, les solutions de lecture sont, si nous simplifions, au nombre de trois : correction de l'élément nouveau par adjonction à cet élément des sèmes récurrents du champ, ce qui permet de l'y indexer. On parlera alors de réévaluation proversive, processus de *feed forward* qui semble a priori le plus conforme au mécanisme de la lecture dynamique. La seconde solution est la correction du champ constitué, par dissémination sur ce champ des sèmes de l'élément nouveau. On parlera alors de réévaluation rétrospective.

Nous pouvons prendre comme exemple d'une pareille démarche le sonnet *L'Albatros* de Charles Baudelaire. Ce texte offre une lecture cohérente dans ses trois premières strophes grâce à une isotopie clairement désignée par le titre, mais la quatrième introduit dans l'énoncé un élément allotope, *le poète*, ce qui entraîne (via le syntagme *est semblable*) la réévaluation rétrospective et donc la relecture (effective ou potentielle) de tout ce qui précède. Il existe une troisième solution, qui est la reconnaissance pure et simple de l'impertinence, ce qui entraîne la constitution d'un champ radicalement neuf. Dans ces discours, une résolution peut avoir lieu, cependant, au niveau de la connotation. C'est par exemple ce qui se passe dans le monologue de Molly Bloom de Joyce, où

---

39. Sur tout ceci, rappelé ici rapidement, renvoyons une fois pour toutes à Groupe μ, « Isotopie et allotopie : le fonctionnement rhétorique du texte » (*VS*, n° 14, mai-août 1976, p. 41-65) et *Rhétorique de la poésie : lecture linéaire, lecture tabulaire*. — Autre exemple d'analyse d'allotopie au chapitre VII.

les ruptures non réévaluées connotent précisément le monologue intérieur, qui constitue ainsi l'unité du message. Il est à noter que le nombre et le lieu des réévaluations vont croissant avec le nombre d'éléments en relation d'impertinence, mais que des variables peuvent en circonscrire le nombre. En théorie cependant le nombre de ces réévaluations rhétoriques tend rapidement vers l'infini.

2.2. Polysémie et poly-isotopie

On voit clairement — surtout dans le cas des réévaluations rétrospectives — que ce processus détermine localement une pluralité de sens (degré donné et degrés construits) : le trope est déjà une « dissémination ». Mais il mène aussi fréquemment à une double lecture de l'ensemble ou, à tout le moins, de larges sous-ensembles de l'énoncé. On ne peut en effet se borner à considérer l'allotopie comme un fait strictement ponctuel : l'isotopie étant une propriété du discours, c'est sur ce dernier plan qu'il faut envisager toutes les répercussions du phénomène.

Soit un discours composé des unités ABCDE. Par hypothèse, la redondance de A et B induit une isotopie i_1 ; par hypothèse encore, l'unité C ne s'indexe pas sur cette première isotopie reconnue. L'énoncé ABC peut alors faire l'objet des types de réévaluations que nous venons de décrire. Dans le cas d'une réévaluation proversive, la correction de C engendre une classe d'unités C' s'indexant sur l'isotopie i_1 : on a alors ABC', isotope. La relation entre C et C' peut être, par exemple, celle qui s'établit entre les degrés donnés et construits d'une métaphore. Mais allons plus loin : l'isotopie étant une relation de redondance entre des unités linguistiques qui ne sont pas nécessairement manifestées (c'est le cas des sèmes), il peut s'établir une telle redondance entre C et une autre unité, B, par exemple. On dira dès lors que B et C constituent, dans l'énoncé ABC, une nouvelle isotopie i_2.

La bi-isotopie s'établit plus clairement encore dans un énoncé ABCDE où C et E, allotopes par rapport à AB et D, font l'objet de réévaluation telles que l'on obtienne l'énoncé ABC'DE', mais, indépendamment de ces modifications rhétoriques, présentent entre eux une récurrence de sèmes. On a alors, de nouveau, deux isotopies, la seconde étant CE. On définira donc un discours comme bi-isotope lorsqu'une de ses unités au moins est allotope par rapport à la première isotopie et qu'elle entretient avec une autre quelconque unité de l'énoncé une relation d'isotopie. Il est inutile de souligner que cette bi-isotopie n'est qu'un cas particulier du phénomène de poly-isotopie : il n'y a aucune raison que le phénomène ne mette pas en relation trois isotopies, ou davantage.

Cette notion de poly-isotopie permet de rendre compte, on le voit, de figures de rhétorique non ponctuelles, ou figures dont le mécanisme investit plus d'une unité de première articulation : cas, par exemple, de figures dont le caractère tropique fait discussion, comme l'oxymore, ou de la fameuse métaphore filée, qui, on le verra, ne se laisse décrire correctement qu'à l'aide du concept d'isotopie. À partir d'ici, on préférera donc parler d'unités rhétoriques plutôt que de figures. Nous définissons ces unités rhétoriques comme ensembles connecteurs, d'extension variable, susceptibles d'être lus sur plus d'une isotopie à la fois à l'intérieur d'un énoncé, et par quelque procédure que ce soit (exemple CC', lisible comme C' sur i_1 et comme C sur i_2).

Il faut maintenant attirer l'attention sur le rôle important de la structure poly-isotope dans le mécanisme textuel. Lorsque, dans un discours, un champ a été constitué et que plusieurs allotopies ont été réévaluées en entraînant la formation d'une seconde isotopie, la lecture, processus dynamique en quête d'une unité de sens, tendra à indexer le maximum d'unités de i_1 sur i_2 et vice-versa. La présence d'une itération d'unités rhétoriques précipite donc la perception rhétorique des autres unités du texte. Autrement dit, le trope (et plus largement l'unité rhétorique) se comporte comme une structure équationnelle, projetant l'organisation d'un niveau isotope sur l'autre, et vice-versa. Ce processus d'activation du sens peut s'observer dans les cas les plus banals ; ainsi, dans le slogan publicitaire repris plus haut, les connexions établies entre les deux isotopies du message (« fauve » et « véhicule ») peuvent projeter d'autres équivalences (dont la rhétorique des publicitaires tient d'ailleurs largement compte), comme l'assimilation flatteuse du destinataire à un dompteur, de la conduite au dressage, du monde de la circulation à la jungle, etc.

C'est ce jeu de connexions entre diverses isotopies qui, sur le plan sémantique auquel on a expressément restreint le propos, définit le « texte rhétorique ». Ce texte est susceptible de ce que l'on peut nommer une « lecture tabulaire » ; il y a autant de lectures, lesquelles peuvent prendre place dans les cases d'un tableau, qu'il y a d'unités dans le texte, nombre multiplié par celui des isotopies identifiées. Ceci théoriquement, bien entendu. Car le nombre et le lieu des diverses connexions sont évidemment déterminés par diverses variables : tout texte n'est pas, aussitôt qu'il contient une métaphore, automatiquement un « texte pluriel » ! Les producteurs de textes peuvent ainsi adopter des stratégies fort diverses, repoussant la perception de la poly-isotopie à la fin du message, instituant des hiérarchies entre les diverses isotopies, etc. Tous ces aspects ne nous retiendront pas ici, examinés qu'ils sont dans *Rhétorique de la poésie*.

3. La spécificité poétique

3.1. On peut déjà apercevoir que la structure rhétorique est une condition nécessaire du texte poétique. Mais est-ce pour autant une condition suffisante ? Autrement dit, le texte poétique ne fait-il pas une utilisation spécifique des structures rhétoriques ? Jean Cohen faisait, on s'en souviendra, de la polysémie totalisante le fondement de sa poétique. Et il est vrai que dans les genres non poétiques, des dispositifs particuliers (la loi de telle herméneutique ou l'usage de la marque publicitaire) viennent réduire la polysémie du trope et ainsi réintroduire la loi de non-contradiction que celui-ci disqualifiait : l'herméneutique oblige à l'interprétation univoque de la figure, le discours publicitaire focalise les signifiés virtuels de cette figure sur tel article commercial à l'exclusion de tout autre objet. Mais, en leur principe, les mécanismes figuraux restent identiques dans tous les cas : Cohen accorde donc à la seule poésie (au nom, peut-être, d'une image mythique dont il est le premier à avoir dénoncé l'imposture) ce qui ne lui appartient qu'en copropriété. S'il est difficile de bien apercevoir le saut d'un concept à l'autre chez Cohen, c'est notamment qu'il utilise pour désigner l'effet de la structure totalisante un vocabulaire qui aurait pu être tout différent, et qui renvoie à un univers conceptuel traditionnellement associé à la poésie : *pathétique, pathème, isopathie.* L'élément le plus précieux qu'il nous donne pour résoudre le problème est peut-être son développement sur la poéticité des choses. Donné comme prolongement — donc non essentiel à la thèse —, il inscrit la notion de poéticité dans une démarche phénoménologique. N'est-ce pas là la solution ? De notre point de vue, en tout cas, le poétique ne peut recevoir de définition qu'anthropologique. C'est sur le plan du *contenu* qu'il faudra trouver la spécificité du poétique.

Bien entendu, en énonçant une pareille thèse, nous paraissons en complet désaccord avec le lieu commun, répété depuis le romantisme, selon lequel le poétique n'a pas de signifié spécifique, puisque son discours peut porter sur n'importe quel thème, qu'il n'y a pas de « mots poétiques », etc. Contradiction plus apparente que réelle : nous tenons simplement que ce qui est classé aujourd'hui, et dans la tradition historique, comme « poème », se caractérise non par une substance du contenu particulière, mais par une *forme* particulière de ce contenu.

3.2. Cette forme, nous la nommons, pour une raison qui apparaîtra dans un instant, *modèle triadique*. Fondée sur les connexions interisotopiques décrites plus haut, elle est bien la seconde condition, nécessaire, du fait poétique. Nous précisons bien : du *fait*, et non de la *valeur* poétique. Nous ne nous plaçons pas ici sur le plan de l'instance critique, encore que ce soit là un problème qu'une rhétorique poétique devra bien aborder un jour ou l'autre.

On peut comprendre qu'il y ait une réticence à classer les isotopies selon leur contenu, alors que la sémantique structurale est encore loin d'être établie, et que les discussions font encore rage autour de thèmes comme l'Hypothèse Sapir-Whorf et ses diverses reformulations. Mais, si nous examinons le corpus (très relativement) restreint de la poésie lyrique, nous pouvons nous hasarder à conclure que tout poème comporte au moins deux isotopies qui modalisent nécessairement un clivage fondamental de l'univers sémantique immanent. Ces deux superisotopies ou catégories (qu'on les nomme comme on le voudra), nous les présentons sous les noms conventionnels d'*Anthropos* et de *Cosmos*. D'autres clivages traditionnels sont plus ou moins assimilables à celui-ci : on se souviendra qu'Ampère distinguait les sciences cosmologiques (qui concernent le monde), et les sciences noologiques (qui concernent l'esprit), tandis que Greimas, plus près de nous, rapprochait cette distinction de la catégorie classématique extéroceptivité *vs* intéroceptivité. On pensera aussi, évidemment, à une opposition comme celle de Nature / Culture, telle qu'on la retrouve chez Claude Lévi-Strauss. Mais alors que chez l'anthropologue, ces concepts s'opposent comme terme non marqué (nature telle quelle) *vs* terme marqué (nature et action de l'homme), *Anthropos* et *Cosmos* s'opposent dans la poésie comme termes également non marqués, pris dans une opposition antérieure à toute démarche intégrant l'homme à l'univers ou intériorisant l'univers en l'homme. Sans doute ce clivage manifeste-t-il une idéologie, ou une métaphysique, toute particulière. Mais on peut aisément observer que le discours poétique (jusque dans ses manifestations les plus récentes) se réfère effectivement à cette représentation dualiste. De sorte qu'il n'est pas gênant d'expliquer un objet par la structure qui le fonde, celle-ci fût-elle fantasmatique et idéologique. Cette constatation nous permet d'avancer que tout poème se constitue en totalité symbolique, en « modèle réduit », suivant l'expression du logicien Léo Apostel : le poème constitue une maquette de la réalité globale, un univers en réduction [40].

Mais nous avons parlé de modèle triadique, et non dyadique. Il s'agit en effet d'introduire un troisième terme, le *Logos*. Implicitement en tant qu'objet verbal, le poème comporte cette dimension. Mais il est assez remarquable que cette nature linguistique du texte poétique soit fréquemment explicitée (surtout dans les textes modernes) par la manifestation d'une superisotopie de type *Logos*. S'il n'y a plus d'Art poétique, c'est sans doute que la poésie explicite de plus en plus elle-même sa technique et son matériau. Mais ceci est une autre histoire. Notons seulement que le texte du poème nous met en présence de deux isotopies *ou plus*, hypostasiant les grandes régions du sens que nous venons de délimiter.

Mais une fois de plus, la coprésence de ces trois éléments ne suffit point à rendre compte du pathos poétique. Nous devons pour cela faire intervenir un dernier concept important : celui de la médiation. Le pathos poétique implique non seulement la manifestation, directe ou indirecte, d'une isotopie de type *Cosmos*, et d'une isotopie de type *Anthropos*, *s'opposant* l'une à l'autre, mais encore la médiation de cette opposition. Nous entendons évidemment ce terme dans le sens où on le trouve chez les anthropologues, les spécialistes de la symbolique (Jung,

---

40. Léo Apostel, « Symbolisme en anthropologie : vers une herméneutique cybernétique », *Cahiers internationaux de symbolisme*, n° 5, 1964, p. 7-31.

Gilbert Durand [41], etc.) ou du récit [42]. La poésie — comme le mythe ou le symbole — permet ainsi de jeter un pont entre les aspects contradictoires du réel : entre l'inerte et le vivant, entre la vie et la mort. Une fois que ces oppositions sont entrées dans la conscience, une nouvelle unité peut s'élaborer entre elles. La médiation symbolique consiste à modifier deux termes inconciliables (par exemple la vie et la mort) en leur trouvant deux équivalents (par exemple la guerre et l'agriculture, activités humaines qui sont entre elles comme la mort et la vie), équivalents qui admettent, eux, des intermédiaires (dans notre exemple, la chasse, qui consiste à tuer pour manger, est parente de la guerre et de la culture, et allie donc et la mort et la vie). Dans ce type de médiation, les contraires restent contraires, mais admettent la possibilité d'un rachat de leur contrariété. Pour Lévi-Strauss, dans un autre domaine, « la pensée mythique procède de la prise de conscience de certaines oppositions et tend à leur médiation progressive [43] ».

Les techniques de médiation sont assurément nombreuses : il en est de discursives — la médiation s'opérant progressivement à travers les transformations narratives [44] —, il en est aussi d'archétypiques : on a pu noter que certains thèmes reviennent régulièrement en poésie : le vol, la libation, etc. Or, que sont en effet le vol, le labour, le jeu, l'amour, la création, la libation et l'ingestion, sinon les actes de médiation qu'une culture instaure entre l'homme et le cosmos ? Dans le vol, l'homme subit la dichotomie de la terre et du ciel, mais il affronte ce dernier, comme Icare, pour y marquer sa traînée. Dans le labour, il marque la terre ennemie de son sillon. Le travail de la mine, qui a inspiré plusieurs textes émouvants, est à la fois sujétion à la nature brutale et domestication de sa force dans sa transformation en énergie. Dans l'élaboration d'aliments, l'autonomie du monde n'est pas abolie (les plantes poussent, la vigne meurt du gel), mais l'artifice humain est total : ni le pain ni le vin n'existent dans la nature, que l'homme culturalise par le pétrissage

---

41. Gilbert Durand, *L'Imagination symbolique*.
42. Claude Bremond, « Entre la structure et la forme (à propos d'un essai d'Elli et Pierre Maranda) », *VS*, n° 6, sept.-déc. 1973, p. 1-20.
43. Claude Lévi-Strauss, *Anthropologie structurale*.
44. Voir Groupe μ, « Lecture du poème et isotopies multiples », *Le français moderne*, vol. XLII, n° 3, juill. 1974, p. 217-236.

ou la fermentation. Quant à la dévoration, il est inutile d'y insister. Même les objets isolés — et non plus les procès — peuvent remplir cette fonction. Il en va ainsi de l'arbre qui, par la volonté de verticalité qu'on projette en lui, dynamise l'opposition du sol et de l'air [45].

Parmi les divers types de médiations possibles, seules les médiations rhétoriques ont à nous retenir ici. Elles ont lieu lorsqu'une série d'unités rhétoriques connectent entre elles deux ou plusieurs isotopies relevant des niveaux *Cosmos* et *Anthropos*. Ainsi donc, le poème annule, par des moyens purement langagiers, la distance entre les deux catégories fondamentales du sens. Le *Logos* sert de médiateur symbolique entre l'homme et le monde.

Ce langage qui prend figure s'arroge un privilège exorbitant : celui de médier instantanément — et non plus progressivement, comme dans les actes évoqués plus haut — les contradictions. Instantanément, parce que le langage rhétorique les anéantit au moment même où il les pose. Qu'un poète ose l'alliance « charnel azur », et voilà qu'un pont est lancé entre l'homme et les mystères qui l'entourent. Voilà que, le temps d'un mot jeté, la tension est résolue sans être pour autant abolie. Sans doute est-ce dans ce fait qu'il faut trouver une justification de l'effet généralement euphorique de la poésie.

Dans cet ensemble conceptuel, le terme important est évidemment celui de médiation. Il nous semble que c'est dans ce processus, plutôt que dans son résultat — la neutralisation ou la totalisation —, qu'il faut voir la spécificité du poétique : le processus est actif, le résultat statique. Et ce procès peut être obtenu par des moyens proprement linguistiques mais aussi par le biais d'autres sémiotiques.

3.3. Cette thèse concernant le fonctionnement du pathos poétique peut se vérifier à l'aide d'une contre-épreuve : il suffit de voir ce que produit un texte sans médiation, ou encore un texte n'impliquant pas la présence de la dichotomie fondamentale. Nous obtenons ainsi un tableau à quatre cases qu'il n'est pas malaisé de remplir. Par exemple, l'effet de sens produit par un message comportant l'opposition fondamentale mais non la médiation correspond idéalement à la catégorie du tragique,

---

45. Voir par exemple notre étude des médiations archétypiques chez un poète contemporain dans « Mots et mondes de Norge », in Norge, *Remuer ciel et terre : La Langue verte et autres textes*, p. 231-267.

dont le point de départ, on le sait, est l'opposition de l'homme et du destin. En complétant les cases, nous obtenons donc un tableau de certaines catégories esthétiques :

	présence de médiation	absence de médiation
opposition homme / nature	pathos poétique	pathos tragique
absence de l'opposition	rhétoriques non poétiques	discours neutre

Tableau V. — *Quelques catégories esthétiques.*

Veut-on un exemple ? Pour montrer l'efficacité du modèle proposé, le mieux est sans doute de montrer qu'il s'applique parfaitement à un texte pris au hasard dans ceux qui sont considérés comme poèmes. Au hasard : dans un colloque [46], il m'est arrivé de me servir d'un texte que je n'avais en main que depuis quelques minutes : le poème de Saint-Denys Garneau intitulé *Autrefois*, et qu'un collègue avait commenté dans sa communication. On y voit d'emblée que s'y manifestent comme distinctes deux isotopies relevant des catégories *Cosmos* et *Anthropos* :

> Comme s'il n'y avait pas de périphérie mais le
> centre seul
> Et comme si j'étais le soleil ;   à l'entour l'espace
> [illimité]

La suite du texte modalise abondamment (mais aussi et surtout sur le plan discursif) cette opposition :

> Alors la pauvre tâche
> de pousser le périmètre à sa limite
> Dans l'espoir à la surface du globe d'une fissure

Et c'est à la fin que l'opposition, reprise en termes non équivoques (« tel un homme, sur le chemin trop court par la crainte du port, raccourcit l'enjambée », « L'Au-delà »), se voit définitivement et explicitement médiatisée par le *Logos* :

> Il me faut devenir subtil
> Afin de, divisant à l'infini l'infime distance
> De la corde à l'arc

---

46. Jean-Marie Klinkenberg, « La lecture du poème : du rhétorique à l'idéologique », in *Lectures et Lecteurs de l'écrit moderne*, p. 214-250.

Créer par l'ingéniosité un espace analogue à l'Au-delà
Et trouver dans ce réduit matière
Pour vivre et l'art.

Une dernière remarque, qui a son importance : ce modèle triadique n'est pas une *chose* qui existerait comme telle dans les textes. Étant une organisation active des isotopies [47], qui sont déjà elles-mêmes le produit d'une construction, ce modèle peut, en dernière analyse, s'interpréter comme un modèle culturel disponible pour la lecture de certains messages rhétoriques. Insistons sur ceci, qui réhabilite l'étude du processus de lecture, processus qui est exactement parallèle à celui de l'énonciation, que la linguistique a jusqu'il n'y a guère bien négligé, et auquel la rhétorique, elle, n'a jamais cessé de s'intéresser [48]. En définitive, c'est bien le code d'interprétation d'un texte qui le pose en poème, et non quelque essence intemporelle et mystérieuse. En guise de boutade, on pourrait dire que le seul problème qui a un sens est celui de la lecture poétique des textes quelconques, et non celui de la lecture quelconque des poèmes. Mais ce serait là caricaturer la réalité : nous savons maintenant que seul peut devenir poème un texte qui satisfait à certaines caractéristiques étudiées par la rhétorique.

Il reste à revenir à cette rhétorique, pour nous demander de quel secours elle peut bien être dans l'analyse des poèmes. Une première réponse est évidente : elle nous fournit les matériaux pour étudier les mécanismes, sémantiques et autres, qui sont à la base de la structure rhétorique des poèmes. Une seconde réponse doit aussi être formulée, même si c'est brièvement : l'opposition fondamentale *Anthropos* /

---

47. Dans cette perspective, il est intéressant de procéder à un rapprochement avec les enseignements de la *Gestaltpsychologie* : on peut concevoir la lecture de poèmes comme un processus de perception, au cours de laquelle le récepteur recherche les « bonnes formes », c'est-à-dire les formes à la fois économiques et sémantiquement satisfaisantes. Cette lecture sera économique si toutes les unités sémémiques sont lisibles sur toutes les isotopies (et c'est ce vers quoi tendent expressément certaines poésies) ; elle sera dite satisfaisante si elle ne laisse subsister aucun conflit sémantique et permet des intégrations isotopiques cohérentes. Mais laisser subsister le conflit peut parfois être source d'efficacité — et donc de satisfaction — poétique. Voir ci-après notre développement sur la rhétorique des avant-gardes.
48. En même temps que, dans des disciplines voisines, le « sujet » était abordé de manière idéaliste.

Cosmos, de même que la médiation de ces deux catégories, peuvent être actualisées de façons bien différentes selon les poèmes ou les classes de poèmes. Et l'étude de ces diverses stratégies ressortit de plein droit à la rhétorique, une rhétorique qui n'est donc pas réduite à la seule *elocutio*, puisqu'elle s'élargit ici au domaine de la *dispositio*.

Que ces diverses études ne puissent être un substitut du plaisir poétique, c'est l'évidence encore : on aura beau compter et mesurer les pas de la déesse, disait Valéry, on n'en expliquera pas pour autant le secret de sa grâce immédiate. Mais au moins est-il licite de s'interroger sur la mesure et le nombre de pas de certaines déesses particulièrement gracieuses, et peut-on tenter de faire de sa volupté une connaissance.

CHAPITRE VI

LE TEXTE D'AVANT-GARDE

L'écrivain peut, avons-nous dit, disposer de manière originale au long de son texte les instruments rhétoriques qui fondent la polyisotopie de ce texte. C'est sans doute en étudiant ces diverses stratégies qu'on pourra le mieux réaliser l'histoire des formes, paragraphe de l'histoire littéraire qui demande encore à être écrit.

Nous analysons ici un exemple d'une telle stratégie : celle d'une avant-garde littéraire précise, que nous décrirons comme mise en trope. Du même coup, nous éprouverons la validité du modèle rhétorique décrit au chapitre précédent : les textes d'avant-garde n'apparaissent-ils pas a priori comme les plus rétifs à l'application de la rhétorique ?

1. Avant-gardes et rhétorique

Toute avant-garde — on l'a dit et répété — se définit volontiers en rupture totale avec ce qui l'a précédée. Position à bien des égards polémique : tout groupe sécrète un certain nombre de postulats qui sont « le fondement de l'orthodoxie » de ce groupe, « mais aussi le point d'appui des hétérodoxies et des non-conformismes qui ne sont jamais que des dissidences relatives, une dissidence absolue étant absurde et inintelligible [1] ».

---

1. Robert Escarpit, *Sociologie de la littérature*, p. 102.

Le propos mythique des avant-gardes est parfois relayé par celui de la critique, lorsqu'elle épouse le point de vue des acteurs. Lorsqu'elle projette ce point de vue loin dans le passé, elle s'épuise parfois à essayer de prouver que la dissidence absolue est possible. Ainsi de Paul Zumthor lorsqu'il étudie les constantes lexicales et rhétoriques de la fatrasie, genre oublié des médiévistes tributaires du XIXe siècle romantique ou positiviste, mais fort proche de nous en ce que « l'effort qu'il requiert de notre attention implique des préoccupations et l'usage de concepts étroitement analogues à ce qu'exige de nous le déchiffrement de nos propres écritures [2] ». L'auteur note que le propre du langage fatrasique est de « briser, au sein de la phrase elle-même, de syntagme nominal à syntagme verbal, de syntagme verbal à adverbial, les compatibilités sémiques : d'où l'effet de "non sens absolu" [3] ». L'analyse que nous avons publiée d'une fatrasie [4] aboutit, sur tout ceci, à des conclusions convergentes : épiphanie de la trivialité, importance du « grouillement » comme mouvement fondamental. Mais nous mettrons par contre en doute le « maintien de la syntaxe » dans ce genre : c'est précisément grâce au jeu des incertitudes syntaxiques induites par le mètre que se renforce le non-sens de ces textes, non-sens qui ne procède pas exclusivement de « la juxtaposition de *designata* impossibles ». Car il y a bien une technique du trope fatrasique, sur le détail de laquelle Paul Zumthor passe peut-être rapidement. Si nous croyons comme lui que le fatrassier « ne rejette pas le code, mais constitue un anti-code, à l'aide des éléments mêmes et des lois du code imposé [5] », il est peut-être elliptique de dire que les procédés en cause « constituent certes, dans leur régularité et leur systématisation, des " figures ", mais qui sont des anti-figures : elles nient le lien métaphorique non moins que celui de la métonymie. *Elle les nient en en effaçant de leur discours la possibilité même* [6] » ; il est plus juste de soutenir que cet anti-système producteur d'anti-poèmes est « affirmation contradictoire, non pas négation : perceptible comme *anti-* par cela même que (en vertu d'habitudes mentales encore en pleine vigueur) reçue comme système, comme

---

2. Paul Zumthor, *Langue, Texte, Énigme,* p. 69.
3. Paul Zumthor, *Langue, Texte, Énigme,* p. 78.
4. Groupe μ, *Rhétorique de la poésie : lecture linéaire, lecture tabulaire,* p. 216-229.
5. Paul Zumthor, *Langue, Texte, Énigme,* p. 84.
6. Paul Zumthor, *Langue, Texte, Énigme,* p. 84. (Nous soulignons.)

poèmes [7] ». Il resterait à montrer comment les structures fondamentales de la poésie finissent par récupérer cela même qui les contredit, comment, avec des matériaux discordants, agencés selon des lois discordantes, la fatrasie crée son propre accord interne. D'où, peut-être, son échec en tant qu'anti-poésie, dont témoignent les avatars du fatras.

Le propos mythique des avant-gardes n'a pu exister que par la force du jumelage de deux discours : dans le premier, elles livrent leurs textes littéraires, dans le second, elles proclament leurs intentions et revendications. Beaucoup d'études postulent une homologie entre ces deux discours, recherchant dans le premier l'application du second, et dans celui-ci un modèle de celui-là. Le dernier avatar, sans doute le plus subtil, de ce jumelage, on le trouvera chez ceux-là qui entendent faire de leur propre pratique une théorie. Position qui n'est nouvelle qu'en apparence, car formuler la proposition « nous entendons faire de notre pratique une théorie », c'est de nouveau juxtaposer à un discours un second qui prétend en être la clé, et la seule. Or, pour le constat historique, c'est le « discours prophétique » qui, le plus souvent, pose la revendication de la rupture totale. Pour échapper au caractère idéologique de ces propos, et à l'incessant renvoi des deux discours, pour traquer le lieu exact où se situent les « dissidences relatives » par quoi se définissent les avant-gardes, il convient par conséquent de juxtaposer non plus seulement les discours créatif et théorique de tel groupe, mais de juxtaposer l'ensemble de ceux-ci avec leur véritable intertexte. Pratiquement, il faudra donc les comparer, ou les confronter : *a*) à l'ensemble de tous les textes lisibles dans une société au moment où une avant-garde fait son apparition, *b*) au(x) code(s) dont les deux ensembles comparés sont les messages. Cette démarche qui vise à apprécier l'écart, c'est, par excellence, celle du rhétoricien.

« Rhétorique » et « avant-garde » apparaissent d'emblée comme des concepts antagonistes, dans la mesure où le premier véhicule encore avec lui tout un poids de traditionalisme et de normativité. Et il est bien vrai que celui qui aurait soutenu, il y a une vingtaine d'années, que la rhétorique allait redevenir une discipline majeure aurait prêté à rire. Mais la discipline moderne dont nous avons raconté la naissance ne pouvait manquer d'avoir son mot à dire en matière d'avant-garde. On pourrait

---

7. Paul Zumthor, *Langue, Texte, Énigme*, p. 85.

même soutenir que ce contact est déjà rendu urgent par le caractère ambigu de la métaphore militaire utilisée pour décrire ces courants littéraires... Mais soulignons surtout que la rhétorique, en tant que science des ruptures à l'intérieur des discours (c'est de la sorte que peut se définir la figure, ou métabole) et science des ruptures et des différences entre les discours, ne pouvait manquer de s'intéresser aux écoles et aux courants se définissant précisément par la rupture.

2. Le surréalisme et la rhétorique

Le surréalisme est un monisme. Il suffit, pour s'en convaincre, de relire la fameuse déclaration du *Second Manifeste*. Une pensée aussi totalisante ne pouvait que se fonder sur un certain nombre de refus. Refus des « discours spécialisés », qui abolit non seulement les distinctions classiques entre roman, poème, essai, etc., mais aussi et surtout entre discours littéraire et non littéraire, entre les littérateurs patentés et une humanité faite de crocheteurs du Port-au-foin (« Le propre du surréalisme est d'avoir proclamé l'égalité totale de tous les êtres humains devant le message subliminal [8]. ») : refus des techniques conscientes — ce refus refusé à son tour par un Queneau — lorsqu'elles sont autre chose qu'un simple moyen de faire jaillir l'automatisme, « seule structure qui réponde à la non-distinction [...] des qualités sensibles et des qualités formelles, des fonctions sensitives et des fonctions intellectuelles » ; refus enfin — et nous passons du plan de la pratique à celui de la critique — d'une approche des faits d'expression qui ne serait pas, elle aussi, totalisante : « Toute spéculation autour d'une œuvre est plus ou moins stérile, du moment qu'elle ne nous livre rien de l'essentiel : à savoir le secret de la puissance d'attraction que cette œuvre exerce. »

Ainsi décrit, le surréalisme semble bien être ou vouloir être une liquidation de la rhétorique (que celle-ci soit analyse ou pratique), et

---

8. *Le Message automatique.* — Précisons d'emblée que les citations d'André Breton sont extraites de *Manifestes du surréalisme*, éd. compl. ; *Point du jour*, nouv. éd. rev. et corr. ; *Signe ascendant* suivi de *Fata Morgana, Les États généraux, Des épingles tremblantes, Xénophiles, Ode à Charles Fourier, Constellations, Le La ; Ralentir, travaux* (en collab. avec René Char et Paul Éluard) ; *Les Champs magnétiques* suivi de *S'il vous plaît* et de *Vous m'oublierez* (en collab. avec Philippe Soupault).

prolonger sur ce point le mouvement amorcé par le romantisme, et même rejoindre certaines positions de tel esthéticien mettant l'accent sur l'unité intuitive du contenu et de la forme de l'œuvre d'art qu'est nécessairement tout acte d'expression. Le refus de la rhétorique est bien résumé dans le cri de Breton :

> Il s'est trouvé quelqu'un d'assez malhonnête pour dresser un jour, dans une notice d'anthologie, la table de quelques-unes des images que nous présente l'œuvre d'un des plus grands poètes vivants ; on y lisait : *lendemain de chenille en tenue de bal* veut dire : papillon. *Mamelle de cristal* veut dire : une carafe. Non, Monsieur, Saint-Pol Roux *ne veut pas dire*. Rentrez votre papillon dans votre carafe. Ce que Saint-Pol Roux a voulu dire, soyez certain qu'il l'a dit. *(Point du jour)*

En fait, plutôt que de liquidation, il faudrait parler de simplification, de restriction ou de focalisation de la rhétorique :

> Au terme actuel des recherches poétiques il ne saurait être fait grand état de la distinction purement formelle qui a pu être établie entre la métaphore et la comparaison. Il reste que l'une et l'autre constituent le véhicule interchangeable de la pensée analogique [...] Il est bien entendu qu'auprès de celles-ci les autres « figures » que persiste à énumérer la rhétorique sont absolument dépourvues d'intérêt. Seul le déclic analogique nous passionne : c'est seulement par lui que nous pouvons agir sur le moteur du monde [9].

Ainsi les surréalistes n'ont pas peu contribué à l'inflation du terme « image » pour désigner non seulement les figures par ressemblance, mais toute espèce de figure ou d'anomalie sémantique. Cet usage terminologique « fait écran, sinon obstacle à l'analyse, et induit sans contrôle à une interprétation métaphorique peut-être fautive, et à tout le moins réductrice [10] ».

Focalisation, disions-nous, plutôt que liquidation de la rhétorique : n'est-ce pas préfigurer le point de vue des rhétoriciens modernes que de suggérer que la distinction du littéraire et du non-littéraire est purement institutionnelle, et que l'étude des mécanismes langagiers devrait la

---

9. André Breton, *Signe ascendant*, p. 10.
10. Gérard Genette, « La rhétorique restreinte », *Communications*, n° 16, 1970, numéro intitulé *Recherches rhétoriques*, p. 158-171. Citons cette phrase de Breton : « Aussi repousserons-nous dédaigneusement le grief ignare qu'on fait à la poésie de ce temps d'abuser de l'*image* [...] . » (*Signe ascendant*, p. 10.)

transcender ? N'est-ce pas accepter l'intuition de Pius Servien et de Marcus (*cf.* chapitre III), que de souligner l'infinité de significations que peut revêtir le langage poétique, libéré de la double contrainte que font peser sur lui le souci de la communication immédiate et la logique de la non-contradiction ? Et n'est-ce pas aller dans le sens où allaient les formalistes russes que de souligner combien le langage poétique se disqualifie comme médium de communication, en conquérant sa totale autonomie (ce que, dans une autre terminologie, on nommerait *auto-télisme*) ?

Mais il y a plus encore : quelque contestable que soit la place qu'ils réservent à « l'image », les surréalistes n'ont pas reculé devant l'élaboration d'une théorie de cette image. Théorie en fait assez fruste, puisqu'elle se résume peut-être au seul concept de distance sémique, sur lequel nous reviendrons au chapitre suivant : pour Breton, en effet, « c'est du rapprochement en quelque sorte fortuit (de) deux termes qu'a jailli une lumière particulière, lumière de l'image, à laquelle nous nous montrons infiniment sensibles. La valeur de l'image dépend de la beauté de l'étincelle obtenue ; elle est, par conséquent, fonction de la différence de potentiel entre les deux conducteurs. » Mais en décrivant l'image de la sorte (comme un « pont jeté d'un mot à l'autre, qui fait l'économie des relations descriptives le justifiant [11] »), et même en proposant l'analyse d'une « image d'Apollinaire » (*Ta langue / Le poisson rouge dans le bocal / De ta voix*, où *rouge* est la propriété commune de *langue* et de *poisson* et où les rapports *poisson / bocal*, *langue / voix* sont soutenus par des concepts déjà imagés comme « cristallin »), Breton décrit-il autre chose que la classique métaphore ? Certains critiques l'ont bien vu, mais pour vêtir quelque peu un empereur trop nu à leur goût, ont tenté de sauver la spécificité de l'image surréaliste par le concept « d'intersection nulle » (« La limite de la métaphore est l'intersection nulle vers laquelle tend toute la poétique surréaliste [...][12]. »). Il va de soi que n'importe quoi peut être le trope de n'importe quoi, mais y a-t-il des intersections nulles ?

---

11. Gérard Durozoi et Bernard Lecherbonnier, *Le Surréalisme : théories, thèmes, techniques*, p. 127.
12. Jean-Michel Adam et Jean-Pierre Goldenstein, *Linguistique et Discours littéraire...*, p. 148.

Bouleversement radical, ou traditionalisme camouflé ? Telle est, en somme, la question que l'on peut se poser à propos de la rhétorique surréaliste. Pour résoudre le problème, on peut commencer par accorder qu'effectivement le plus grand nombre des « images » surréalistes ne se laissent pas décrire immédiatement à l'endroit où on les rencontre dans le texte, au rebours de certains tropes classiques. On peut cependant chercher s'il n'existe pas des mécanismes textuels particuliers autorisant la description technique de l'image, alors même qu'elle n'est plus ponctuelle mais investit de plus larges unités discursives.

3. La métaphore filée et l'activation du sens

Métaphore investissant plus d'un mot : telle pourrait être une première définition de la métaphore filée [13]. Perspective qui nous impose de compléter la définition classique de la métaphore : à la description des relations qu'entretiennent les éléments des deux concepts coprésents dans la métaphore ponctuelle, il faut superposer l'étude des relations entretenues par les éléments ici juxtaposés dans le discours. Pour ce faire, nous pouvons suivre l'analyse que Philippe Dubois a donnée d'un aphorisme du Mauricien Malcolm de Chazal [14] :

Le piano, c'est les incisives et les cuivres sont les molaires de l'orchestre — le piano tranchant les sons que les cuivres mastiqueront ensuite. Solo de flûte dans l'orchestre en sourdine : la symphonie mange de ses dents en avant.

Dans la première phrase, deux relations métaphoriques sont instituées : de *piano* à *incisives* et de *cuivres* à *molaires*. Mais de *piano* à *cuivres*, et d'*incisives* à *molaires*, les relations sont également patentes. Elles sont, cette fois, d'ordre métonymique : les deux réalités auxquelles renvoient ces termes sont coïncluses sur le même mode dans un ensemble dont elles sont la synecdoque : orchestre dans un cas, dentition dans l'autre.

---

13. Michael Riffaterre, « La métaphore filée dans la poésie surréaliste », *Langue française*, n° 3, sept. 1969, numéro intitulé *La Stylistique*, p. 46-60.
14. Philippe Dubois, « Narratologie et récit surréaliste », mémoire inédit de licence en philologie romane, partiellement publié dans « La métaphore filée et le fonctionnement du texte » (*Le français moderne*, vol. XLIII, n° 3, juill. 1975, p. 202-213) et dans « La métaphore filée : machinerie rhétorique et machination narrative » (in *Stratégies discursives*, p. 267-279). — L'exemple est emprunté à Malcolm de Chazal, *Sens plastique*, t. II, p. 63.

Or dans un univers où un piano peut être une incisive (et c'est un tel univers qui est posé ici), rien n'interdit à une dentition d'être un orchestre. Et c'est ce que suggère la réitération d'une identique relation entre des parties de deux ensembles englobants. En somme, la rhétorique pose une règle qui est peu conforme aux règles de la logique : si a ∈ A et b ∈ B et que a = b, alors A = B, équivalence qui est plus acceptable encore si d'autres éléments de A et de B (des synecdoques de ces ensembles) sont eux aussi mis en relation [15].

Le filement de la métaphore engendre donc un réseau de tropes extrêmement dense : *a*) les métaphores particulières induisent des métaphores globales (orchestre = dentition) ; *b*) les relations métonymiques induisent, elles aussi, de nouvelles relations : piano et cuivres renvoient à la synecdoque généralisante de l'orchestre, qui suggère le déversement d'un paradigme dans le syntagme : virtuellement, la flûte, la cymbale, etc., sont présentes dans le texte. De même, incisives et molaires induisent canines, dents de lait, etc., présentes implicitement dans le texte ; *c*) les relations synecdochiques (l'intersection de deux ensembles est synecdoque de chacun de ces ensembles) sont aussi à prendre en compte : la forme rectangulaire et plate est commune à l'incisive et au plat de la touche de piano, une certaine profondeur est commune à la molaire et au cuivre. Ce qui est ici filé, c'est un réseau de qualités abstraites, de formes et de fonctions, qui induisent de nouveaux concepts : ingestion, morsure, bruit, etc.

Notons la réversibilité de ces ensembles de tropes : il est peut-être hasardeux de parler, comme le fait Riffaterre, de métaphores « primaires » (orchestre = dentition) et « dérivées » (piano = incisives) [16] : en l'occurrence, la métaphore « primaire » est chronologiquement seconde, induite qu'elle est par les métaphores « dérivées » ; de surcroît, dans la métaphore filée surréaliste, il est particulièrement dangereux d'utiliser

---

15. Au passage, notons combien de tels exemples rendent fragile l'opposition entre une rhétorique de la poésie, « restreinte » à l'*elocutio*, et une rhétorique « générale » couvrant tout le champ de l'argumentation. Le « raisonnement poétique » manifesté ici (et proche de l'abduction peircienne) est du nombre de ceux qu'étudie la rhétorique de Perelman.

16. Michael Riffaterre, « La métaphore filée... », p. 47-48.

une terminologie renvoyant à une hiérarchie des éléments en relation métaphorique (« propre » et « figuré », « teneur » et « véhicule », etc.). Ceci est vrai pour toute relation métaphorique, potentiellement réversible. Mais la pratique surréaliste, par un réseau faisant constamment intervenir les diverses isotopies en présence, et ce au niveau manifesté, a su préserver cette pluralité des significations, présente dans tout trope, mais plus ou moins réduite par le contexte dans lequel il s'actualise. Génération du sens d'ailleurs sans limite précise : en transformant un phénomène souvent perçu comme ponctuel (dans tel texte, tel mot est métaphorique) en un processus linéaire, le filement de la métaphore crée un vecteur dont il indique la direction (parties d'orchestre = éléments de la mastication), mais non le sens (la relation est réversible) ni la grandeur (les deux ensembles en présence sont indéterminés). Limite imprécise sur le plan horizontal (la nomenclature des dents est tout de même vite épuisée…), mais plus floue encore sur le plan vertical : la coprésence de tropes de niveaux divers interdit que l'on s'arrête au niveau de tel ensemble : si ce qui est nommé ici « métaphore primaire » est la mise en intersection des deux ensembles les plus puissants dont l'un au moins est manifesté dans le texte, d'autres mises en relation métaphorique sont encore possibles (musique = cri, musique = nutrition, art = vie, etc.). En d'autres termes, la métaphore filée ne pose pas une somme finie d'équivalences, mais une loi générale d'équivalence.

4. L'abolition rhétorique des genres

Il reste maintenant à examiner la place qu'occupent ces unités rhétoriques dans la stratégie du texte surréaliste. On sait que, dans une littérature divisée en genres et en sous-genres, deux lieux se désignent particulièrement comme réceptacles pour l'imagination analogique. Ce sont, au sein des genres narratifs, la description (qui s'oppose à l'action proprement dite), et le genre en principe non narratif qu'est la poésie.

Dans la première, la présence des métaphores peut avoir une fonction purement ornementale ou encore introduire des relations métaphoriques avec les éléments de l'action (tel milieu, peint de manière anthropomorphique, connote telle disposition psychologique du héros : « Il pleure dans mon cœur / comme il pleut sur la ville » [Verlaine]) ;

dans la seconde, elle a pour fonction la médiation non narrative entre les grandes régions archétypales du sens.

C'est une des caractéristiques essentielles du surréalisme que d'avoir fait éclater ces moules en confondant les différentes fonctions du discours rhétorique. Non seulement ce courant pousse à son extrémité la description symbolique en hyperbolisant les relations analogiques et en multipliant, ainsi qu'on l'a vu, les sens engendrés par le trope, mais encore vise-t-il à abolir la différence entre code de l'action et code de la description en tendant à confondre médiation rhétorique et médiation proprement narrative.

Pourtant, la métaphorisation semble bien s'engager de façon classique, dans cette page de *La Liberté ou l'Amour* :

> Le vent apportait des feuilles arrachées aux arbres des Tuileries et ces feuilles tombaient avec un bruit mou. C'étaient des gants ; gants de toutes sortes, gants de peau, gants de suède, gants de fil longs. C'est devant le bijoutier une femme qui se dégante pour essayer une bague et se faire baiser la main par le Corsaire Sanglot, c'est une chanteuse, au fond d'un théâtre houleux, venant avec des effluves de guillotine et des cris de Révolution, c'est le peu d'une main qu'on peut voir au niveau des boutons. De temps à autre, plus lourdement qu'un météore à bout de course, tombait un gant de boxe. La foule piétinait ces souvenirs de baisers et d'étreintes sans leur prêter la déférente attention qu'ils sollicitaient. Seul j'évitais de les meurtrir. Parfois même je ramassais l'un d'eux. D'une étreinte douce il me remerciait. Je le sentais frémir dans la poche de mon pantalon. Ainsi sa maîtresse avait-elle dû frémir à l'instant fugitif de l'amour [17].

On notera d'emblée que ce texte affirme brutalement l'identité du métaphorisé et du métaphorisant, sans recourir aux modalisations atténuantes fréquentes dans ce genre de discours (comme : « Les feuilles tombaient avec un bruit de gant », formule qui focaliserait l'attention sur les aspects rationnels de la métaphore, c'est-à-dire sur l'intersection sémique des ensembles en présence : poids, matité, etc.). En instituant une relation d'identité, l'image laisse non seulement libre cours à la recherche d'autres éléments intersectifs, mais substitue purement et simplement un objet à un autre.

Jusqu'ici, sans doute, le texte ne nous offre-t-il qu'une variété plus marquée du processus courant. Mais il y a davantage : la quantité d'élé-

---

17. Robert Desnos, *La Liberté ou l'Amour,* p. 21.

ments du texte référables au degré perçu de la métaphore *in praesentia* (*gants*, cinq fois répété avec diverses variantes, *déganter, bague, main, étreinte*, etc.) ainsi que la rareté d'éléments *exclusivement* référables à l'isotopie « végétale » correspondant à son degré conçu *feuilles* (*tomber, ramasser* sont lisibles sur les deux isotopies), fait en quelque sorte disparaître le premier sens et confère une autonomie au discours figuré. Autonomie d'autant plus forte qu'il est malaisé d'établir dans ce fragment — et au rebours de celui de Malcolm de Chazal — des équations termes à termes : si l'univers des orchestres et celui de la dentition ont des structures identifiables et plus ou moins homologables (par la décision arbitraire d'un manipulateur du langage), on est ici réduit, en l'absence de toute indication textuelle, aux conjectures les plus vagues en ce qui concerne l'être botanique possible des « gants de suède » ou des gants de belle actrice. « L'effet du réel » qu'induit généralement la description est donc ici totalement évacué : « La description, en ne décrivant pas son objet mais plutôt une image verbale de cet objet, se désigne comme travail d'écriture [18] ».

Cette hypertrophie du métaphorique aboutit à un paradoxe : au fur et à mesure que le métaphorisé disparaît au fil de la lecture (car rien n'interdit à ce trajet dans Paris de devenir un traité de ganterie) et que la seconde isotopie trouve son autonomie, la figure tend à s'abolir : le bouchon de carafe a disparu, et l'artisan a créé la mamelle de cristal, mamelle que l'on peut palper à loisir ; les gants rencontrés par Desnos ont depuis longtemps cessé d'être des feuilles, mais ont désormais leur histoire, leur univers, etc. Rien n'empêcherait cette isotopie d'être à son tour la base d'une nouvelle métaphore laquelle serait initiatrice d'une nouvelle isotopie. C'est d'ailleurs bien ce qui est suggéré vers la fin de l'extrait : les gants sont petit à petit humanisés (« D'une étreinte douce il me remerciait ») et on n'ose trop penser à ce qu'ils font dans la poche du promeneur : le traité de peausserie devient *Kâma sûtra*.

Ce jeu de multiplication des isotopies est potentiellement présent dans tout texte rhétorique, mais il est particulièrement systématisé ici. Nous n'avons pas à nous appesantir sur cette multiplicité des plans isotopes dans le texte surréaliste, tant elle est patente, et tant la critique, à

---

18. Philippe Dubois,« Narratologie et récit surréaliste », p. 92.

la suite des surréalistes eux-mêmes, a pu l'explorer. On l'a cependant exagérée ; on reconnaît aisément une isotopie cosmologique dans cet extrait de Soupault :

> La pluie simple s'abat sur les fleuves immobiles. Le bruit malicieux des marées va au labyrinthe d'humidités. Au contact des étoiles filantes, les yeux anxieux des femmes se sont fermés pour plusieurs années. Elles ne verront plus que les tapisseries du ciel de juin et des hautes mers ; mais il y a les bruits magnifiques des catastrophes verticales et des événements historiques [19].

Mais il n'en reste pas moins que l'attirail de machines à coudre, de parapluies et de tables d'opération est une réalité, parmi celles que l'on a eu le moins de peine à imiter. Il nous suffisait de noter ici, à la lumière du passage de Desnos, que ce mélange des niveaux n'est pas séparable d'une certaine technicité.

Cependant, on ne peut encore parler, à ce stade, de subversion du récit : même hypertrophié, ce discours rhétorique n'entraîne tout au plus, et à l'instar de la description classique, qu'une rupture du récit, rupture qui peut être, comme ici, une simple suspension (encore qu'il y ait, dans l'univers autonome de la description, une ébauche de récit enchâssé), ou encore le développement d'un nouveau récit se déroulant sur l'isotopie ouverte par la métaphore filée. Il arrive cependant que le changement d'isotopie puisse faire avancer le récit : il suffit pour cela que sur le nouveau plan se déroule un nouveau récit et que sur cette seconde base, des tropes connecteurs d'isotopies fassent revenir la lecture à la première isotopie, où le récit serait passé d'un niveau à l'autre. Procédé bien connu dans les genres narratifs fantastiques : telle situation, connue sous telle espèce dans une situation de veille, est modifiée dans un état second (rêve, drogue, intervention extra-terrestre, etc.), et, au retour à l'état premier, le protagoniste s'aperçoit que la « réalité » a conservé quelque trait de l'état second (souvenir, marque, vestige, etc.). La différence est ici que la modification d'état passe exclusivement par le verbal, et ne se donne jamais (et c'est pourquoi il n'y a pas de vrai « roman » surréaliste) la pseudo-caution d'une explication rationnelle : dans le texte surréaliste, le verbal est le réel et vice-versa ; le métaphorique est littéralisé et vice-versa. La distinction des plans est prise

---

19. André Breton et Philippe Soupault, *Les Champs magnétiques*, p. 43.

d'assaut, mais — au contraire de ce que croit pouvoir dire un certain discours mythique — les plans ne sont nullement abolis : ce qui donne cette illusion, c'est non seulement leur multiplication, mais aussi et surtout la réversibilité de leurs rapports.

5. Conclusions

Au terme de ce bref examen, le rhétoricien peut tirer deux conclusions qui, peut-être, détonneront par rapport à l'ensemble des travaux consacrés au surréalisme.

5.1. La première est qu'il faut en rabattre quant à la primauté de l'analogique. Si, dans la métaphore filée, ce qui est donné au début et ce qui est trouvé à la fin sont des équivalences, leur floraison n'est possible qu'à raison de l'établissement d'une chaîne de relations synecdochiques et métonymiques. Mais il y a plus : ce n'est pas toujours l'équivalence qui est au centre du dessein textuel surréaliste. Dans le passage de Desnos, la métaphore initiale engendre un univers autonome dans lequel s'ouvre une amorce de récit, mais c'est au prix de l'abandon de la perspective métaphorique. Ce sont plutôt des relations métonymiques qui s'imposent (de *gant* à *étreinte*, de *gant* à *femme*, etc.), et c'est à elles qu'il revient cette fois de multiplier les niveaux d'évocation. Car, si l'on y regarde bien, chaque élément du passage devrait en principe assumer une double nature tropique : il devrait être à la fois métaphore reliant les isotopies gantière et végétale, et métonymie jouant à partir de l'univers du gant. Mais, ainsi qu'on l'a vu, le texte finit par négliger la première équivalence, donnée une fois pour toutes. Jusqu'à la reprise du récit (« Je marchais »), on ne peut donc plus parler de primauté du métaphorique.

5.2. Une seconde conclusion du rhétoricien est que le texte surréaliste n'instaure peut-être pas, par rapport à ses devanciers, une rupture qualitative. Celle-ci se situe plutôt au niveau de l'intention, de la revendication, dans les conceptions que l'on a pu se faire de l'acte d'écriture, et dans les explications qu'on a pu en donner, notamment en les mettant en relation avec des structures psychologiques. La révolution surréaliste nous paraît plutôt procéder d'une somme remarquable de ruptures mieux descriptibles sur un plan quantitatif ; les surréalistes ont centré leur pratique — mais non exclusivement — sur les figures par analogie ; ils ont exacerbé la fonction polysémique du trope et, davantage que tous les autres, ils ont pris au sérieux la rhétorique : ce qu'elle engendre n'est plus simple ornement, n'est plus regard autre jeté sur la réalité, mais *est* la réalité. Pourtant, ces ruptures ne vont pas seules. D'autres les accompagnent, moins spectaculaires peut-être. En écrivant

> Alerte de Laërte
> Ophélie
> est folie
> et faux lys
> aime-la
> Hamlet,

Michel Leiris est peut-être plus proche de la « libération du signifiant » qui sera la revendication rhétorique d'une autre avant-garde, plus proche de nous.

TROISIÈME PARTIE

OUVERTURES

CHAPITRE VII

RHÉTORIQUE ET ENCYCLOPÉDIE

1. Poétique et sémiotiques

En tentant d'apprécier le rôle historique joué par la poétique, nous avions dit qu'elle avait participé à la fécondation de la linguistique. La première a en effet forcé la seconde à se donner les moyens de répondre à certaines questions qu'elle avait jusque là été la seule à poser. Étude des relations transphrastiques, du rôle des contenus implicites [1], de la position des partenaires dans l'énonciation, de la polysémie : autant d'élargissements du champ de juridiction de la linguistique.

Mais est-ce encore de la linguistique qu'il faut alors parler ? Certains, moins optimistes, préféreront peut-être parler de dissolution, et non d'élargissement. Acceptons l'idée, mais — notre humeur n'étant pas d'habitude grincheuse — observons qu'en replaçant le langage au sein de l'ensemble des pratiques de communication et de signification, on ne fait rien d'autre qu'amorcer la réalisation d'un programme proposé par Saussure et Hjelmslev : celui d'une sémiotique générale. La réalisation de ce programme ne pouvait évidemment se faire sur tous les fronts à la fois : d'où la préséance donnée à la réflexion sur le langage (n'était-elle pas commencée depuis l'Antiquité ?). Mais des succès ont

---

1. *Cf.* Catherine Kerbrat-Orecchioni, *L'Implicite.*

été enregistrés. Dès lors, la linguistique administrerait la preuve de sa maturité en admettant qu'il est peut-être temps de passer à d'autres phases du programme, et qu'elle est une sémiotique parmi d'autres.

Il ne pouvait évidemment être question d'examiner ici *tous* les élargissements de ce type rendus urgents par les divers développements des diverses branches de la poétique.

Nous nous bornerons ici à un seul exemple. Mais notre examen portera sur un problème encore litigieux aujourd'hui, et aura surtout une valeur épistémologique : nous voudrions y démontrer la nécessité d'intégrer ce que nous nommerons un « composant encyclopédique » au modèle descripteur de la langue. Valeur épistémologique, car nous ne tenterons donc pas d'élaborer ici cette nouvelle grammaire ni de décrire de manière technique le fonctionnement de ce composant et son rôle dans l'engendrement des énoncés d'une langue.

La pierre de touche de la démonstration sera la partie sémantique de la rhétorique, celle qui couvre l'étude des tropes : c'est elle, en effet, qui a été le mieux étudiée dans les pages qui précèdent.

Le point de départ de la réflexion sera l'ensemble des problèmes posés récemment à propos d'une figure particulière : la *synecdoque*. C'est en effet autour de ce trope modeste que se sont élevés des débats qui mobilisent des conceptions parfois fort divergentes de la sémantique. Après cette présentation, nous pourrons enfin passer à l'essentiel : la démonstration dont il a été question plus haut.

Cette démonstration prendra l'allure d'un raisonnement par l'absurde où il sera montré :

a) Que la linguistique la plus orthodoxe — celle qui se donne pour une science du code, et dont l'expression la plus intransigeante est aujourd'hui la grammaire générative d'obédience chomskyenne — se condamne à la contradiction en prétendant éclairer le mode de fonctionnement d'objets dont elle veut ignorer certaines déterminations. Ceci se joue essentiellement dans l'ordre des phénomènes sémantiques, à quoi nous restreignons notre propos.

b) Que cette linguistique ne peut tenir sa position qu'en éliminant de son corpus des énoncés d'un type particulier : les énoncés rhétoriques. Pour ce faire, elle doit, soit ignorer simplement ces énoncés, soit élaborer des règles ad hoc les rendant justiciables de micro-systèmes

impuissants à s'intégrer à un schéma linguistique général (par exemple la
« théorie des cas »).

c) Que la prise en compte de la totalité de ces énoncés impose la
reconnaissance du composant encyclopédique et qu'il faut donc intégrer
celui-ci à la description du code. Au delà de cette conclusion, on pourra
ainsi affirmer qu'il n'y a point de code antérieur aux discours et
qu'aucun discours ne peut se définir par le seul lien qu'il institue entre
un code et un référent, mais aussi par le lien qu'il institue entre des
discours antérieurs et ce même référent (c'est ce que certains ont
nommé « l'intertextualité »).

2. Le problème de la synecdoque

2.1. Sous forme de parabole, Tzvetan Todorov rappelait naguère et
les malheurs et les succès de la synecdoque :

> Tout comme dans les contes de fées ou dans *Le Roi Lear* où la troisième
> fille, longtemps méprisée, se révèle être à la fin la plus belle ou la plus
> intelligente, Synecdoque, qu'on a longtemps négligée — jusqu'à ignorer son
> existence — à cause de ses aînées, Métaphore et Métonymie, nous apparaît
> aujourd'hui comme la figure la plus centrale [...] [2].

Si ce trope modeste voyait ainsi son statut se modifier, c'est que les
recherches visant à systématiser les figures du sens, la faisaient apparaître
comme le « trope minimal », obtenu grâce aux plus simples des opérations rhétoriques. Les tropes mieux connus pouvaient dès lors être
économiquement décrits comme des combinaisons *sui generis* de
synecdoques [3].

On peut en effet envisager une ***matrice tropique profonde*** qui a
pour entrées d'une part le couple d'opérations simples d'adjonction et
de suppression, et d'autre part les deux modes de décomposition sémantique qui sont respectivement le mode référentiel et le mode conceptuel.
Cette matrice, on s'en souviendra (chapitre II), engendre les quatre
tropes de bases que sont les quatre espèces de synecdoques : celle du
tout ($Sg\prod$), celle de la partie ($Sp\prod$), celle du genre ($Sg\Sigma$), et celle de

---

2. Tzvetan Todorov, « Synecdoques », *Communications*, n° 16, 1970, numéro
intitulé *Recherches rhétoriques*, p. 30.
3. Voir notamment Groupe μ, *Rhétorique générale*, et Francis Édeline, « Contribution de la rhétorique à la sémantique générale », *VS*, n° 3, sept. 1972, p. 69-78.

l'espèce (SpΣ). Ces quatre figures engendrent à leur tour métaphore et métonymie qui apparaissent dès lors comme des tropes complexes : la métaphore accouple deux synecdoques complémentaires, fonctionnant de façon inverse, et déterminant une intersection entre degré donné et degrés construits (cette intersection étant à la fois synecdoque de l'un et des autres). La relation entre les deux termes de la métonymie s'effectue *via* un ensemble les englobant tous deux, théoriquement sur le mode Π ou sur le mode Σ, ensemble dont ils sont l'un et l'autre la synecdoque.

Ce système, notons-le en passant, peut rendre compte de certaines incohérences apparentes dans l'utilisation de la terminologie rhétorique : c'est la structure doublement synecdochique de la métaphore qui explique par exemple que Jakobson ait pu identifier la condensation de Freud avec la synecdoque, alors que Lacan le faisait avec la métaphore.

2.2. Mais le destin de la synecdoque ne peut longtemps être raconté comme celui d'un conte de fée. L'histoire de la recherche n'est jamais close elle, et la nouvelle position de la synecdoque ne peut manquer d'être discutée.

La discussion porte essentiellement sur trois points. Le premier est la nature tropique de la synecdoque. Un bon nombre d'exemples allégués par la tradition ou par les néo-rhétoriciens ne sont pas, en effet, empiriquement perçus comme des figures, et doivent donc vraisemblablement être rendus à une théorie non-rhétorique.

Le second point — irritant au point que la plupart des articles rassemblés dans le seul numéro de revue consacré à ce trope l'envisagent [4] — est la difficulté qu'il y a, en pratique, à distinguer la synecdoque et la métonymie : en gros, certains ramènent la totalité des exemples à cette dernière figure, d'autres maintenant la distinction, mais n'y reconnaissant qu'une différence de degré et non de nature. Ces deux objections sont évidemment complémentaires l'une de l'autre : ce n'est que dans la mesure où les synecdoques étudiées continuent à être perçues comme des figures de sens que le problème de leur relation à la métonymie se pose.

---

4. *Le français moderne*, vol. LI, n° 4, oct. 1983, numéro consacré à la synecdoque (s. la dir. de Jean-Marie Klinkenberg).

La troisième discussion, sur laquelle on ne s'étendra pas, porte sur l'unicité du concept de synecdoque. On peut en effet faire observer que ce concept est toujours pluriel. En d'autres termes, *la* synecdoque n'existe dans aucun système : ceux-ci ne connaissent que *des* synecdoques. La rhétorique classique, par exemple, en énumérait une série impressionnante : synecdoque d'abstraction, de la matière, du tout, etc. [5] Mais l'énumération est le plus souvent construite sur des critères empiriques, et aboutit à des listes ouvertes. Dès lors, pourquoi ne pas prévoir la synecdoque du vêtement pour le vêtu [6], du couvre-chef pour le couvert ou du système pileux pour le barbu ? La rhétorique moderne a tenté de mettre de l'ordre dans ce foisonnement, au nom de critères logiques et dans le cadre d'une réflexion sémantique qui, comme le montre Germana Silingardi, emprunte peut-être trop à la pensée classique [7]. Cette réduction à un système fermé et économique ne peut sans doute être poussée jusqu'à l'élaboration d'une théorie unitaire de la synecdoque. Tous les travaux publiés depuis une dizaine d'années sur ce thème dégagent en tout cas des problèmes de fonctionnement et d'effet propres à chacune des catégories de synecdoque que laisse subsister la néo-rhétorique.

2.2.1. Le premier problème à résoudre est celui de la figuralité ou de la non-figuralité de la synecdoque.

Ceux qui ont discuté ce trope ont en général été obnubilés par la description de son mécanisme — schématiquement : un mouvement sur l'axe de la généralité — au point de faire de ce mouvement la

---

5. *Cf.* Danielle Bouverot, « Trop de tropes ? Comment situer la synecdoque ? », *Le français moderne*, vol. LI, n° 4, oct. 1983, numéro consacré à la synecdoque, p. 324-345 ; ainsi que Bernard Meyer, « La synecdoque d'abstraction », *ibid.*, p. 346-360, « La synecdoque de l'espèce », *Langue et Littérature*, n° 3, 1983, p. 35-51, « Synecdoques du genre ? », *Poétique*, n° 57, févr. 1984, p. 37-52, « La partie pour le tout », *Langue et Littérature*, n° 4, 1985, p. 33-57, et « Sous les pavés, la plage : autour de la synecdoque du tout », *Poétique*, n° 62, avr. 1985, p. 179-196.
6. Voir Nobuo Sato, « Synecdoque, un trope suspect », in *Rhétoriques, Sémiotiques*, p. 116-127 ; et Jean-Pierre Schmitz, « Synecdoque et focalisation sémique », *Le français moderne*, vol. LI, n° 4, oct. 1983, p. 309-323.
7. Germana Silingardi, « La catégorie du contenu conceptuel dans la distinction classique synecdoque-métonymie », *Le français moderne*, vol. LI, n° 4, oct. 1983, p. 300-308.

définition même de la figure. Ils ont dès lors eu beau jeu de souligner que pas mal de prétendues synecdoques devaient être rendues à une théorie du fonctionnement normal du langage : qu'un romancier désigne par « l'homme » celui qu'il a quelques lignes plus haut nommé « le boulanger » ou dire « bâtiment » pour « navire » n'a rien, et nous y reviendrons, pour attirer l'attention. Sur ce point, on peut tomber d'accord avec Nicolas Ruwet lorsqu'il observe qu'il ne suffit pas qu'il y ait une relation entre deux choses pour que l'on obtienne une synecdoque [8]. Mais raisonner de la sorte, c'est oublier un peu vite que la nature tropique d'un énoncé ne dépend pas de l'opération à l'œuvre, mais de son résultat sur la cohérence de l'énoncé [9]. En d'autres termes, ce ne sont pas les opérations permettant de décrire les figures de rhétoriques — l'adjonction, la suppression, la suppression-adjonction ou substitution, la permutation — qui constituent les critères de la rhétoricité : ces opérations très générales sont à l'œuvre dans l'ensemble des mécanismes langagiers, et elles autorisent tout au plus, au sein du genre proche qu'est la catégorie du trope, à établir les différences spécifiques constituant la métaphore, la métonymie et les synecdoques.

---

8. Nicolas Ruwet, « Synecdoques et métonymies », *Poétique*, n° 23, sept. 1975, numéro intitulé *Rhétorique et Herméneutique*, p. 371-388.
9. Ce que Bernard Meyer voit bien lorsqu'il examine la notion de « Synecdoque du genre ». Ce qui est problématique dans ce cas est le caractère tropique de la figure : « la désignation par un mot catégoriel d'un ou de plusieurs référents particuliers » ne constitue évidemment pas en soi un métasémème (p. 44). Il est cependant certains cas où la manœuvre de généralisation aboutit à ce qui pourrait être décrit comme une figure. Pour résoudre ce problème, l'auteur distingue deux types d'énoncés généralisants : les énoncés anaphoriques et les non-anaphoriques. Dans les premiers, la marque stylistique qui les fait apprécier comme des tropes provient de leur nouveauté, et non du processus de généralisation qu'ils opèrent. La variable « rupture stylistique » nous paraît en effet très importante, mais il n'est pas sûr que le coefficient de généralisation, mesuré par rapport au degré de généralité attendu dans le contexte, n'ait aucune importance. Restent les énoncés non anaphoriques. L'analyse aboutit ici à ne retenir, comme authentiquement synecdochique, que l'emploi générique du nom conceptuel. Mais ces énoncés sont le plus souvent des « fossiles » (du genre *mortels* pour *hommes*). L'article de Bernard Meyer apporte dans le débat sur la synecdoque un éclairage neuf : il lâche du terrain (l'auteur admet le caractère non tropique de nombre d'exemples de synecdoques), mais sa position de repli n'en est que plus solide, lorsqu'il la fonde sur des considérations pragmatiques : ce sont les conditions d'*emploi* qui importent en matière de figure.

On ne s'étendra pas longuement sur les mécanismes qui fondent la figuralité [10]. On sait que la perception d'un écart est liée à un contraste entre une marque et une base : ces deux concepts forment une paire indissociable, et chacun d'eux ne fonctionne qu'en vertu de la présence de l'autre. C'est au niveau de l'énoncé, en effet, que doit s'élaborer une théorie générale des tropes. Comme on l'a dit plus haut (chapitre V), les énoncés rhétoriques sont ceux où des procédures syntagmatiques particulières confèrent à un seul élément de l'énoncé deux ou plusieurs fonctions (l'une d'elles pouvant être la fonction zéro). Sur le plan sémantique, on dira que l'attribution de signification à un signe de l'énoncé sera au moins double : d'une part un degré perçu, manifesté à la surface de l'énoncé mais ne s'indexant pas sur l'isotopie de l'énoncé — provoquant donc une allotopie —, de l'autre un degré conçu, unité ou classe d'unités non manifestées mais induite par l'isotopie de l'énoncé et venant se superposer au degré perçu. Entre les deux degrés s'établit une relation dialectique qui est la source de la polysémie des textes rhétoriques. Cette description du mécanisme tropique a récemment reçu la confirmation de la neurolinguistique : Marta Kutas et Steven Hillyard, de l'Université de Californie à Los Angeles, ont pu isoler l'onde négative N-400 — ainsi baptisée parce qu'elle est provoquée après un délai de 400 millièmes de seconde —, qui constitue une réponse de l'encéphale aux énoncés allotopes ; cette onde semble bien correspondre à une reprise du décodage par l'organisme.

Les paramètres intervenant dans la détection de l'allotopie et dans la détermination des éléments de l'énoncé qui vont connaître la réévaluation rhétorique sont extrêmement nombreux. Nous avons ainsi pu montrer que « contexte » devait être pris dans un sens très large, incluant la connaissance qu'ont les partenaires des circonstances de la communication [11]. Dan Sperber et Deirdre Wilson ont pu, pour leur part, préciser que bon nombre de figures de rhétorique proviennent du

---

10. Groupe μ, « Rhétoriques particulières (Figure de l'argot, Titres de films, La clé des songes, Les biographies de *Paris-Match*) », *Communications*, n° 16, 1970, numéro intitulé *Recherches rhétoriques*, p. 70-124 ; « Isotopie et allotopie : le fonctionnement rhétorique du texte », *VS*, n° 14, mai-août 1976, p. 41-65 ; *Rhétorique de la poésie : lecture linéaire, lecture tabulaire*. — Voir aussi chap. II et V.

11. Groupe μ, « Miroirs rhétoriques : sept ans de réflexion », *Poétiques*, n° 29, févr. 1977, p. 1-19.

réaménagement d'un énoncé contrevenant à certaines maximes constitutives du principe coopératif qui lie émetteur et récepteur [12] (ce qui, soit dit en passant, ouvre la porte à une redéfinition des figures en termes de pragmatique, et relativise donc encore l'opposition discutée au chapitre II, entre « rhétorique de l'*elocutio* » et « rhétorique générale ».)

Ceci explique que bon nombre de figures fournies hors contexte par la tradition soient contestables. C'est notamment le cas de certaines formulations un peu rapidement décrites comme des synecdoques généralisantes de type sémantique (par exemple *mortel* pour *homme*). En fait ces « figures » ne sont fréquemment que la résultante d'un choix libre entre deux désignations également généralisantes. Si l'on se souvient qu'une entité n'est généralement pas désignée par un nom propre mais par un terme indiquant la classe à laquelle elle appartient (la particularisation s'opérant dans l'énoncé, grâce à des quantificateurs comme l'article), on conviendra qu'il y a, dans le matériel lexical utilisé, une nécessaire généralisation par rapport au référent. Si un objet *x* appartient à des classes différentes (*a, b, c*...), il peut en principe être désigné par l'étiquette d'une quelconque de ces classes : Achille peut être dit *Achille*, mais aussi *homme, être courageux, grec, aux pieds légers*, termes désignant tous des classes auxquelles l'individu appartient.

Il reste à voir quelles sont les conditions nécessaires pour que de tels déplacements soient ressentis comme figurés. On peut en voir au moins trois : la distance sémique parcourue sur l'axe de la généralisation, les

---

12. « Un énoncé donné aura, le plus souvent, plusieurs interprétations sémantico-référentielles : l'auditeur retiendra l'interprétation la plus compatible avec l'hypothèse d'un locuteur ayant cherché à maximiser la pertinence. À partir de la proposition ainsi sélectionnée et de l'ensemble M (le cas échéant en testant plusieurs hypothèses quant à l'extension de M), le locuteur calculera les conséquences pragmatiques directes de la proposition énoncée. Si ces conséquences sont assez nombreuses pour confirmer que le locuteur a cherché à maximiser la pertinence, l'auditeur s'en tiendra là. Sinon, en utilisant l'énonciation comme prémisse initiale, il cherchera à calculer des prémisses supplémentaires : ces prémisses supplémentaires élargiront M et permettront le calcul de conséquences pragmatiques indirectes qui, ajoutées aux conséquences pragmatiques directes, établiront la pertinence de l'énoncé. Si à son tour ce mécanisme ne suffit pas, un mécanisme d'évocation rhétorique sera mis en œuvre. » (Dan Sperber et Deirdre Wilson, « Remarques sur l'interprétation des énoncés selon Paul Grice », *Communications*, n° 30, 1979, numéro intitulé *La Conversation*, p. 89.)

distorsions stylistiques et les récurrences syntagmatiques signalant ce déplacement. Reprenons par exemple la citation de Raymond Queneau que nous alléguions dans *Rhétorique générale*[13] :

> Il reprit son chemin et, songeusement quant à la tête, d'un pas net quant aux pieds, il termina sans bavures son itinéraire. Des radis l'attendaient, et le chat qui miaula espérant des sardines, et Amélie qui craignait une combustion trop accentuée du fricot. Le maître de maison grignote les végétaux, caresse l'animal et répond à l'être humain qui lui demande comment sont les nouvelles aujourd'hui :
> — Pas fameuses.

On admettra sans peine que la distance qui sépare *Amélie* de *être humain* est plus importante que celle qui va de *chat* à *animal*. Et notamment parce qu'il existe un intermédiaire évident — *femme* — plus isotope au contexte que l'abstraction *être humain*, qui tranche évidemment sur la quotidienneté banale mise en scène par cette parodie naturaliste (comme trancherait d'ailleurs le choix de *félin*, l'intermédiaire entre *chat* et *animal*). Cette distance jointe à la distorsion stylistique (laquelle peut être décrite comme une rupture de pertinence pragmatique), précipite la perception figurale de *être humain*. Ce statut une fois conféré à ce membre peut ensuite contaminer le reste de la phrase, puisque le parallélisme *radis // végétaux, chat // animal, être humain // Amélie* est évident.

Un quatrième facteur a pu jouer. Et cette fois, c'est le rapport *radis // végétal* qui doit nous retenir. Sans doute le radis est-il bien un végétal. Mais l'appeler *végétal*, c'est en traiter dans un certain cadre, le cadre botanique, où l'on se penche sur une plante de la famille des crucifères, à racine tuberculeuse, etc. Ici, le cadre est tout différent : non seulement la plante est réduite à sa seule racine, mais l'intérêt qu'on lui porte relève-t-il d'autres préoccupations. Dans ce cadre ménager, la généralisation la plus probable était de faire du radis un *légume*. Mais voilà : la botanique peut bien distinguer les monocotylédonidés des dicotylédonidés, et isoler les crucifères au sein des herbacées, elle ne connaît pas la catégorie *légume*. Cette catégorie (qui transcende les découpages botaniques puisqu'elle confond les racines, les tiges, les feuilles, les fruits) est mobilisée par un autre discours sur le monde. Ce sont ces

---

13. Groupe μ, *Rhétorique générale*, p. 103.

univers de discours que nous allons retrouver, sous le nom d'encyclopédie. Mais il nous fallait noter ici qu'une des sources de l'effet figural était, sans nul doute, le changement d'univers du discours manifesté par le couple *radis-légume // radis-végétal.*

2.2.2. Mais le problème le plus fréquemment posé à propos de la synecdoque est celui de sa parenté avec la métonymie. Ces deux tropes sont fréquemment confondus, au détriment du premier, toujours subordonné au second : du Marsais, et bien d'autres après lui, définissent en effet la synecdoque comme une espèce de métonymie [14] ; Jakobson, au nom d'un mécanisme identique qui serait la contiguïté, a partiellement suivi la tradition [15] ; certains systèmes extérieurs à cette tradition — par exemple la rhétorique arabe [16] — ignorent purement la synecdoque et rangent ses actualisations les moins contestées (comme la synecdoque de la partie) parmi les métonymies ; d'aucuns, enfin, qui maintiennent la distinction, estiment que la différence est de degré, la relation entre les deux degrés de la figure étant « plus étroite dans le cas de la synecdoque [17] ».

On constatera cependant que ces réaménagements ne concernent pas toutes les synecdoques, mais seulement celles du type Π, ou matérielles. Michel Le Guern, par exemple, fait des synecdoques particularisantes matérielles, ici nommées « synecdoques de la partie », un cas de

14. Voir César Chesneau du Marsais et Pierre Fontanier, cités par Michèle Goslar (« Métonymie et méthodologie », *Revue de linguistique romane*, vol. XL, nᵒˢ 157-158, janv.-juin 1976, p. 154-164) ; ailleurs et en plusieurs endroits. Du Marsais propose d'autres critères de distinction : « Dans la métonymie, je prends un nom pour un autre, au lieu que dans la synecdoque, je prends le *plus* pour le *moins* ou le *moins* pour le *plus* », ou encore « la synecdoque est [...] une espèce de métonymie par laquelle on donne une signification particulière à un mot, qui, dans le sens propre, a une signification plus générale ; ou, au contraire, on donne une signification générale à un mot qui, dans le sens propre, n'a qu'une signification particulière ».
15. Notons cependant — nous y reviendrons — que la synecdoque n'est pas vraiment absente des *Essais de linguistique générale* mais bien plutôt des lectures excessivement binaristes qu'on en a faites. Jakobson nous a d'ailleurs confirmé (communication personnelle, à Milan en 1974) l'intérêt qu'il trouvait au maintien de la synecdoque comme trope de base.
16. *Le Second Art ou Science des tropes* du Talhis fi'ulum al-Balaga de Jalal-al Din Muhammad b al Rahman al-qazwini al-Hatib donne comme exemple de métonymie *œil* pour *guetteur* et *doigts* pour *bout des doigts*.
17. Bernard Dupriez, *Gradus : les procédés littéraires (Dictionnaire)*, p. 291.

métonymie où l'on observerait simplement un « déplacement de référence plus complexe [18] » ; la figure converse — la généralisante maté-
rielle ou « synecdoque du tout » — serait, comme la « synecdoque de la
matière », dans le même cas.

De sorte que les synecdoques ne seraient, dans ce système où les
tropes Σ sont soit des métaphores soit des pseudo-figures, que des
variantes stylistiquement intéressantes de la métonymie. Stylistiquement
intéressantes, car elles seraient fondées sur une ellipse plus complexe
(comparer « boire [le contenu d'] un verre » et « [l'ensemble dont] la
voile [est une partie] apparaît à l'horizon ») parce que « la relation référentielle y prédominerait [19] ». À travers ces propos, on aperçoit peut-être
ce qui fait difficulté : c'est d'une part le concept de référence et d'autre
part celui de relation. C'est parce qu'il y a relation de contiguïté entre
des entités (dont on ne sait trop, jusqu'ici, si ce sont des *designata* ou des
denotata) qu'il peut y avoir déplacement.

2.2.3. Pour résoudre cet ensemble de problèmes, il faut d'abord
peut-être se souvenir que la distinction entre métonymie et synecdoque,
telle qu'elle a été formulée par la néo-rhétorique, est une distinction
entre modèles théoriques. C'est donc *en droit* que les deux figures sont
distinctes, ces deux modèles, fondés sur la logique des ensembles, ne
pouvant en aucun cas être confondus : une relation entre classes est une
inclusion *ou* une exclusion réciproque, ce *ou* étant restrictif. C'est sur le
terrain des *faits* que la confusion a lieu : on hésite à classer tel ou tel
exemple dans l'une ou l'autre catégorie. Nous devons donc corriger la
formulation adoptée jusqu'à présent : il n'y a pas à proprement parler
confusion entre synecdoque et métonymie, mais, pour certains cas
concrets, hésitation quant au type d'analyse à adopter. Expliquer cette
prétendue confusion reviendra donc à montrer pourquoi, tour à tour,
deux modèles mutuellement exclusifs peuvent être appliqués à la même
réalité.

---

18. Michel Le Guern, *Sémantique de la métaphore et de la métonymie*, p. 30.
19. Michel Le Guern, *Sémantique de la métaphore...*, p. 28, 36. Notons qu'à ramener la définition de la catégorie métonymie au double critère « déplacement de
référence » et « ellipse de la formulation rendant compte de ce déplacement », sans autrement interroger ces concepts, on court le risque de diluer cette catégorie elle-même :
toute figure, même métaphorique, peut être décrite de la sorte.

Pour rendre ceci plus concret, nous pourrions partir d'un exemple que Jakobson analyse longuement dans ses *Essais* : les vers d'un chant de noces russe sur l'apparition du fiancé. On nous y dit que « le chant évoque les images contiguës, métonymiques, du cheval et de la cour : l'objet possédé au lieu du possesseur, et le plein air au lieu de l'intérieur [20] ». Pourtant, à côté de cette analyse, une autre apparaît aussitôt comme aussi valide : « À proprement parler, par rapport au chevalier, [le cheval] est *pars pro toto* ». Formulation étonnante, menant à cette conclusion qui ne l'est pas moins : « L'image du cheval est sur une ligne frontière entre la métonymie et la synecdoque [21] ». Quelle logique est donc ici intuitivement suivie, pour que l'on fasse, contre ce qu'il faut provisoirement nommer « le bon sens », d'un animal une *partie* d'un être humain ? C'est que le groupe équestre peut être envisagé de deux manières : soit comme la réunion accidentelle d'un homme et d'un animal, liés par une relation de contiguïté, soit comme un tout homogène (pour lequel la langue a d'ailleurs une désignation : « groupe équestre »), susceptible de s'articuler en éléments distincts. C'est évidemment au nom de la première vision qu'une commutation d'éléments sera dite métonymie, au nom de la seconde que l'on parlera de synecdoque.

Et l'on comprend dès lors pourquoi Jakobson a pu opter pour la seconde analyse : dans un groupe équestre, nos coutumes donnent le cavalier pour l'élément premier (on désignera telle sculpture par l'expression « statue de Henri IV » et non par « statue de Henri IV et de son cheval ») [22] ; par ailleurs, le lexique lui-même comporte des pré-suppositions : « cavalier » indique l'existence du cheval, et non l'inverse. De sorte que même la métonymie de la faucille pour le moissonneur peut être aussi décrite comme synecdoque : dans notre univers mythique, le moissonneur est toujours muni de l'attribut de son statut ; sans instrument, réel ou virtuel, il n'est qu'un quelconque terrien.

De telles considérations nous font évidemment sortir d'une sémantique strictement comprise et en appellent à une théorie de

---

20. Roman Jakobson, *Essais de linguistique générale*, p. 237.
21. Roman Jakobson, *Essais...*, p. 237.
22. Ce qui n'exclut évidemment pas l'hypothèse de statues animalières : Bucéphale, le toro Islero, la chèvre de Picasso...

l'interprétation des énoncés. Elles nous font également percevoir l'importance, dans une telle théorie, d'un composant encyclopédique à situer en deçà du composant sémantique. Importance que nous prouverons par le biais d'une réflexion sur deux autres tropes majeurs : la métonymie et la métaphore. Mais nous aurons encore à revenir sur la distinction métonymie-synecdoque.

3. Le composant encyclopédique

3. 1. Limites de la sémantique

3.1.1. Soit l'exemple, assez classique, de métonymie qu'est l'énoncé « je viens de relire Greimas » : le verbe *lire* y induit l'isotopie et impose, par sa représentation sémantique, une interprétation restrictive de son objet : la classe des objets possibles étant limitée aux unités comportant le sémème « objet écrit », que le degré perçu ne comporte pas. Il est donc allotope, et, comme tel, doit être réévalué, à l'aide de l'interprétation restrictive de l'objet. Ce processus produit un degré conçu qui est « objet écrit émanant de Greimas ». Mais quelle relation va s'instituer entre degrés perçu et conçu ? On peut le décrire — mécanisme bien connu — de la manière suivante : ce qui est désigné par le signifiant « Greimas », soit un être unique et déterminé, et « chose écrite par Greimas », ont, dans une représentation du monde donnée, la propriété d'être coïnclus dans un ensemble que nous pouvons conventionnellement nommer « Univers Greimas ». Cet univers est structuré de telle manière qu'on peut y inclure des unités comme « écrits (de G.) », « personne de (G.) », « pratique enseignante à Paris », « doctrine », « disciples », etc. Le découpage de l'ensemble de ces unités — découpage que l'on a appelé découpage référentiel, ou ∏ — autorise, dans le cadre d'énoncés rhétoriques, la commutation des unités coïncluses. Par exemple de l'unité « personne » à toutes les autres, ce qui permet d'engendrer les énoncés : « J'ai relu tout G. » (qui doit être associé à une représentation sémantique « J'ai relu tous les écrits de G.»), « Cet après-midi j'ai G. » (associé à : « J'ai à assister à un enseignement de G. »), « C'est bien du G. » (pour « doctrine de G. »), etc.

3.1.2. Ce sur quoi nous voudrions attirer l'attention, c'est que la quasi totalité des phénomènes sur quoi se fonde ce type d'énoncés ne peuvent être définis en termes strictement sémantiques. Parmi ces phénomènes (la délimitation de l'ensemble, son découpage, la dénomination des unités, les relations entre unités, les règles de commutation), envisageons-en deux : la délimitation et la structuration de l'ensemble.

Que l'énoncé rhétorique repose sur la connaissance d'un ensemble ici dénommé « Univers G. » ne va pas de soi. L'utilisation d'un tel ensemble révèle une représentation du monde préexistant à l'énoncé, représentation qui implique entre autres la connaissance d'une personne nommée G., la connaissance d'écrits et l'attribution de ces écrits à cette personne. Ce sont là des phénomènes non linguistiques, et que l'on pourrait dire « de connaissance », si ce mot ne véhiculait, dans le langage du bon sens, une connotation passive. En fait, la seule opération « attribution d'un écrit à une personne » est déjà hautement complexe, puisqu'elle présuppose une décision sur la personne, une décision sur l'écrit, une décision sur la relation entre la personne et l'écrit, puis une décision sur la relation d'attribution qui est elle-même complexe. Tout ceci montre à suffisance que la commune appartenance des unités à un ensemble cohérent n'est pas un donné, encore moins un donné linguistique, mais un ensemble de décisions culturelles consistant à conférer une cohérence à des isolats.

On peut faire le même type de remarques sur la structuration de l'ensemble. Ainsi, toutes les communications entre unités de l'ensemble ne sont pas équiprobables. Même si « Lithuanie » fait partie de l'ensemble, l'énoncé « Je vais à Greimas » a plus de probabilité d'être associé à une représentation sémantique « Je vais à un enseignement de G. » qu'à une représentation « Je vais à un pèlerinage dans la ville natale de G. [23] ». C'est dire que les relations d'une unité à une autre peuvent être représentées par des vecteurs de direction et d'intensité variables, et que les unités ne sont pas simplement juxtaposées dans l'ensemble, mais organisées suivant des relations d'implication, de subordination, etc.

---

23. Autre exemple : nous avons jusqu'à présent laissé entendre que les commutations étaient possibles entre toutes les unités de l'ensemble. Mais on aura remarqué que nous ne nous sommes servi pour exemples que de relations jouant entre l'unité « personne (de G.) » et toutes les autres unités (« Cet après-midi j'ai G. » et non « J'ai Lithuanie »).

L'une et l'autre des remarques que nous venons de formuler montrent donc l'existence d'une instance de cohésion, et d'une instance d'organisation. Ces instances peuvent se décrire comme un modèle de connaissance du monde, bref, comme une encyclopédie. Cette connaissance, loin d'être passive, est investissement de valeurs. Ceci se marque, par exemple, dans le jeu de l'instance organisante : on a vu qu'elle subordonnait toutes les unités de l'ensemble à l'unité « personne ». Ce faisant, elle traduit — ou trahit — une de ses lignes de force, qui est l'anthropocentrisme : dans cette vision, c'est une personne unique et déterminée qui *crée* des textes, qui *donne* des cours, *invente* une doctrine, etc. On voit donc que cette encyclopédie est la résultante codée de certains discours tenus sur le monde.

Cette encyclopédie, enfin, préexiste à l'énoncé et fait partie intégrante de la compétence linguistique à côté du « dictionnaire ». Ou, plus précisément, en deçà de celui-ci. Car c'est bien la constitution de ce dictionnaire autant que son utilisation qui est soumise à l'instance encyclopédique.

3.2. L'encyclopédie : en deçà du dictionnaire

3.2.1. Notre dernière affirmation reste toute à démontrer. Nous le ferons tout en répondant à deux objections assez graves que l'on peut élever contre le raisonnement tenu ici. On peut, en effet, lui reprocher d'avoir érigé en règle générale une simple règle ad hoc convenant pour un seul exemple d'un type assez particulier. Nous sommes en effet parti 1) d'un cas de nom propre et 2) d'un cas de métonymie, figure dont on s'accorde généralement à dire que, plus que tout autre trope, elle fait intervenir les résultats de l'activité cognitive-perceptive. Mais indiquons d'abord rapidement les limites de ces objections.

On se souviendra que la linguistique entend ne pas associer de représentation sémantique aux noms propres (pas plus qu'aux termes syncatégorématiques). Nous répondrons d'abord que cette assertion n'est que le produit d'une certaine descriptions des sens, où l'on ne peut immédiatement associer un contenu déterminé au signifiant d'un nom propre. Mais si l'on décrit le phénomène différemment et que « l'on admet que la représentation d'un sémème assigne à une unité culturelle toutes les propriétés qui lui sont attribuées de commun accord dans une culture donnée, il y a peu de descriptions institutionnellement plus établies et détaillées que celle du nom propre [24] ». Notons ensuite que si l'on refuse au nom propre une description sémantique compatible avec celle des autres termes du système linguistique, on s'interdirait de décrire l'allotopie d'un énoncé comme « J'ai relu Greimas », où les sèmes de l'objet sont incompatibles avec les classèmes contextuels dégagés par le verbe. Il n'en reste pas moins que l'objection reste forte suivant laquelle, dans un exemple mobilisant un nom propre, on a beau jeu de subordonner le sémantique à l'encyclopédique.

Quant à la seconde objection, suivant laquelle on se donnerait une fois encore la part belle en choisissant la métonymie, qui mobilise plus manifestement l'encyclopédie que la métaphore, il faut y répondre de la même manière : il reste à expliquer pourquoi un trope, identifié comme tel par un mécanisme relevant de plein droit de la compétence linguistique — c'est en effet un ensemble de marques sémantiques et syntaxiques qui détermine l'allotopie — devrait voir son fonctionnement particulier éclairé par des considérations totalement extérieures à la linguistique. Mais, là encore, acceptons l'objection.

3.2.2. Afin d'asseoir la démonstration sur d'autres bases, choisissons un exemple sans structure métonymique et exempt de nom propre.

Soit la métaphore, autrefois invoquée par Jakobson, où la jeune fille se voit comparée au bouleau. La relation entre le perçu et le conçu se laisse ici décrire classiquement en termes d'intersection [25]. L'intersection des deux ensembles sémiques comprend ici les sèmes ou groupes de sèmes « flexibilité », « blancheur », etc. Mais si, plus facilement que dans le cas précédent, cet exemple se laisse appréhender en termes de décomposition sémique, une linguistique sourcilleuse fait encore valoir deux objections.

Tout d'abord, il n'est pas sûr que la flexibilité soit un des sèmes du sémème désigné par « bouleau » ; et la chose est encore moins sûre dans le cas du sémème de « jeune fille » [26]. En d'autres termes, il n'est pas sûr que la flexibilité fasse partie de la représentation sémantique associée au mot bouleau, et qu'elle fasse partie du « dictionnaire ». (Nous

---

24. Umberto Eco, *Trattato di semiotica generale*, p. 125.
25. *Cf.* Groupe μ, *Rhétorique générale*.
26. *Cf.* Nicolas Ruwet, « Synecdoques et métonymies ».

prenons le mot « dictionnaire » dans le sens technique, celui que lui donnait Katz dans la controverse l'opposant à Wilson [27], mais, si on désire le prendre dans son sens trivial, il est de fait que l'on ne trouvera pas la flexibilité dans la définition de bouleau ; sauf, peut-être, dans cette rubrique qui, lorsqu'elle existe, est soigneusement séparée de la partie linguistique, et est introduite par la mention... *encycl.*). En d'autres termes, termes de logique cette fois, on ne peut pas affirmer que la proposition « Le bouleau est flexible » soit une proposition analytique (« jugement toujours vrai en vertu de son contenu même et non par rapport aux faits » ; ces jugements « sont toujours vrais parce qu'ils restituent le code de la langue qui les exprime, et non les propriétés présumées des objets [28] »). Il n'est même pas sûr que des propositions comme « le lièvre est rapide » ou « la neige est blanche » soient analytiques.

La description de la métaphore est dès lors compromise : si la flexibilité n'est pas un sème appartenant à chacun des deux sémèmes mis en relation, on voit mal sur quoi se fonde l'intersection reconnue. C'est donc qu'il convient de modifier la description linguistique classique et d'y intégrer d'autres facteurs que les seuls sèmes répertoriés par le dictionnaire. Quoique récusant l'encyclopédie, le modèle sémantique de Katz et Fodor [29], revu par Katz et Postal [30], tentait déjà de résoudre le problème, en distinguant les *semantic markers* (plus ou moins comparables aux sèmes) et les *distinguishers*, où l'on est en droit de voir les traces du savoir encyclopédique.

Un linguiste de stricte observance peut encore faire remarquer, à propos de la métaphore, que même si la « flexibilité » était un sème du sémème de bouleau, il y a dans la figure un renversement de la relation de dominance entre sèmes (ce que Teun A. Van Dijk avait bien vu lorsqu'il définissait, un peu confusément, la métaphore comme « une mise entre parenthèses de sèmes normalement présents dans les lexèmes se manifestant à la surface du texte [31] » — au niveau perçu ou manifesté,

---

27. *Cf.* Jerrold J. Katz, *Semantic Theory*.
28. Josette Rey-Debove, *Sémiotique*, p. 11-12.
29. Jerrold J. Katz et Jerry Fodor, « Structure d'une théorie sémantique », *Cahiers de lexicologie*, n° 9, 1966, p. 39-71, et n° 10, 1967, p. 31-66.
30. Jerrold J. Katz et P. M. Postal, *An Integrated Theory of Linguistic Description*.
31. Teun A. Van Dijk, « Modèles génératifs en théorie littéraire », in *Essais de la théorie du texte*, p. 79-99.

dirions-nous) : le noyau sémique du sémème (végétalité) est en effet décentré dans la figure, de par sa collocation dans un des deux ensembles en relation d'exclusion réciproque, et ce qui est mis en avant, de par l'intersection, est un des « sèmes latéraux » du sémème.

Il est possible que le noyau sémique soit fourni par une compétence proprement linguistique (le locuteur attribue la végétalité au bouleau, même s'il n'en a jamais vu), les sèmes dits latéraux l'étant par le savoir encyclopédique. Les propositions faisant intervenir le premier dans leur prédicat seraient analytiques, les autres non. Et ceci fournirait un fondement solide à cette distinction jusqu'ici bien empirique. Mais cette distinction ne constitue nullement un brevet d'indignité pour ces « sèmes latéraux » qu'une linguistique sourcilleuse a voulu évacuer, par diverses manœuvres épistémologiques… et notamment en les nommant « latéraux » ou « périphériques ». Or, on vient de voir que ces marques sémantiques sont mises en avant par le trope, et que l'on ne peut donc manquer d'en tenir compte dans la description de la production du sens.

3.2.3. Comme dans l'exemple discuté plus haut, c'est en vertu d'un discours antérieur — discours livresque ou de l'expérience — que la flexibilité est attribuée au bouleau, et à la taille de la jeune fille. Ce sont les traces de ce discours antérieur que la métaphore fait apparaître en activant les analogies entre les deux objets mis en présence ce qui, sur le plan sémantique, se marque par un enrichissement de l'intersection : outre « flexibilité », on peut convenir que « blancheur », ou « délicatesse » en font partie, et font donc partie des deux ensembles sémiques. L'analyse du trope fait donc surgir un discours mythique, discours proustoïdien où les jeunes filles auraient toutes la peau blanche, la carnation délicate et la taille déliée…

3.3. L'encyclopédie : un système contradictoire et instable

Du coup, nous voici sans doute équipés pour résoudre le problème de la distinction entre synecdoque et métonymie que nous avons laissé en suspens au § 2 : cette distinction apparaît comme liée au fonctionnement du composant encyclopédique. Ce composant pourra être techniquement décrit comme une somme de propositions acceptées par la communauté linguistique. Propositions toujours déterminées, donc, sur les plans social et historique. Ce qui explique que dans l'encyclopédie relative à un objet ou à un concept des propositions contradictoires puissent coexister (ainsi « la terre est plate » et « la terre est ronde », la première relevant de l'hypostase pratique de la compétence encyclopédique, la seconde de son hypostase théorique).

Si l'on se rappelle que les synecdoques et les métonymies de type Π se distinguent entre elles comme l'inclusion de m dans p ou comme l'exclusion réciproque de m et n, tous deux inclus dans p, on verra que le choix du modèle synecdochique ou du modèle métonymique est suspendu à la constitution des ensembles. Constitution qui est, on vient de le voir, variable. Celle-ci peut tour à tour exprimer la proposition « m est inclus dans n » et « m n'est pas inclus dans n ». En d'autres termes, un même élément matériel peut être perçu comme partie d'un autre élément, ou comme distinct de cet autre élément. Dans ce dernier cas, le premier élément peut (ou non) être vu comme voisin du second à l'intérieur d'un tout plus vaste, dont ils constituent alors des parties.

Prenons l'exemple de la fumée et du feu. Exemple que nous prenons à dessein pour son caractère provocateur : n'est-ce pas là l'exemple canonique d'une relation de contiguïté ? Cas donc d'une relation d'exclusion réciproque (m n'est pas inclus dans n). Nous voudrions partir de cet exemple pour montrer que si l'on applique fréquemment le modèle que nous venons de nommer, on peut tout aussi bien lui appliquer un autre modèle, celui de l'inclusion, et donc faire de la fumée une synecdoque du feu, et non plus une métonymie.

Le phénomène en cause peut en effet (et c'est dans l'hypostase théorique de la compétence encyclopédique) se définir comme *phénomène de combustion*. Cet ensemble, en tant qu'il est susceptible de référence, peut se laisser décomposer sur le mode Π en *combustible*, *fumée*, *flamme*, *chaleur*, etc. On peut donc concevoir des relations de substitution entre ces différents éléments coïnclus mais distincts, telles que, par exemple, *fumée* puisse être pris pour *feu* (se laissant ici décomposer comme *flamme* + *chaleur*, etc., mais excluant en tout cas *fumée*). Dans une autre description encyclopédique (donc fondée sur une autre série de propositions), l'ensemble englobant peut être *feu* et *fumée*, être une partie de cet ensemble. Ce qui a changé, d'une perspective à l'autre, c'est l'organisation de l'ensemble choisi comme référence (coenglobant dans le premier cas, englobant dans le second). Dans le premier cas, une perspective encyclopédique plus élaborée aboutit à faire de la figure une métonymie, dans le second cas, une perspective plus fruste aboutit à en faire une synecdoque.

Ce type d'hésitation se retrouve souvent. Et sa source est la décision d'appartenance ou de non-appartenance de tel objet à tel ensemble. Décision qui modifie la structure (et donc la nature) de l'ensemble englobant. Les perspectives qui s'opposent sont souvent celle d'une encyclopédie pratique, le plus souvent liée à la perception immédiate productrice de *gestalten* (d'où les propositions « la fumée fait partie du feu », « la fumée fait partie du bateau à vapeur »), et d'une encyclopédie théorique, où se dépose un savoir social plus éloigné de la perception, mais plus ou moins élaboré (d'où les propositions « la fumée n'est pas une partie du feu », « la fumée n'est pas une partie du bateau à vapeur »).

4. Conclusions

On voit ainsi que la rhétorique pose à la linguistique le problème de son champ juridictionnel. Devant les apories que fait surgir l'analyse rhétorique, deux solutions sont seules possibles : soit rejeter purement et simplement les énoncés rhétoriques, comme tératologiques ou « bizarres » (position maintes fois tenue [32]), soit se donner les moyens de rendre compte de la présence des traces du discours antérieur dans les représentations sémantiques. Ce faisant, la linguistique perd évidemment une partie de sa pureté théorique [33] et devient une théorie de l'interprétation des énoncés. Pour citer Nicolas Ruwet, une telle théorie devrait comporter plusieurs composants dont « *a)* une théorie sémantique de l'interprétation des phrases [...] ; *b)* une théorie de la référence ; *c)* une théorie des actes de langage ; *d)* une théorie des effets du contexte, de discours et de situation ; *e)* une encyclopédie [34] ». Mais le linguiste ajoute que la distinction entre théorie sémantique et les aspects de la théorie générale « est en principe claire » et que « si la théorie sémantique *(a)* relève de plein droit de la linguistique, le rôle de la

---

32. Groupe μ, *Rhétorique de la poésie : lecture linéaire, lecture tabulaire*.
33. Umberto Eco, *Trattato di semiotica generale*, p. 143-144.
34. Nicolas Ruwet, « Synecdoques et métonymies », p. 372.

linguistique dans *(b)-(d)* n'est pas clair : quant à l'encyclopédie *(e)*, il est évident qu'elle ne relève pas de la linguistique ». Voilà une exclusive qui est précisément peu évidente, et un ensemble de distinctions qui sont précisément peu claires. Nous espérons au contraire avoir montré qu'une théorie sémantique — laquelle doit comprendre : (a_1) une théorie de la représentation des termes catégorématiques et (a_2) une théorie de l'interprétation des phrases fondées sur (a_1) et sur le système de règles syntaxiques — doit faire intervenir d'emblée (donc dans sa partie $[a_1]$) cette encyclopédie qui fait de plein droit partie de la compétence [35].

---

35. Sur l'intégration de l'encyclopédie dans le linguistique, voir aussi Umberto Eco, *Le Signe*.

CHAPITRE VIII

LA LITTÉRATURE EXPÉRIMENTALE : UNE RHÉTORIQUE EN ACTION

Avec ce que, dans un autre univers mental, on nommerait un mélange de sérieux pontifiant et de bouffonnerie grandiloquente, le Collège de 'Pataphysique révélait en 1961, à la face de l'univers ébloui, la naissance d'une société secrète joliment nommée OuLiPo, ou Oulipo. Sigle dont on verra plus loin la portée.

Selon Raymond Queneau, sans doute son plus illustre membre, le but de l'Oulipo est de proposer aux écrivains de nouvelles structures, ou encore d'inventer de nouveaux procédés artificiels ou mécaniques contribuant à l'activité littéraire. Structures, procédés : ces mots ont longtemps paru attentatoires, sinon sacrilèges, à l'humaniste qui définissait le poétique comme une grâce à recevoir dans le silence et le recueillement (cet esthète oubliant que compter les syllabes d'un vers est se soumettre à un algorithme et qu'écrire en *terza rima* représente une série d'opérations relativement complexes). Désirant non seulement écrire, mais encore réfléchir sur les conditions de leur activité, les membres de l'Oulipo (qui sont poète, prosateur, mais aussi mathématicien, professeur de lettres) ont ainsi été amenés, outre aux recherches historiques par lesquelles ils se sont donné des ancêtres et à leur étude mathématique des poèmes à forme fixe existants — recherches et études qui avouent crûment leur caractère « naïf », « artisanal » et « amusant » —, à mettre au point une série de techniques expérimentales. Citons-en quelques-unes en vrac : la recherche des romans intersectifs, la tangence entre sonnets, la construction de narrations programmées, l'analyse matricielle des propositions, les isomorphismes, etc.

Ces techniques semblent d'emblée n'avoir pour les rapprocher que leur caractère ludique (ou destructeur) ; on voit mal la parenté entre la haïkaïsation, qui procède à la résection régulière du vers dans un poème donné afin de n'en présenter que les sections finales (ce qui met notamment en lumière la redondance chez Mallarmé, lequel concentre le sens de ses vers dans les mots à la rime) et l'isovocalisme, opération par laquelle on conserve d'un texte son squelette vocalique, ensuite habillé de consonnes nouvelles (un vers célèbre de Mallarmé, décidément mis à contribution, devient « Le liège, le titane et le sel aujourd'hui »). En fait, la majeure partie de ces techniques, n'investissant, on le notera, que le champ des signifiants, ont en commun d'être fondées sur la notion de combinaison. Attachons-nous de manière plus précise à deux manifestations de la combinatoire : la méthode dite S + 7, que l'on doit à Jean Lescure, et les *Cent mille milliards de poèmes* de Raymond Queneau, livre qui, d'une certaine manière, est peut-être à la genèse de l'Oulipo.

Aisément mécanisable, la méthode S + 7 consiste à prendre un texte et à y remplacer chaque substantif (S) par le septième qui le suit dans tel corpus donné, par exemple un dictionnaire, puis à procéder aux aménagements morphologiques nécessaires (accord des adjectifs, par exemple). Sous sa forme canonique, la formule peut s'écrire X ± n. Parce qu'il procède toujours à la destruction totale des isotopies sémantiques du texte, le résultat de l'opération est parfois, d'un point de vue normatif, lamentable ; il est souvent saisissant. Voici, transformé selon l'algorithme S + 7, le début de l'Évangile de Saint-Jean :

> Au commérage était la verdeur
> et la verdeur était auprès de diffraction
> et la verdeur était diffraction.
> Il était au commérage auprès de diffraction
> opacité par elle a été faite
> et sans elle rigidité n'a été faite
> En elle était le vif argent
> et le vif argent était la lune des hongrois
> et la lune luit dans les ténors
> et les ténors ne l'on point reçue

> Il y eut un Hongrois
> envoyé de diffraction
> dont le nôme était Jefferson.
> Il vint comme templier
> pour rendre temple à la lune.

D'après Queneau, il semble que les bons textes d'origine donnent seuls de bons textes terminaux. Les raisons de ce rapport qualitatif restent pour le moment obscures. Sans doute faut-il tenir compte de la persistance de l'éthos d'un texte connu chez le lecteur. Ainsi, dans l'exemple choisi, la conservation de l'allure sacrale et majestueuse provient-elle sans doute d'un connotateur biblique, certes dégagé par le rapport étroit entre le transformé et le transformat, la trame des vers restant intacte, mais également par la récurrence lexicale, signalant une stylistique scripturaire. Le rapport dépend ainsi de paramètres définis, comme le nombre de transformations (qui peuvent se multiplier selon le schéma $(X \pm n)$, $(X' \pm n')$, $(X'' \pm n'')$), l'indice de transformation n, qui est arbitraire et n'est d'ailleurs pas forcément une constante, la structure du corpus de référence, où l'ordre alphabétique n'est pas linguistiquement pertinent.

Cent mille milliards de poèmes se présente comme un mince et grand livre blanc, à la typographie claire et élégante. Le centre de l'ouvrage est formé de dix fortes pages sur lesquelles sont transcrits dix sonnets. Ce qui n'aurait rien d'anormal si ces feuillets n'étaient découpés en languettes, de telle sorte que chaque vers soit isolé sur une lamelle différente. On peut ainsi, à sa fantaisie ou au hasard, lire le premier vers du troisième poème, puis le second vers du dernier, le troisième vers du sonnet huit, et ainsi de suite. Chacune de ces lectures reste, à un certain niveau, cohérente. Le bricoleur a en effet pris soin de construire ses dix poèmes géniteurs sur une même structure rythmique et grammaticale, de façon à ce que la disposition des rimes, les accords de genre et de nombre et l'enchaînement des propositions subsistent à travers toutes les manipulations. Mais, comme *Le XLIe Baiser d'amour* de Quirinus Kühlmann, le livre de Queneau reste une machine imaginaire, ne donnant que l'idée de ses possibles. L'univers créé n'est pas exploré par l'auteur. Le pouvait-il, d'ailleurs, sans le secours de l'ordinateur ? Car le jeu des lamelles et du hasard permet de former 10^{14} combinaisons, donc de lire 100 000 000 000 000 de sonnets, tous réguliers et différents.

166 Le sens rhétorique : essais de sémantique littéraire

C'est dès lors un regard un peu angoissé que l'on jette sur l'innocent in-quarto qui, par la magie de treize coups de rogneuse, est devenu le recueil le plus long du monde, celui que l'humanité jamais ne pourra lire, puisque, « en comptant 45 s pour lire un sonnet et 15 s pour changer les volets, à 8 heures par jour, 200 jours par an, on a pour plus d'un million de siècles de lecture, et en lisant toute la journée 365 jours par an pour : 190 258 751 années plus quelques plombes et broquilles (sans tenir compte des années bissextiles et autres détails) ».

Première préoccupation de l'esthétique classique, volontairement mise entre parenthèses par la réflexion moderne, reste posée la question de la valeur. Dans l'amas de combinaisons, l'expérience fait sans doute apparaître des solutions plus heureuses que d'autres — ce peuvent être les textes de départ —, mais il appartient à d'autres chercheurs d'élucider les mécanismes complexes qui déclenchent dans un milieu social donné ces réactions d'acceptation ou de dégoût. La manœuvre de Queneau, *putsch* littéraire contre la littérature, démontre avant tout que le texte émis par un poète n'est jamais un joyau unique. Il ne se donne pour tel que parce qu'il résulte d'un choix, imposé comme le seul bon, parmi de multiples possibles.

Dans les deux exemples retenus, la réussite ou la non-réussite du choix littéraire semble due au hasard : la répartition des catégories grammaticales et sémantiques dans le corpus de référence utilisé dans le saut S + 7 est aléatoire, et l'assemblage des vers de Queneau n'apparaît conditionné que par leur nombre. Cependant, seul un usage que l'on pourrait dire artisanal de ces techniques autorise à parler de hasard. La généralisation de l'expérience (l'exténuante réalisation des milliards de sonnets, ou l'impossible réalisation de toutes les valeurs possibles de *n* pour toutes les valeurs possibles de X) montre que le hasard n'est qu'un procédé de sélection. De même que la rencontre du parapluie et de la machine à coudre sur une table d'opération — l'exemple est en voie d'être éculé — cesse d'étonner si l'on admet que tout peut rencontrer tout en n'importe quel endroit. L'intervention aveugle d'une aiguille à tricoter pour séparer les lamelles du grand livre ne diminue pas la richesse, exhaustivement calculable, de ses possibles.

Ainsi, paradoxalement, les recherches oulipiennes ne sont pas desti-nées à mettre en lumière la part aléatoire dans la construction littéraire, mais bien plutôt sa part délibérée. « Il n'y a de littérature que volontaire », précisait Queneau. Cette part dégagée, n'en apparaît d'ailleurs que mieux, comme le reliquat d'une expérience chimique, la part aléatoire. Dans le procédé S + 7, la liberté donnée aux mots dans l'axe paradigmatique — bien plus folle que celle que Tardieu accorde aux siens —, liberté des signifiants qui réduit les redondances et rend plus fragiles les isotopies, donne un prix accru aux relations syntagmatiques, les seules garantissant encore un certain passage du sens ; dans les 10^{14} poèmes, le hasard ne peut jouer que parce que l'auteur lui a assigné les limites stables du sonnet, moule devenant de plus en plus contraignant au fur et à mesure que le nombre de poèmes de départ croissait.

Le paradoxe de l'aléatoire et du volontaire trouve sa résolution dans une notion qu'a habilement dégagée le second baptême du groupe 'pataphysique : à peine né, il abandonnait son appellation de « Séminaire de littérature expérimentale » pour celle, plus modeste, de « Ouvroir de Littérature Potentielle ». On est bien loin aujourd'hui, de la conception crocéenne de l'art, pour laquelle le poétique réside dans une intuition unissant, de manière immédiate, sentiment et image. Dans cette vision totalisante, la poésie précède et résorbe nécessairement l'usage banal du langage. Le mouvement de la poétique, allant de pair avec une objectivation du phénomène littéraire, encourage plutôt à concevoir le langage comme un objet concret, que l'on peut d'autant mieux manipuler qu'on le montre arbitraire par rapport aux choses qu'il nomme. Audacieuse, la recherche de nouvelles structures littéraires peut dès lors ne plus se vouloir « expérimentale », tout en restant, à ce stade empirique, fondée sur des actes, mais « potentielle », aidant à la découverte systématique des virtualités contenues en quantité indéfinie dans l'instrument. Derrière l'inspiration — qui renvoie à une conception de la poésie encore toute livrée à l'exaltation d'une action individuelle, inconnaissable et quasi-magique — apparaît ainsi le rôle des contraintes techniques. L'inspiration se voit ramenée au rôle de procédure de sélection de ces potentialités, forme de découverte dont les critères paraissent si flous qu'on peut sans grand danger l'assimiler au hasard.

En dissociant matière et forme, pour mieux connaître cette dernière, les travaux de l'Oulipo font progresser l'expérimentation poétique inaugurée par Valéry. Mais l'Ouvroir — avec tous ceux qui l'ont illustré, comme Italo Calvino, Georges Perec, Harry Matthews, Jacques Roubaud... — n'est pas seul dans cette voie. S'y bousculent maintenant des praticiens, au Brésil, en Allemagne, au Japon, et tous ces théoriciens qui, se réclamant de la linguistique ou de la théorie de l'information, s'attachent à constituer une moderne rhétorique. Cette pensée n'a pu devenir scientifique qu'au prix d'une distinction épistémologique : celle du possible et de ses réalisations. C'est toute la dialectique, familière aux linguistes, de la substance, et de la forme.

Mais l'intérêt de ces travaux n'est pas seulement d'apporter une confirmation expérimentale (et, pourquoi pas ?, amusante...) aux propos spéculatifs des rhétoriciens : il n'est pas non plus interdit de rêver sur leur portée sociologique, qui semble annoncer une révolution culturelle. En faisant éclater le concept suspect d'inspiration, pour mieux révéler la double dimension — combinaison et sélection — de la démarche créatrice, l'Oulipo ne contribue-t-il pas à l'éveil d'un art où, selon les termes d'Abraham Moles, les formes, loin de servir à la délectation solitaire, seraient destinées à la multiplicité (ce terme étant pris dans ses deux sens) ? Et non pas la multiplicité de la copie, reflétant inlassablement l'image d'une œuvre unique, mais la multiplicité de la permutation, qui construit des formes neuves à partir d'un nombre limité d'éléments prélevés dans l'espace du possible. L'art ainsi conçu, qui appartient encore pour longtemps à une science-fiction littératronesque, serait non point un vulgaire « pour tous », mais un « par tous », un art de dialogue, puisque l'auteur, abandonnant son rôle de démiurge qui impose dogmatiquement au spectateur une forme affirmée comme seule authentique, y donne à son partenaire, actif, la maîtrise du champ où il a rassemblé des pièces, et proposé des règles pour le jeu.

CHAPITRE IX

REDÉFINITION SÉMIOTIQUE DU CONCEPT DE « STYLE »

Dérivé de *stilus*, « poinçon servant à écrire », et possédant déjà en latin classique le sens très général qu'il a dans les langues modernes, le mot *style* offre une grande variété d'acceptions (selon R. A. Sayce, l'*Oxford Dictionary* en distingue vingt-sept), mais n'a jamais reçu de définition qui serait applicable à l'ensemble des sémiotiques. Il a cependant servi et sert à désigner un des phénomènes centraux du procès sémiotique, en jouant, dans l'épistémologie des sciences humaines, le rôle d'une « boîte noire ». Toutes les définitions classiques du style se laissent en effet aisément réduire à un invariant : il s'agit toujours de caractériser soit le rapport d'un énoncé à son émetteur, singulier ou collectif, soit le rapport de cet énoncé à son récepteur, singulier ou collectif. Dans le premier cas, on obtient des formules comme « le style reflète la physionomie de l'âme », est « l'image des mœurs publiques » ou « la signature d'une école ». Dans le second cas, le style est « un moyen d'action sur le lecteur » ou « un accord de la fin et des moyens ». Dans les deux cas, la réflexion à propos du style anticipe sur une sémiotique des énoncés, celle-ci s'opposant à une sémiotique du code, comme une linguistique de la langue s'oppose à une linguistique des messages (« faits de parole » selon Saussure, et « *hechos de norma* » selon Coseriu).

Deux autres traits des définitions classiques du style ont contribué à rendre le concept impropre à une réinterprétation sémiotique immédiate.

a) Dans les définitions les plus larges, qui sont ici les moins techniques, le terme est en principe applicable à n'importe quelle manifestation sémiotique, par exemple à la kinésique ou à la sémiotique des cultures (on parle du « style d'une personne », d'un « style de vie »). En fait, le terme s'est spécialisé dans des emplois relatifs aux sémiotiques visuelles et linguistiques (« style nouille », « dolce stil nuovo »). Dans le dernier domaine cité, l'apparition du terme *stylistique* pour désigner deux disciplines plus ou moins bien circonscrites (« étude des moyens d'expression d'une langue » suivant Charles Bally, ou « étude des styles littéraires » pour la plupart des théoriciens) a encore renforcé la spécialisation du terme, comme on l'a vu au chapitre premier.

b) En principe neutre, et pouvant donc se voir accoler les adjectifs les plus variés (Heinrich Lausberg cite 175 locutions latines, de *stilus abruptus* à *stilus vulgaris*, et 131 locutions françaises [1]), le mot style ne va le plus souvent pas sans une nuance de jugement qualitatif. Il peut même, dans ce cas, être utilisé de manière absolue : « avoir du style ».

Ces considérations montrent que le concept de style devait nécessairement disparaître du discours scientifique au fur et à mesure que se modifiaient les conditions du savoir. Ces modifications sont :

a) l'apparition de disciplines spécifiques envisageant chacune à leur manière le rapport entre l'énoncé et la dyade émetteur-récepteur : on aperçoit mieux aujourd'hui que le mot style servait à désigner une classe très générale de phénomènes relevant de la rhétorique, de la psycholinguistique, de la sociolinguistique, et de la pragmatique ;

b) la diversification de ces approches selon les différentes branches de la sémiotique : il doit nécessairement y avoir une stylistique kinésique, une stylistique proxémique, une stylistique iconique, comme il y a une stylistique linguistique (que le discours traditionnel a indûment privilégiée) ;

c) l'abandon de la perspective normative, notamment en poétique et en rhétorique.

---

1. Heinrich Lausberg, *Handbuch der literarischen Rhetorik : Eine Grundlegung der Literaturwissenschaft*, § 1243 et 1245.

Il reste à voir comment les préoccupations qui se manifestaient autrefois dans les études de style prennent place dans les différentes disciplines sémiotiques. On notera à cet égard que ces études ont pu tour à tour privilégier deux aspects différents du rapport entre l'énoncé et le couple émetteur-récepteur. Elles se sont en effet attachées soit à décrire les éléments de l'énoncé, en tant qu'ils sont pertinents dans l'établissement du rapport (ces éléments étant dès lors nommés « traits stylistiques »), soit à observer les corrélations proprement dites entre les stimuli que sont les énoncés et les réponses qu'ils suscitent ou les dispositions dont ils sont la manifestation. Ces deux approches correspondent à la distinction proposée par Enkvist entre *stylolinguistics* et *stylobehaviouristics* [2].

Première approche : la description stylistique des énoncés. Son principe sous-jacent est toujours le suivant : on ne peut isoler le style d'un énoncé que si ce dernier est performé à partir d'un code autorisant la production de variantes libres. En d'autres termes, il n'y a de style que si chaque signe produit est susceptible de connaître différentes manifestations (c'est dans le domaine de la phonostylistique [3] que la chose a le mieux été reconnue). Le style d'un énoncé est donc la résultante des choix opérés parmi les diverses réalisations possibles d'un même fait sémiotique. Par exemple dans ce que la linguistique traditionnelle a nommé les registres ou niveaux de langue, ou, pour le message kinésique, dans les différentes exécutions possibles d'un geste (par exemple « mépris » ou « soumission ») ou encore, pour le message visuel, dans le choix des différents signifiants qui peuvent correspondre à un même type iconique [4].

Ces choix peuvent être techniquement décrits aux différents niveaux de découpages pratiqués par la sémiotique envisagée : phonèmes, sémèmes, syntagmes, structures suprasegmentales dans le message verbal, unités plastiques et iconiques dans le message visuel avec

---

2. *Cf.* Nils Erik Enkvist, *Linguistic Stylistics*.

3. Pierre R. Léon, « Principes et méthodes en phonostylistique », *Langue française*, n° 3, sept. 1969, numéro intitulé *La Stylistique*, p. 73-84.

4. Groupe μ, « Structure et rhétorique du signe iconique », in *Exigences et Perspectives de la sémiotique : recueil d'hommages pour Algirdas Julien Greimas*, p. 449-461.

les types, sous-types, déterminants, qui correspondent aux dernières, les paramètres que sont les formes, les couleurs, les textures (avec leurs sous-unités) pour les premières. Méthodologiquement, les choix peuvent être décrits selon deux grands points de vue. D'un point de vue quantitatif, tel énoncé se laissera décrire comme un complexe original de fréquences (et c'est la stylostatistique). D'un point de vue qualitatif, il se laissera décrire comme un réseau d'implications, de contradictions, de redondances, de rythmes, etc., s'établissant entre les différents traits stylistiques. Pour ce qui est du linguistique, on sait par exemple maintenant que l'étude des parallélismes dans les structures phoniques ou syntaxiques, ou des différentes stratégies possibles dans la production d'ensembles polysémiques a donné de bons résultats en poétique. Ces types de réseaux stylistiques peuvent être envisagés non seulement pour d'autres niveaux de la description linguistique, mais encore pour d'autres sémiotiques. Le concept cardinal semble bien ici être celui d'isotopie, déjà bien étudié sur le plan linguistique [5], mais valide également par exemple sur le plan de l'image fixe ou mobile [6].

L'étude des interactions entre énoncé et partenaires de la communication — deuxième approche — ne constitue pas aujourd'hui une discipline cohérente. Si certains (comme Benveniste) ont tenté d'élaborer un modèle intégrant l'ensemble de ces interactions, la plupart des chercheurs ont envisagé le style soit comme la marque imprimée dans l'énoncé par le procès d'énonciation, soit comme effet de l'énoncé sur le destinataire. Sur le premier plan [7] la stylistique traditionnelle, et, à sa suite, certaines branches des sémiotiques visuelle et musicale, avaient déjà mis au point une description, à vrai dire assez empirique, des techniques de présentation de l'énoncé, en distinguant par exemple « style

---

5. Voir ici même, chap. IV, et Groupe μ, « Isotopie et allotopie : le fonctionnement rhétorique du texte » *VS*, n° 14, mai-août 1976, p. 41-65 ; ainsi que François Rastier, *Le développement du concept d'isotopie.*
6. *Cf.* par exemple Philippe Minguet, « L'isotopie de l'image » in *A Semiotic Landscape / Panorama sémiotique*, p. 791-794 ; Mauro Wolf, « Analyse sémiotique d'un texte publicitaire », *ibid.*, p. 737-743 ; Roger Odin, « Quelques réflexions sur le fonctionnement des isotopies minimales et des isotopies élémentaires dans l'image », *VS*, n° 14, août 1976, p. 69-91.
7. Pour une présentation générale, *cf. Langages*, n° 17, mars 1970, numéro intitulé *L'Énonciation.*

direct », « style indirect », « style indirect libre », etc. Par ailleurs, les attitudes de l'émetteur ont déjà fait l'objet de multiples classements, dans une optique psychologisante (par exemple en « style lyrique », « modalisant », « évaluatif », etc.). L'effet sur le destinataire, nommé *ethos* ou *pathos* par la tradition rhétorique, a également fait l'objet de nombreux classements, le plus souvent élaborés sans critères stables, de nature sociologique ou psychologique, et encore moins sémiotique. Tout au plus peut-on dire que la stylistique moderne s'était préoccupée de distinguer et de hiérarchiser les différents facteurs en cause [8]. Bien que certains essais aient été tentés sur le plan sémiotique, par exemple, comme on l'a vu, pour définir l'ethos poétique, les progrès enregistrés l'ont surtout été sur le plan de la logique formelle, de la rhétorique de l'argumentation [9] et, plus récemment, de la pragmatique [10] et de la sociolinguistique, laquelle est aujourd'hui à même de proposer des modèles à une plus large sociosémiotique. Le concept unifiant toutes ces approches est évidemment celui de contexte — qu'il soit intratextuel, intertextuel ou situationnel, et que ce dernier soit de nature sociologique ou spatiale. L'objet d'une stylistique finit donc par se confondre avec celui de la sémiotique dans son ensemble, et le style par se dissoudre dans la *semiosis*, au sens où l'entend Morris, soit ce « processus par lequel quelque chose fonctionne comme signe [11] » et qui fait intervenir la relation entre le signe, l'interprète, l'interprétant, la signification et le contexte.

---

8. Paul Imbs, « Analyse linguistique, analyse philologique, analyse stylistique », *Programme de l'année 1957-1958* (Centre de philologie romane de l'Université de Strasbourg), 1957, p. 61-79.
9. Chaïm Perelman, *L'Empire rhétorique : rhétorique et argumentation*.
10. Voir par exemple *Langue française*, n° 42, mai 1979, numéro intitulé *La Pragmatique*.
11. William Morris, *Foundations of the Theory of Signs*, p. 3.

Note bibliographique

• Le chapitre premier a paru sous le titre « De la stylistique à la poétique » dans la *Revue des langues vivantes* (vol. XLI, n° 4, 1975, p. 348-370), contribution à une série de travaux intitulée *Positions et Tendances* ; le schéma de cet article a également servi à la rédaction de « Stylistics and Poetics », dans *Trends in Romance Linguistics and Philology* (vol. III, *Language and Philology in Romance*, 1982, s. la dir. de Rebecca POSNER et John GREEN, La Haye, Mouton, 1982, p. 45-78), plus encyclopédique. Le chapitre II recouvre l'essentiel du chapitre « Rhétorique » du manuel *Méthodes du texte. Introduction aux études littéraires*, s. la dir. de Maurice DELCROIX et Fernand HALLYN (Gembloux, Duculot, 1987).

• Le chapitre III procède de la fusion de « Les concepts d'écart et de langage poétique », dans les *Actes du VIIe Congrès international d'esthétique* (Bucarest, Editura Academiei, vol. II, 1977, p. 43-48) et de « Vers un modèle théorique du langage poétique », dans *Degrés* (vol. I, n° 1, 1973, p. d1-d12).

• Le chapitre IV reprend « Le concept d'isotopie en sémantique et en sémiotique littéraire », dans *Le français moderne* (vol. XLI, n° 3, oct. 1973, p. 285-290). Les chapitres V et VI adaptent les articles « El análisis retórico. Contribución a la poética », dans *Acta Poética*, n° 3, 1981, p. 57-82), « Rhétorique et spécificité poétique » dans *Rhetorik : Kritische Positionen zum Stand der Forschung* (s. la dir. de Heinrich PLETT, Munich, Fink, 1977, p. 77-92) et une partie de « La lecture du poème : du rhétorique à l'idéologique », dans *Lectures et Lecteurs de l'écrit moderne* (Ottawa, Université Carleton, 1980, p. 214-250).

• Le chapitre VIII synthétise « Le rôle du composant encyclopédique en linguistique » paru dans *Semiotics Unfolding* (s. la dir. de T. BORBE, La Haye, Mouton, 1984, vol. III, p. 1 168-1 174), et « Problèmes de la synecdoque : du sémantique à l'encyclopédique », dans *Le français moderne* (vol. LI, 1983, n° 4, p. 289-299). « Combinatoire et sélection », titre primitif du chapitre VIII, a paru dans *Le Journal des poètes* (vol. XLII, n° 3, 1972, p. 8-11 ; numéro intitulé *Hasard et Poésie*). « Essai de redéfinition sémiologique du concept de style » a paru dans *Le français moderne* (vol. LIII, n° 3-4, 1985, p. 242-245) avant de fournir la matière de l'article « Style » de l'*Encyclopædic Dictionary of Semiotics* (s. la dir. de Thomas A. SEBEOK, La Haye, Mouton / W. De Gruyter, 1986, vol. II, p. 1 022-1 025).

BIBLIOGRAPHIE *

A

ADAM, Jean-Michel, et GOLDENSTEIN, Jean-Pierre. *Linguistique et Discours littéraire : théorie et pratique des textes*, avec des études sur Beaumarchais, André Breton, Chrétien de Troyes, Colette, Du Bellay, Éluard, Flaubert, Giono, Anne Hébert, Hugo, Montesquieu, Zola, une chanson de Boby Lapointe, un message publicitaire et une bande dessinée, Paris, Larousse, coll. L, 1976, 352 p.

ADRIAENS, M. *Literatuurwetenschap en linguïstiek*, Leuven, Acco Departement literatuurwetenschap, 1983, 98 p.

AGOSTI, Stefano. *Il Testo poetico. Teoria e Pratiche d'analisi*, Milan Rizzoti, coll. Documenti letterari, 1972, 222 p.

ALEXANDRESCU, Sorin. Voir NASTA, Milhail.

ALONSO, Dámaso. *Poesía española : ensayo de métodos y límites estilísticos, Garcilaso, Fray Luis de León, San Juan de la Cruz, Góngora, Lope de Vega, Quevedo*, 4e éd., Madrid, Gredos, coll. Biblioteca Románica Hispánica, 1962 [1950], 672 p.

L'ANALYSE DU DISCOURS (s. la dir. de Jean DUBOIS et Joseph SUMPF) : *Langages*, n° 13, mars 1969, 122 p.

---

* Bibliographie établie avec l'aide de Alain BAUDOT, Dominique O'NEILL et Corine RENEVEY (Groupe de recherche en études francophones, Collège universitaire Glendon, Université York, Toronto)

ANTOINE, Gérald. « La stylistique française, sa définition, ses buts, ses méthodes », *Revue de l'enseignement supérieur*, n° 1, 1959, p. 42-60.

APOSTEL, Léo. « Symbolisme et anthropologie philosophique : vers une herméneutique cybernétique », *Cahiers internationaux de symbolisme*, n° 5, 1964, p. 7-31.

ARISTOTE. *La Poétique*, texte trad. du grec, établi et annoté par Roselyne DUPONT-ROC et Jean LALLOT, Paris, Éd. du Seuil, coll. Poétique, 1980, 465 p.

ARRIVÉ, Michel. « Postulats pour la description linguistique des textes littéraires », *Langue française*, n° 3, numéro intitulé *La Stylistique*, (s. la dir. de Michel ARRIVÉ et Jean-Claude CHEVALIER), sept. 1969, p. 9-13.

——. « Pour une théorie des textes poly-isotopiques », *Langages*, n° 31, sept. 1973, numéro intitulé *Sémiotiques textuelles* (s. la dir. de Michel ARRIVÉ et de Jean-Claude COQUET), p. 53-63.

——. « Poétique et rhétorique », *Studia neophilologica*, vol. XLVIII, n° 1, 1976, p. 97-120.

——, et Jean-Claude CHEVALIER (s. la dir. de). *La Stylistique*, numéro thématique de *Langue française*, n° 3, sept. 1969, 128 p.

——, et Jean-Claude COQUET (s. la dir. de). *Sémiotiques textuelles*, numéro thématique de *Langages*, n° 31, sept. 1973, 126 p.

AUSTIN, John Langshaw. *How to Do Things with Words*, Oxford, Clarendon Press, The William James Lecture Series, 1962, 204 p.

——. *Quand dire c'est faire*, trad. de l'angl. et comm. par Gilles LANE, Paris, Éd. du Seuil, coll. L'ordre philosophique, 1970, 183 p.

AVALLE, d'Arco Silvio. Voir BOUAZIS, Charles, *et al.*

B

BAILEY, Richard W., et BURTON, Dolores Marie. *English Stylistics : A Bibliography*, Cambridge (Mass.), M. I. T. Press, 1968, xxii-198 p.

BAKHTINE, Mikhaïl. *Problemy poetiki Dostojewskogo*, Moscou, Sovestkii pisatel'², 1963, 361 p.

BALDI, Paolo, FALASSI, Alessandro, et WOLF, Mauro. « " Oleus ex machina " : analyse sémiotique d'un texte publicitaire », in *A Semiotic Landscape / Panorama sémiotique* (s. la dir. de Seymour CHATMAN, Umberto ECO et Jean-Marie KLINKENBERG), actes du

Premier Congrès de l'Association internationale de sémiotique (Milan, juin 1974), La Haye, Mouton, coll. *Approaches to Semiotics* n° 29, 1979, p. 737-743.

BALLY, Charles. *Traité de stylistique française*, 3e éd., Genève, Georg / Paris, Klincksieck, 1951, 264 p.

———. *Le Langage et la Vie*, 3e éd. augm., Genève, Droz, coll. Société de publications romanes et françaises n° 34, 1952 [1926], 164 p.

BARILLI, Renato. *Retorica*, Milan, I. S. E. D. I., coll. Enciclopedia filosofica I. S. E. D. I. n° 13, 1979, 178 p.

BARTHES, Roland. *Le Degré zéro de l'écriture*, Paris, Éd. du Seuil, coll. Pierres vives, 1953, 127 p.

———. *Michelet par lui-même*, Paris, Éd. du Seuil, coll. Écrivains de toujours n° 19, 1954, 192 p.

———. *Sur Racine*, Paris, Éd. du Seuil, coll. Pierres vives, 1963, 171 p.

———. « Rhétorique de l'image », *Communications*, n° 4, 1964, numéro intitulé *Recherches sémiologiques*, p. 40-51.

———. *Critique et Vérité*, Paris, Éd. du Seuil, coll. Tel Quel, 1966, 80 p.

———. « L'analyse rhétorique », in *Littérature et Société : problèmes de méthodologie en sociologie de la littérature*, Bruxelles, Université libre de Bruxelles, Éditions de l'Institut de sociologie, coll. Études de sociologie de la littérature, 1967, p. 31-45.

——— (s. la dir. de). *Linguistique et Littérature*, numéro thématique de *Langages*, n° 12, déc. 1968, 136 p.

———. *Le Degré zéro de l'écriture*, suivi de *Éléments de sémiologie*, Paris, Gonthier, coll. Bibliothèque Médiations n° 40, 1969, 182 p.

———. *S / Z*, Paris, Éd. du Seuil, coll. Tel Quel, 1970, 277 p. ; rééd. Paris, Éd. du Seuil, coll. Points n° 70, 1976, 288 p.

———. « L'ancienne rhétorique, aide-mémoire », *Communications*, n° 16, 1970, numéro intitulé *Recherches rhétoriques*, p. 172-223.

———. « De l'œuvre au texte », *La Revue d'esthétique*, vol. XXIV, 1971, p. 225-232.

BEJENARU, Cornelia. « Matematica şi poetica modernă », *Analele Universitatii Bucaresti, Limbe Romanice*, n° 20, 1971, p. 28-36.

BENS, Jacques. *Oulipo (1960-1963)*, Paris, Bourgois, 1980, 286 p.

BERGENS, Andrée (s. la dir. de). *Raymond Queneau*, numéro thématique des *Cahiers de l'Herne*, n° 29, 1975, 392 p.

BIBLIOGRAPHIA SEMIOTICA (s. la dir. de Ugo VOLLI, Patrizia MAGLI et Omar CALABRESE) : *VS*, nᵒˢ 8-9, 1974, 280 p.

BLUMENTHAL, Peter. *Semantische Dichte : Assoziativität in Poesie und Werbesprache*, Tübingen, Niemeyer, coll. Konzepte der Sprach- und Literaturwissenschaft nᵒ 30, 1983, xi-140 p.

BONHOMME, Marc. « Un trope temporel méconnu : la métaphore », *Le français moderne*, vol. LV, nᵒ 1-2, avr. 1987, p. 84-104.

BORCILĂ, Mircea. « Aspecte ale unei sinteze teoretice în stilistică », *Cercetări de linguistică*, nᵒ 17, 1972, p. 309-321.

BOUAZIS, Charles, AVALLE, d'Arco Silvio, BRANDT, Per Aage, IHWE, Jens, MADSEN, Peter, et VAN DIJK, Teun A. *Essais de la théorie du texte*, Paris, Éd. Galilée, coll. À la lettre, 1973, 224 p.

BOUCHÉ, Claude. *Lautréamont : du lieu commun à la parodie*, Paris, Larousse, coll. Thèmes et textes, Larousse Université, 1974, 256 p.

BOUVEROT, Danielle. « Comparaison et métalepse », *Le français moderne*, vol. XXXVII, nᵒ 2, avr. 1969, p. 132-147 et nᵒ 3, juill. 1969, p. 224-238.

———. « Des lieux communs aux tropes, ou de la rhétorique de l'inven- tion aux figures d'élocution », *Verbum*, vol. II, fasc. 2, 1979, p. 169-176.

———. « Trop de tropes ? Comment situer la synecdoque ? », *Le français moderne*, vol. LI, nᵒ 4, oct. 1983, numéro consacré à la synecdoque (s. la dir. de Jean-Marie KLINKENBERG), p. 324-345.

BRANDT, Per Aage. « La pensée du texte », in *Essais de la théorie du texte* (s. la dir. de Charles BOUAZIS *et al.*), Paris, Éd. Galilée, coll. À la lettre, 1973, p. 183-215.

———. Voir aussi BOUAZIS, Charles, *et al.*

BREDIN, Hugh. « Metonymy », *Poetics Today*, vol. V, nᵒ 1, 1984, p. 45-58.

BREMOND, Claude. « Entre la structure et la forme (à propos d'un essai d'Elli et Pierre Maranda) », *VS*, nᵒ 6, sept.-déc. 1973, p. 1-20.

———. *Logique du récit*, Paris, Éd. du Seuil, coll. Poétique, 1973, 350 p.

BRETON, André. *Ralentir, travaux*, Paris, J. Corti, 1968, 62 p.

———. *Signe ascendant* suivi de *Fata Morgana, Les États généraux, Des épingles tremblantes, Xénophiles, Ode à Charles Fourier, Constellations, Le La*, Paris, Gallimard, coll. Poésie nᵒ 37, 1968, 188 p.

(BRETON, André). *Point du jour*, nouv. éd. rev. et corr., Paris, Gallimard coll. Soleil, 1970 [1934], 204 p.

———, et SOUPAULT, Philippe. *Les Champs magnétiques* suivi de *S'il vous plaît* et de *Vous m'oublierez*, préf. de Philippe AUDOIN, Paris, Gallimard, coll. Poésie n° 74, 1971 [1967], 187 p.

———. *Manifestes du surréalisme*, éd. compl., Paris, Pauvert, 1972, 317 p.

BRILLI, Attilio. *Retorica della satira con il* Peri Bathous, *o L'Arte d'inabissarsi in poesia di Martinus Scriblerus*, Bologne, Il Mulino, coll. Saggi n° 130, 1973, 202 p.

BRUNEAU, Charles. « La stylistique », *Romance Philology*, vol. V, 1951-1952, p. 1-14.

BUREAU, Conrad. *Linguistique fonctionnelle et Stylistique objective*, Paris, Presses universitaires de France, coll. Le linguiste n° 16, 1976, 264 p.

BURTON, Dolores Marie. Voir BAILEY, Richard W.

BUXO, José-Pascual. *Introducción a la poética de Roman Jakobson*, Mexico, Universidad national autónoma de México, Cuadernos del Seminario de Poética n° 1, 1978, 72 p.

C

CALABRESE, Omar, MAGLI, Patrizia, et VOLLI, Ugo (s. la dir. de). *Bibliographia semiotica*, numéro thématique de *VS*, n°s 8-9, 1974, 280 p.

CERCLE LINGUISTIQUE DE COPENHAGUE. *Recherches structurales 1949 : interventions dans le débat glossématique*, 2e éd., publ. à l'occasion du Cinquantenaire de M. Louis Hjelmslev, Copenhague, Nordisk Sprog-og Kulturforlag, *Travaux du Cercle linguistique de Copenhague*, vol. V, 1970 [1949].

CHAIGNET, Anthelme Édouard. *La Rhétorique et son histoire*, Paris, É. Bouillon et E. Vieweg, 1888, xxxi-553 p.

CHARLES, Michel. *Rhétorique de la lecture*, Paris, Éd. du Seuil, coll. Poétique, 1977, 304 p.

CHATMAN, Seymour, et LEVIN, Samuel R. (s. la dir. de). *Essays on the Language of Literature*, Boston, Houghton Mifflin, 1967, 450 p.

———, ECO, Umberto, et KLINKENBERG, Jean-Marie (s. la dir. de). *A Semiotic Landscape / Panorama sémiotique*, actes du Premier Congrès de l'Association internationale de sémiotique (Milan, juin 1974), La Haye, Mouton, coll. Approaches to Semiotics n° 29, 1979, xxx-1 238 p.

CHAZAL, Malcolm DE. *Sens plastique*, préf. de Jean PAULHAN, Paris, Gallimard, coll. L'imaginaire n° 149, 1985 [1948], xv-316 p.

CHEVALIER, Jean-Claude, et ARRIVÉ, Michel (s. la dir. de). *La Stylistique*, numéro thématique de *Langue française*, n° 3, sept. 1969, 128 p.

CHOMSKY, Noam. *Structures syntaxiques*, trad. de l'angl. par Michel BRANDEAU, Paris, Éd. du Seuil, coll. L'ordre philosophique, 1969, 142 p.

———. *Syntactic Structures*, La Haye, Mouton, coll. Janua linguarum studia, Series Minor n° 4, 1978 [1957], 117 p.

CHRISTENSEN, Francis. *Notes toward a New Rhetoric : Six Essays for Teachers*, New York, Harper & Row, 1967, xv-110 p.

COCULESCU, Pius Şerban. Voir SERVIEN, Pius.

COHEN, Jean. *Structure du langage poétique*, Paris, Flammarion, coll. Nouvelle bibliothèque scientifique, 1966, 240 p.

———. « La comparaison poétique : essai de systématique », *Langages*, n° 12, déc. 1968, numéro intitulé *Linguistique et Littérature* (s. la dir. de Roland BARTHES), p. 43-51.

———. « Théorie de la figure », *Communications*, n° 16, 1970, numéro intitulé *Recherches rhétoriques*, p. 3-25.

———. *Le Haut Langage : théorie de la poéticité*, Paris, Flammarion, coll. Nouvelle bibliothèque scientifique, 1979, 291 p.

COQUET, Jean-Claude, et ARRIVÉ, Michel (s. la dir. de). *Sémiotiques textuelles*, numéro thématique de *Langages*, n° 31, sept. 1973, 126 p.

COSERIU, Eugenio. *Teoría del lenguaje y Lingüística general : cinco estudios*, Madrid, Gredos, coll. Biblioteca románica hispánica n° 2, Estudios y ensayos n° 61, 1962, 323 p.

CRESSOT, Marcel. *La Phrase et le Vocabulaire de Joris-Karl Huysmans*, Paris, Droz, 1938, xii-604 p.

———. *Le Style et ses techniques : précis d'analyse stylistique*, 8ᵉ éd., mise à jour par Laurence JAMES, Paris, Presses universitaires de France, 1974 [1947], 350 p.

CROCE, Benedetto. *Estetica come scienza dell' expressione e linguistica generale. I. Teoria ; II. Storia*, Milano, Sandron, 1902, xx-550 p.

(CROCE, Benedetto). « La cosidetta critica stilistica », in *Lettura di poeti e Riflessioni sulla teoria e la critica della poesia*, Bari, Gius Laterza, coll. Croce, Benedetto (1866-1952), scritti di storia letteraria e politica, vol. XXXIX, 1950, p. 284-294.

——. *Letture di poeti e Riflessioni sulla teoria e la critica della poesia*, Bari, Gius Laterza, coll. Croce, Benedetto (1866-1952), scritti di storia letteraria e politica, vol. XXXIX, 1950, 338 p.

D

DEHENNIN, Elsa. « La stylistique littéraire en marche », *Revue belge de philologie et d'histoire*, vol. XLII, n° 3, p. 880-906.

DELAS, Daniel, et FILLIOLET, Jacques. *Linguistique et Poétique*, Paris, Larousse, coll. Langue et langage, 1973, 206 p.

DELBOUILLE, Paul. « À propos de la définition du fait de style », *Cahiers d'analyse textuelle*, vol. II, 1960, p. 94-104.

——. « Retour à la notion d'écart », *Cahiers d'analyse textuelle*, vol. III, 1961, p. 105-108.

DELCROIX, Maurice, et GEERTS, Walter (s. la dir. de). *« Les Chats » de Baudelaire. Une confrontation de méthodes*, Namur, Presses universitaires de Namur, coll. Bibliothèque de la Faculté de philosophie et lettres n° 61, 1980, 347 p.

——, et HALLYN, Fernand (s. la dir. de). *Méthodes du texte. Introduction aux études littéraires*, Gembloux, Duculot, 1987, 391 p.

LA DESCRIPTION LINGUISTIQUE DES TEXTES LITTÉRAIRES (s. la dir. de Pierre KUENTZ) : *Langue française*, n° 7, sept. 1970, 128 p.

DESNOS, Robert. *La Liberté ou l'Amour*, suivi de *Deuil pour deuil*, Paris, Gallimard, 1968 [1962], 168 p.

DEVOTO, Giacomo. « Stilistica e critica », in *La Critica stilistica e il Barroco letterario : atti del secondo congresso internazionale di studi italiani* (s. la dir. d'Ettore CACCIA), Florence, Felice Le Monnier, 1958.

DILLER, Anne-Marie, et RÉCANATI, François (s. la dir. de). *La Pragmatique*, numéro thématique de *Langue française*, n° 42, mai 1979, 112 p.

LE DISCOURS RÉALISTE (s. la dir. de Philippe HAMON) : *Poétique*, n° 16, nov. 1973, p. 409-540.

DOUBROVSKY, Serge. « Littérature : générativité de la phrase », in *Problèmes de l'analyse textuelle / Problems of Textual Analysis* (s. la dir. de Pierre R. LÉON, Henri MITTERAND, Peter NESSELROTH et Pierre ROBERT), LaSalle (Québec), Didier Canada / Philadelphie, The Center for Curriculum Development, 1971, p. 155-164.

DUBOIS, Jacques. « Code, texte, métatexte », *Littérature*, n° 12, déc. 1973, numéro intitulé *Codes littéraires et sociaux*, p. 3-11.

———. « Surcodage et protocole de lecture », *Poétique*, n° 16, 1973, numéro intitulé *Le Discours réaliste* (s. la dir. de Philippe HAMON), p. 491-498.

———. « Oxymores et incestes : la folie et la crise dans les Rougon-Macquart », *Marche romane*, vol. XXVII, n° 1-2, 1977, p. 67-73.

———. « Poétique du mot d'esprit chez Apollinaire », *Acta Universitatis Carolinae, Romanistica Pragensis*, vol. XV, n° 1-2, 1983, p. 83-94.

———. Voir aussi GROUPE μ.

DUBOIS, Jean, et SUMPF, Joseph. « Problèmes de l'analyse du discours », *Langages*, n° 13, mars 1969, numéro intitulé *L'Analyse du discours*, p. 3-7.

——— (s. la dir. de). *L'Analyse du discours*, numéro thématique de *Langages*, n° 13, mars 1969, 122 p.

DUBOIS, Philippe. « Narratologie et récit surréaliste », mémoire inédit de licence en philologie romane, Université de Liège, 1974.

———. « La métaphore filée et le fonctionnement du texte », *Le français moderne*, vol. XLIII, n° 3, juill. 1975, p. 202-213.

———. « La métaphore filée : machinerie rhétorique et machination narrative », in *Stratégies discursives*, actes du colloque du Centre de recherches linguistiques et sémiologiques de Lyon, Lyon, Presses universitaires de Lyon, 1978, p. 267-279.

———. Voir aussi GROUPE μ.

DUBUCS, Monique, et MEYER, Bernard. « La notion de trope considérée à partir de Du Marsais et Fontanier », *Le français moderne*, vol. LV, 1987, p. 55-83.

DUCROT, Oswald. *Dire et ne pas dire : principes de sémantique linguistique*, 2e éd. corr. et augm., Paris, Hermann, coll. Savoir, 1972, 283 p.

———, et TODOROV, Tzvetan. *Dictionnaire encyclopédique des sciences du langage*, Paris, Éd. du Seuil, 1972, 469 p. ; rééd. coll. Points n° 110, 1979.

Du Marsais, César Chesneau. *Traité des tropes*, postf. de Claude Mouchard, suivi de Jean Paulhan, *Traité des figures ou La Rhétorique décryptée*, Paris, Nouveau Commerce, 1977, 324 p.

Dupriez, Bernard. *L'Étude des styles ou la Commutation en littérature*, LaSalle (Québec), Didier Canada, coll. Bibliothèque de stylistique comparée, 1969, 335 p. ; éd. augm. d'une étude sur le style de Paul Claudel, LaSalle (Québec), Didier Canada, 1971, 366 p.

——. *Gradus : les procédés littéraires (Dictionnaire)*, Paris, Union générale d'éditions, coll. 10 / 18 n° 1 370, 1980, 544 p.

Durand, Gilbert. *Les Structures anthropologiques de l'imaginaire : introduction à l'archétypologie générale*, Paris, Bordas, coll. Études supérieures n° 14, série verte, 1969, 550 p.

——. *L'Imagination symbolique*, 3ᵉ éd., Paris, Presses universitaires de France, coll. Sup. / Initiation philosophique n° 66, 1976 [1964], 134 p.

Durand, Jacques. « Rhétorique et image publicitaire », *Communications*, n° 15, 1969, numéro intitulé *L'Analyse des images*, p. 70-95.

Durozoi, Gérard, et Lecherbonnier, Bernard. *Le Surréalisme : théories, thèmes, techniques*, Paris, Larousse, coll. Thèmes et textes, 1971, 287 p.

E

Eco, Umberto. *La Structure absente : introduction à la recherche sémiotique*, adapt. de l'italien par Uccio Esposito-Torrigiani, Paris, Mercure de France, 1972, 448 p.

——. *Trattato di semiotica generale*, Milan, Bompiani, coll. Studi Bompiani : il campo semiotico, 1975, 422 p.

——. « The Scandal of Metaphor. Metaphorology and Semiotics », *Poetics Today*, vol. IV, n° 2, 1983, p. 217-257.

——. *Lector in fabula ou la Coopération interprétative dans les textes narratifs*, trad. de l'ital. par Myriem Bouzaher, Paris, Grasset, 1985, 322 p.

——. *Le Signe. Introduction à un concept et à son histoire*, adapt. de l'ital. par Jean-Marie Klinkenberg, Bruxelles, Labor, coll. Média, 1988, 224 p.

——. Voir aussi Chatman, Seymour, *et al.*

ÉDELINE, Francis. « Champ analogique et structure narrative d'un poème français », *Courrier du Centre international d'études poétiques*, n° 59, s. d. [1967], 20 p.

———. « Contribution de la rhétorique à la sémantique générale », *VS*, n° 3, sept. 1972, p. 69-78.

———. « Syntaxe et poésie concrète », *Courrier du Centre international d'études poétiques*, n° 89, s. d. [1972], 20 p.

———. « Médiation rhétorique et formation du symbole », *Cahiers internationaux de symbolisme*, n° 26, 1974, p. 27-38.

———. « Nouvelles recherches sur la métaphore », *Semiotica*, vol. XXV, n° 3-4, 1979, p. 379-387.

———. « Le logo-mandala dans la poésie spatialiste et concrète », in *Écritures. Systèmes idéographiques et pratiques expressives* (s. la dir. d'Anne-Marie CHRISTIN), Paris, Le Sycomore, 1982, p. 145-153.

———, et MINGUET, Philippe. « Metaphor again », *The British Journal of Æsthetics*, vol. XVII, n° 1, 1977, p. 60-62.

———. Voir aussi GROUPE µ.

ENKVIST, Nils Erik. *Linguistic Stylistics*, La Haye, Mouton, coll. Janua Linguarum, Series Critica, vol. V, 1973, 179 p.

L'ÉNONCIATION (s. la dir. de Tzvetan TODOROV) : *Langages*, n° 17, mars 1970, 122 p.

ERLICH, Victor. *Russian Formalism : History and Doctrine*, 2ᵉ éd. rév., La Haye, Mouton, coll. Slavistic Printings and Reprintings n° 4, 1965, 311 p.

ESCARPIT, Robert. *Sociologie de la littérature*, Paris, Presses universitaires de France, coll. Que sais-je ? n° 777, 1964 [1958], 128 p.

F

FAGÈS, Jean-Baptiste, et PAGANO, Christian. *Dictionnaire des média : technique, linguistique, sémiologie*, Paris, Mame, 1971, 350 p.

FALASSI, Alessandro. Voir BALDI, Paolo.

FLORESCU, Vasile. *Retorica nel suo sviluppo storico*, Bologne, Il Mulino, coll. La nuova scienza, serie di linguistica e critica letteraria, 1971, 157 p.

———. *Retorică și Neoretorică : geneză, evoluție, perspective*, Bucarest, Editura Academiei, 1973, 266 p. ; trad. du roumain par Melania MUNTEANU et publié s. le titre *La Rhétorique et la Néo-rhétorique :*

genèse, évolution, perspectives, Paris, Les Belles Lettres, coll. Études anciennes, 1982, 222 p.

FODOR, Jerry A., et KATZ, Jerrold J. (s. la dir. de). *The Structure of Language : Readings in the Philosophy of Language,* Englewood Cliffs (New Jersey), Prentice-Hall, 1964, 612 p.

FONTANIER, Pierre. « Commentaire raisonné », in DU MARSAIS, César CHESNEAU, *Les Tropes ou les Figures de mots,* avec une introd. de Gérard GENETTE, Genève, Slatkine, 1967 [1818].

———. *Les Figures du discours,* introd. de Gérard GENETTE, Paris, Flammarion, coll. Sciences, science de l'homme, 1968, 503 p. — Reprend le *Manuel classique pour l'étude des tropes,* 1821 et le *Traité général des figures du discours autres que les tropes,* 1827.

FUBINI, Mario. *Critica e Poesia : saggi e discorsi di teoria letteraria, con un saggio su* I generi nella critica musicale *di Luigi Ronga,* Bari, Laterza, coll. Biblioteca di cultura moderna n° 513, 1956, 524 p.

G

GARCÍA BERRIO, Antonio. *Significado actual del formalismo ruso : la doctrina de la escuela del método formal ante la poética y la lingüística modernas,* Barcelone, Éd. Planeta, coll. Ensayos planeta de lingüística y crítica literaria, 1973, 446 p.

———. « Tradición tópica y complejidad textual », *Acta Poética,* vol. III, 1981, p. 83-104.

———. « Retórica como ciencia de la expresividad. Presupuestos para una retórica general », *Estudios de lingüística,* n° 2, 1984, p. 7-59.

GEERTS, Walter. Voir DELCROIX, Maurice.

GENETTE, Gérard. « La rhétorique et l'espace du langage », *Tel Quel,* n° 19, aut. 1964, p. 44-54.

———. *Figures,* essais, Paris, Éd. du Seuil, coll. Tel Quel, 1966, 267 p. ; rééd. s. le titre *Figures I,* Paris, Éd. du Seuil, coll Tel Quel, 1966, 267 p. ; et Paris, Éd. du Seuil, coll. Points n° 74, 1976.

———. *Figures II,* essais, Paris, Éd. du Seuil, coll. Tel Quel, 1969, 297 p.

———. « Langage poétique, poétique du langage », in *Figures II,* Paris, Éd. du Seuil, coll. Tel Quel, 1969, p. 123-153.

———. « La rhétorique restreinte », *Communications,* n° 16, 1970, numéro intitulé *Recherches rhétoriques,* p. 158-171 ; repris dans

Figures III, Paris, Éd. du Seuil, coll. Poétique, 1972, p. 21-40.

(GENETTE, Gérard). *Figures III*, Paris, Éd. du Seuil, coll. Poétique, 1972, 286 p.

———.« Discours du récit : essai de méthode », in *Figures III*, Paris, Éd. du Seuil, coll. Poétique, 1972, p. 67-267.

GOLDENSTEIN, Jean-Pierre. Voir ADAM, Jean-Michel.

GOLOPENTIA-EREȚESCU, Sanda. « Grammaire de la parodie », *Cahiers de linguistique théorique et appliquée*, n° 6, 1969, p. 167-181.

GOSLAR, Michèle. « Métonymie et méthodologie », *Revue de linguistique romane*, vol. XL, n°s 157-158, janv.-juin 1976, p. 145-164.

GREIMAS, Algirdas Julien. *Sémantique structurale : recherche de méthode*, Paris, Larousse, coll. Langue et langage, 1966, 262 p.

———. « Éléments pour une théorie de l'interprétation du récit mythique », *Communications*, n° 8, 1966, numéro intitulé *Recherches sémiologiques : l'analyse structurale du récit*, p. 28-59 ; repris s. le titre « Pour une théorie de l'interprétation du récit mythique », in *Du sens : essais sémiotiques*, Paris, Éd. du Seuil, 1970, p. 185-230.

———. *Du sens : essais sémiotiques*, Paris, Éd. du Seuil, 1970, 317 p.

———. *Du sens II : essais sémiotiques*, Paris, Éd. du Seuil, 1983, 254 p.

———, et ARRIVÉ, Michel (s. la dir. de). *Essais de sémiotique poétique*, avec des études sur Apollinaire, Bataille, Baudelaire, Hugo, Jarry, Mallarmé, Michaux, Nerval, Rimbaud et Roubaud, Paris, Larousse, coll. L, 1972, 239 p.

———, et COURTÈS, Joseph. *Sémiotique. Dictionnaire raisonné de la théorie du langage*, Paris, Hachette, coll. Université, 1979, 424 p.

GRICE, Paul H. « Logic and Conversation », in *Syntax and Semantics*, vol. III, numéro intitulé *Speech Acts* (s. la dir. de Peter COLE et Jerry L. MORGAN), 1975, p. 41-58.

———.« Logique et conversation », trad. de l'amér. par Frédéric BERTHET et Michel BOZON, *Communications*, n° 30, 1979, numéro intitulé *La Conversation*, p. 57-72.

GRIVEL, Charles. *Production de l'intérêt romanesque. Un état de texte (1870-1880) : un essai de constitution de sa théorie*, La Haye, Mouton / W. de Gruyter, 1973, 428 p.

———, et KIBÉDI VARGA, Aron (s. la dir. de). *Du linguistique au textuel*, Amsterdam, Van Gorcum, 1974, 188 p.

GRIZE, Jean-Blaise. *De la logique à l'argumentation*, Genève, Droz, coll. Travaux de droit, d'économie, de sciences politiques, de sociologie et d'anthropologie n° 134, 1982, 266 p.

GRÖBER, Gustav. *Grundriss der romanischen Philologie* (s. la dir. de G. GRÖBER, assisté de G. BAISTE *et al.*), Strasbourg, K. J. Trübner [1933] / Berlin, Leipzig, W. de Gruyter, 1893-1938, 5 vol., 853 p., 688 p., 496 p., 603 p. et 338 p.

GROUPE μ (Jacques DUBOIS, Francis ÉDELINE, Philippe MINGUET et Hadelin TRINON). « Rhétorique généralisée », *Cahiers internationaux de symbolisme*, n°s 15-16, 1968, p. 103-115.

—— (Jacques DUBOIS, Francis ÉDELINE, Jean-Marie KLINKENBERG, Philippe MINGUET, François PIRE et Hadelin TRINON). *Rhétorique générale*, Paris, Larousse, coll. Langue et langage, 1970, 206 p. ; rééd. Éd. du Seuil, coll. Points n° 146, 1982, 225 p.

—— (Jacques DUBOIS, Francis ÉDELINE, Jean-Marie KLINKENBERG, Philippe MINGUET, François PIRE et Hadelin TRINON). « Rhétoriques particulières », *Communications*, n° 16, 1970, numéro intitulé *Recherches rhétoriques*, p. 70-124. — Comprend quatre études : « Figure de l'argot » ; « Titres de films » ; « La clé des songes » ; et « Les biographies de *Paris-Match* ».

—— (Jacques DUBOIS, Francis ÉDELINE, Jean-Marie KLINKENBERG et Philippe MINGUET). « Lecture du poème et isotopies multiples », *Le français moderne*, vol. XLII, n° 3, juill. 1974, p. 217-236.

—— (Jacques DUBOIS, Francis ÉDELINE, Jean-Marie KLINKENBERG et Philippe MINGUET). « La chafetière est sur la table. Éléments pour une rhétorique iconique », *Communications et Langages*, n° 29, 1976, p. 36-49.

—— (Jacques DUBOIS, Francis ÉDELINE, Jean-Marie KLINKENBERG et Philippe MINGUET). « Isotopie et allotopie : le fonctionnement rhétorique du texte », *VS*, n° 14, mai-août 1976, p. 41-65.

—— (Jacques DUBOIS, Francis ÉDELINE, Jean-Marie KLINKENBERG et Philippe MINGUET). « Miroirs rhétoriques : sept ans de réflexion », *Poétique*, n° 29, févr. 1977, p. 1-19.

—— (Jacques DUBOIS, Francis ÉDELINE, Jean-Marie KLINKENBERG et Philippe MINGUET). *Rhétorique de la poésie : lecture linéaire, lecture tabulaire*, Bruxelles, Éd. Complexe, 1977, 234 p.

(GROUPE μ [Jacques DUBOIS, Philippe DUBOIS, Francis ÉDELINE, Jean-Marie KLINKENBERG et Philippe MINGUET]), s. la dir. de. *Collages*, Paris, Union générale d'éditions, coll. 10 / 18 n° 1 277, 1978, 440 p. — Constitue le n° 1-2, 1978, de la *Revue d'esthétique*.

—— (Jacques DUBOIS, Philippe DUBOIS, Francis ÉDELINE, Jean-Marie KLINKENBERG et Philippe MINGUET). « Ironique et iconique », *Poétique*, n° 36, 1978, p. 427-442.

—— (Jacques DUBOIS, Philippe DUBOIS, Francis ÉDELINE, Jean-Marie KLINKENBERG, Philippe MINGUET, François PIRE et Árpád VÍGH [s. la dir. de]). *Rhétoriques, Sémiotiques*, Paris, Union générale d'éditions, coll. 10 / 18 n° 1324, 1979, 446 p. — Constitue le n° 3-4, 1979, de la *Revue d'esthétique*.

—— (Jean-Marie KLINKENBERG, Philippe DUBOIS, Francis ÉDELINE et Philippe MINGUET). « Plan d'une rhétorique de l'image », *Kodikas / Code*, vol. II, n° 3, 1980, p. 249-268.

—— (Jacques DUBOIS, Francis ÉDELINE, Jean-Marie KLINKENBERG et Philippe MINGUET). « Avant-gardes et rhétorique », in *Les Avant-gardes littéraires au XXᵉ siècle* (s. la dir. de Jean WEISGERBER), Bruxelles, Université de Bruxelles, Centre d'étude des avant-gardes littéraires / Budapest, Akadémiai Kiadó, 2 vol., 1984, 1 216 p.

—— (Francis ÉDELINE, Jean-Marie KLINKENBERG et Philippe MINGUET). « Structure et rhétorique du signe iconique », in *Exigences et Perspectives de la sémiotique : recueil d'hommages pour A. J. Greimas / Aims and Prospects of Semiotics : Essays in Honor of A. J. Greimas*, introd. et prés. des textes par Herman PARRET et Hans-George RUPRECHT, Amsterdam, John Benjamins, 1985, vol. I, *Le Paradigme théorique / The Theoretical Paradigm*, p. 449-461.

—— (Francis ÉDELINE, Jean-Marie KLINKENBERG et Philippe MINGUET). *Traité du signe visuel. Sémiotique et rhétorique*, à paraître.

GUEUNIER, Nicole. « La pertinence de la notion d'écart en stylistique », *Langue française*, n° 3, sept. 1969, numéro intitulé *La Stylistique* (s. la dir. de Michel ARRIVÉ et Jean-Claude CHEVALIER), p. 34-35.

GUIRAUD, Pierre. *Langage et Versification d'après l'œuvre de Paul Valéry : étude sur la forme poétique dans ses rapports avec la langue*, Paris, Klincksieck, coll. Linguistique n° 56, 1953, 237 p.

——. *La Stylistique*, Paris, Presses universitaires de France, coll. Que sais-je ? n° 646, 1954, 120 p.

(GUIRAUD, Pierre). *Les Caractères statistiques du vocabulaire : essai de méthodologie*, Paris, Presses universitaires de France, 1954, 116 p.

———. *Problèmes et Méthodes de la statistique linguistique*, Paris, Presses universitaires de France, 1960, 146 p.

———. *Les Jeux de mots*, Paris, Presses universitaires de France, coll. Que sais-je ? nº 1 656, 1976, 128 p.

———, et KUENTZ, Pierre. *La Stylistique : lectures*, Paris, Klincksieck, coll. Initiation à la linguistique, série A : Lectures nº 1, 1970, 329 p.

H

HALLYN, Fernand. Voir DELCROIX, Maurice.

HAMON, Philippe. « Mise au point sur les problèmes de l'analyse du récit », *Le français moderne*, vol. XL, nº 3, juill. 1972, p. 200-221.

——— (s. la dir. de). *Le Discours réaliste*, numéro thématique de *Poétique*, nº 16, nov. 1973, p. 409-540.

———. « Analyse du récit : éléments pour un lexique », *Le français moderne*, vol. XLII, nº 2, avr. 1974, p. 133-154.

HATZFELD, Helmut. *Bibliografía crítica de la nueva estilística aplicada a las literaturas románicas*, Madrid, Gredos, coll. Biblioteca románica hispánica nº 6, 1955, 662 p.

———. « Questions disputables de la stylistique », *Actes du Premier Congrès international de dialectologie générale*, Louvain, Centre international de dialectologie générale, 1964, p. 6-18.

———. *A Critical Bibliography of the New Stylistics Applied to the Romance Literature (1953-1965)*, Chapel Hill, University of North Carolina Press, coll. Studies in Comparative Literature nº 37, 1966, 184 p.

———, et LE HIR, Yves. *Essai de bibliographie critique de stylistique française et romane (1955-1960)*, Paris, Presses universitaires de France, coll. Publications de la Faculté des lettres et [des] sciences humaines de l'Université de Grenoble nº 26, 1961, 315 p.

HENRY, Albert. *Métonymie et Métaphore*, Paris, Klincksieck, coll. Bibliothèque française et romane, série A : manuels et études linguistiques nº 21, 1971, 160 p. ; éd. rev., Bruxelles, Palais des Académies, 1984, Mémoires de la classe des lettres, vol. LXVI, fasc. 2, 248 p.

HESBOIS, Laure. *Les Jeux de langage*, Ottawa, Presses de l'Université d'Ottawa, 1986, 336 p.

HILL, Archibald A. *Introduction to Linguistic Structures : From Sound to Sentence in English,* New York, Harcourt Brace, 1958, 496 p.

HJELMSLEV, Louis. *Prolegomena to a Study of Language,* 2ᵉ éd. rev., Copenhague, trad. du danois par Francis J. WHITEFIELD, Madison, University Press of Wisconsin, 1961, 144 p.

———. *Prolégomènes à une théorie du langage,* nouv. éd., trad. du danois par Una CANGER, Paris, Éd. de Minuit, coll. Arguments n⁰ 35, 1971, 231 p.

HYTIER, Jean. « La méthode de M. Léo Spitzer », *The Romanic Review,* vol. XLI, n⁰ 1, févr. 1950, p. 42-59.

I

IHWE, Jens. Voir BOUAZIS, Charles, *et al.*

IMBS, Paul. « Analyse linguistique, analyse philologique, analyse stylistique », *Programme de l'année 1957-1958,* Centre de philologie romane, Université de Strasbourg, 1957, p. 61-79.

L'ISOTOPIE : Linguistique et Sémiologie (Travaux du Centre de recherches linguistiques et sémiologiques de Lyon), n⁰ 1, 1976, 156 p.

J

JAKOBSON, Roman. *Novejšzhaja russkaja poèzija : nabrosok pervyi,* Prague, Tip Politka, 1921, 68 p. ; trad. française dans *Questions de poétique,* textes recueillis par Tzvetan TODOROV, Paris, Éd. du Seuil, coll. Poétique, 1973, p. 11-24.

———. « Closing Statements : Linguistics and Poetics », in *Style in Language* (s. la dir. de Thomas A. SEBEOK), Cambridge (Mass.), M. I. T. Press / New York, J. Wiley, 1960, p. 350-377.

———. *Essais de linguistique générale. Les Fondations du langage,* vol. I, trad. de l'angl. et préf. par Nicolas RUWET, Paris, Éd. de Minuit, coll. Arguments n⁰ 14, 1963, 260 p. ; rééd. s. le titre *Essais de linguistique générale,* Paris, Éd. du Seuil, coll. Points n⁰ 17, 1970, 257 p. — Voir en particulier, « Deux aspects du langage et deux types d'aphasie », trad. par A. ADLER et Nicolas RUWET, éd. de 1970, p. 43-67.

———. « Linguistique et poétique », in *Essais de linguistique générale. Les Fondations du langage,* vol. I, trad. de l'angl. par Nicolas RUWET,

Paris, Éd. de Minuit, coll. Arguments n° 14, 1963 ; rééd. s. le titre *Essais de linguistique générale*, Paris, Éd. du Seuil, coll. Points n° 17, 1970, p. 209-248.

(JAKOBSON, Roman). *Questions de poétique*, textes recueillis par Tzvetan TODOROV, Paris, Éd. du Seuil, coll. Poétique, 1973, 510 p.

——, et LÉVI-STRAUSS, Claude. « " Les Chats " de Charles Baudelaire », *L'Homme*, n° 2, 1962, p. 5-21 ; repris dans JAKOBSON, Roman, *Questions de poétique*, textes recueillis par Tzvetan TODOROV, Paris, Éd. du Seuil, coll. Poétique, 1973.

JOHNSON, Marc. Voir LAKOFF, Georges.

JOURLAIT, Daniel. « L'analyse du discours littéraire selon les méthodes transformationnelles américaines », in *Problèmes de l'analyse textuelle / Problems of Textual Analysis*, (s. la dir. de Pierre R. LÉON, Henri MITTERAND, Peter NESSELROTH et Pierre ROBERT), LaSalle (Québec), Didier Canada / Philadelphie, The Center for Curriculum Development, 1971, p. 107-112.

K

KATZ, Jerrold J., et POSTAL, Paul M. *An Integrated Theory of Linguistic Descriptions*, Cambridge (Mass.), M. I. T. Press, coll. Research Monograph n° 26, 1964, 178 p.

——. *Semantic Theory*, New York, Harper & Row, coll. Studies in Language, 1972, 464 p.

——, et FODOR, Jerry A. « Structure d'une théorie sémantique », *Cahiers de lexicologie*, n° 9, 1966, p. 39-71 et n° 10, 1967, p. 31-66. [L'original angl. date de 1964.]

——. Voir aussi FODOR, Jerry A.

KERBRAT-ORECCHIONI, Catherine. *La Connotation*, Lyon, Presses universitaires de Lyon, 1977, 256 p.

——. *L'Énonciation. De la subjectivité dans le langage*, Paris, Armand Colin, coll. Linguistique, 1980, 290 p.

——. « Quelques aspects du fonctionnement du dialogue au théâtre », in *Le Dialogue* (s. la dir. de Pierre R. LÉON et Paul PERRON), LaSalle (Québec), Didier Canada, série 3L, 1985, p. 133-140.

——. *L'Implicite*, Paris, Armand Colin, coll. Linguistique, 1986, 404 p.

KIBÉDI VARGA, Aron. *Rhétorique et Littérature : études de structures classiques*, LaSalle (Québec), Didier Canada, coll. Orientations nº 3, 1970, 235 p.

——— (s. la dir. de). *Théorie de la littérature*, Paris, Picard, coll. Connaissances des langues nº 14, 1981, 306 p.

KLEIBER, Georges. *Problèmes de référence : descriptions définies et noms propres*, Centre d'analyse syntaxique de l'Université de Metz, Paris, Klincksieck, 1981, 538 p.

KLINKENBERG, Jean-Marie. « Vers un modèle théorique du langage poétique », *Degrés*, vol. I, nº 1, 1973, p. d.1-d.12.

———. « Le concept d'isotopie en sémantique et en sémiotique littéraire », *Le français moderne*, vol. XLI, nº 3, 1973, p. 285-290.

———. *Style et Archaïsme dans* La Légende d'Ulenspiegel *de Charles De Coster*, Bruxelles, Palais des Académies, 1973, 2 vol., 425 p. et 358 p.

———. « De la stylistique à la poétique », *Revue des langues vivantes*, vol. XLV, nº 4, 1975, p. 348-370.

———. « Les concepts d'écart et de langage poétique », in *Actes du VIIᵉ Congrès international d'esthétique*, Bucarest, Editura Academiei, vol. II, 1976, p. 43-48.

———. « Rhétorique et spécificité poétique », in *Rhetorik : Kritische Positionen zum Stand der Forschung* (s. la dir. de Heinrich PLETT), Munich, Wilhelm Fink, coll. Kritische Information, 1977, p. 77-92.

———. « La lecture du poème : du rhétorique à l'idéologique », in *Lectures et Lecteurs de l'écrit moderne*, textes réunis par Stéphane SARKANY, avec la collab. de Francis CLAUDON, Mary DAVIDSON, Pierre GOBIN, Patrick IMBERT et Wladimir KRYSINSKI, s. l. [diff. : Georges RISER, Groupe de recherches international « 1900 », Département de littérature comparée, Université Carleton, Ottawa], coll. Travaux du Groupe de recherches international « 1900 », cahier théorique hors-série, s. d. [1980], p. 214-250.

———. « El análisis retórico. Contribución a la poética », *Acta Poética*, nº 3, 1981, p. 57-82.

———. « Stylistics and Poetics », in *Trends in Romance Linguistics and Philology* (s. la dir. de Rebecca POSNER et John GREEN), vol. III,

La Haye, Mouton, coll. Trends in Linguistics : Studies and Monographs nº 14, 1982, p. 45-78.

(KLINKENBERG, Jean-Marie), s. la dir. de. Numéro thématique (consacré à la synecdoque) du *Français moderne*, vol. LI, nº 4, oct. 1983, p. 289-360.

——. « Problèmes de la synecdoque : du sémantique à l'encyclopédique », *Le français moderne*, vol. LI, nº 4, oct. 1983, numéro consacré à la synecdoque (s. la dir. de Jean-Marie KLINKENBERG), p. 289-299.

——. « Le rôle du composant encyclopédique en linguistique », in *Semiotics Unfolding* (s. la dir. de T. BORBE), La Haye, Mouton, 1984, vol. III, p. 1 168-1 174.

——. « Mots et mondes de Norge », in NORGE, *Remuer ciel et terre :* La Langue verte *et autres textes*, préf. de François JACQMIN, Bruxelles, Labor, coll. Espace Nord nº 17, 1985, p. 231-267.

——. « Essai de redéfinition sémiologique du concept de style », *Le français moderne*, vol. LIII, nº 3-4, 1985, p. 242-245.

——. « Rhétorique », in *Méthodes du texte. Introduction aux études littéraires* (s. la dir. de Maurice DELCROIX et Fernand HALLYN), Gembloux, Duculot, 1987, p. 29-47.

——. Voir aussi CHATMAN, Seymour, *et al.* ; et GROUPE μ.

KONRAD, Hedwig. *Étude sur la métaphore*, 2e éd., préf. de René POIRIER, Paris, Vrin, 1958, 176 p.

KOPPERSCHMIDT, Josef. *Allgemeine Rhetorik : Einführung in die Theorie der persuasiven Kommunikation*, Stuttgart, Kohlhammer, coll. Sprache und Literatur nº 79, 1973, 216 p.

KRISTEVA, Julia. « Pour une sémiologie des paragrammes », *Sèmiôtikè : recherches pour une sémanalyse*, Paris, Éd. du Seuil, coll. Tel Quel, 1969, p. 174-207.

——. *La Révolution du langage poétique. L'Avant-garde à la fin du XIXe siècle : Lautréamont et Mallarmé*, Paris, Éd. du Seuil, coll. Tel Quel, 1974, 648 p.

KUENTZ, Pierre. « Remarques liminaires », *Langue française*, nº 7, sept. 1970, numéro intitulé *La Description linguistique des textes littéraires* (s. la dir. de Pierre KUENTZ), p. 3-13.

(KUENTZ, Pierre), s. la dir. de. *La Description linguistique des textes littéraires*, numéro thématique de *Langue française*, n° 7, sept. 1970, 128 p.

———. « Le " rhétorique " ou la mise à l'écart », *Communications*, n° 16, 1970, numéro intitulé *Recherches rhétoriques*, p. 143-157.

———. « Rhétorique générale ou rhétorique théorique ? », *Littérature*, n° 4, déc. 1971, numéro intitulé *Sémantique de l'œuvre littéraire*, p. 108-115.

———. « L'enjeu des rhétoriques », *Littérature*, n° 18, numéro intitulé *Frontières de la rhétorique*, mai 1975, p. 3-15.

———. Voir aussi GUIRAUD, Pierre.

L

L. J. [LAFFETEY, Jules (abbé)]. *Préceptes de rhétorique*, Bayeux, Imprimerie Léon Nicolle, 1841, 323 p.

LAKOFF, Georges, et JOHNSON, Marc. *Les Métaphores dans la vie quotidienne*, trad. de l'angl. par Michel DE FORNEL, avec la collab. de Jean-Jacques LECERCLE, Paris, Éd. de Minuit, coll. Propositions, 1985, 256 p.

LAUSBERG, Heinrich. *Handbuch der literarischen Rhetorik : Eine Grundlegung der Literaturwissenschaft*, Munich, Max Hüber, 1960, 2 vol., 957 p.

LECHERBONNIER, Bernard. Voir DUROZOI, Gérard.

LE GUERN, Michel. *Sémantique de la métaphore et de la métonymie*, Paris, Larousse, coll. Langue et langage, 1973, 128 p.

LÉON, Pierre R. « Principes et méthodes en phonostylistique », *Langue française*, n° 3, sept. 1969, numéro intitulé *La Stylistique* (s. la dir. de Michel ARRIVÉ et de Jean-Claude CHEVALIER), p. 73-84.

———. *Essais de phonostylistique*, LaSalle (Québec), Didier Canada, coll. Studia Phonetica n° 4, 1971, xi-185 p.

———, MITTERAND, Henri, NESSELROTH, Peter, et ROBERT, Pierre (s. la dir. de). *Problèmes de l'analyse textuelle / Problems of Textual Analysis*, LaSalle (Québec), Didier Canada / Philadelphie, The Center for Curriculum Development, 1971, 199 p.

———, et PERRON, Paul (s. la dir. de). *Le Dialogue*, LaSalle (Québec), Didier Canada, série 3L, 1985, viii-173 p.

LÉVI-STRAUSS, Claude. *Anthropologie structurale*, Paris, Plon, 1958, ii-452 p.

——. Voir aussi JAKOBSON, Roman.

LEVIN, Samuel R. *Linguistic Structures in Poetry*, La Haye, Mouton, coll. Janua linguarum / studia memoriae Nicolai Van Wijk dedicata nº 23, 3ᵉ tirage, 1969 [1962], 64 p.

——. « Some Uses of the Grammar in Poetic Analysis », in *Problèmes de l'analyse textuelle / Problems of Textual Analysis* (s. la dir. de Pierre R. LÉON, Henri MITTERAND, Peter NESSELROTH et Pierre ROBERT), LaSalle (Québec), Didier Canada / Philadelphie, The Center for Curriculum Development, 1971, p. 19-31.

——. *The Semantics of Metaphor*, Baltimore, The John Hopkins University Press, 1977, 158 p.

——. Voir aussi CHATMAN, Seymour, *et al.*

LINGUISTIQUE ET LITTÉRATURE (s. la dir. de Roland BARTHES) : *Langages*, nº 12, déc. 1968, 136 p.

LUNDQUIST, Lita. *La Cohérence textuelle : syntaxe, sémantique, pragmatique*, Copenhague, Nyt Nordisk, 1980, 246 p.

LYONS, John. *Chomsky*, Londres, Collins, coll. Fontana Modern Masters, 1970, 120 p. ; trad. de l'angl. par Vital GADBOIS et Brian GILL, Paris, Seghers, coll. Les maîtres modernes nº 8, 1971, 181 p.

M

MADSEN, Peter. Voir BOUAZIS, Charles, *et al.*

MAGLI, Patrizia, CALABRESE, Omar, et VOLLI, Ugo (s. la dir. de). *Bibliographia semiotica*, numéro thématique de *VS*, nᵒˢ 8-9, 1974, 280 p.

MARCUS, Solomon. *Lingvistică matematică*, Bucarest, Éd. Didactică și pedagogică, 1963 ; éd. rev. en 1966.

——. *Gramatici și automate finite : lingvistică matematică*, Bucarest, 1964.

——. « Le modelage mathématique en phonologie : méthodes, résultats, signification », *Cahiers de linguistique théorique et appliquée*, actes du colloque *Forme et Substance en phonétique* (Bucarest, 20-23 sept. 1965), vol. III, 1966, p. 109-116.

——. « Un précurseur de la poétique mathématique : Pius Servien », *Revue roumaine de linguistique*, vol. X, 1965, p. 415-424.

(MARCUS, Solomon). *Algebraic Linguistics : Analytical Models*, New York, Academic Press, coll. Mathematics in Science and Engineering n° 29, 1967, 254 p.

———. *Introduction mathématique à la linguistique structurale*, Paris, Dunod, coll. Monographies de linguistique mathématique n° 1, 1967, 281 p.

———. « Entropie et énergie poétique (avec application à trois poésies de Eminescu) », *Cahiers de linguistique théorique et appliquée*, n° 4, 1967, p. 171-180.

———. « Poétique mathématique non probabiliste », *Langages*, n° 12, déc. 1968, numéro intitulé *Linguistique et Littérature* (s. la dir. de Roland BARTHES), p. 52-55.

———. « Langage scientifique, structures rythmiques, langage lyrique », *Cahiers de linguistique théorique et appliquée*, n° 5, 1968, p. 127-157.

———. *Modele algebrice ale limbii*, Bucarest, 1969.

———. « Deux types nouveaux de grammaires génératives », *Cahiers de linguistique théorique et appliquée*, n° 6, 1969, p. 69-74.

———. *Modele theoretic - ansambliste ale limbii*, Bucarest, 1970.

———. *Poetica matematică*, Bucarest, Editura Academiei Republicii Socialiste România, 1970, 400 p.

———. « Two Poles of the Human Language », *Revue roumaine de linguistique*, vol. XV, n° 3, 1970, p. 187-198 ; n° 4, 1970, p. 309-316 ; n° 5, 1970, p. 499-504.

———. « Questions de poétique algébrique », *Actes du Xe Congrès international des linguistes*, Bucarest, Editura Academiei Republicii Socialiste România, 1970, p. 67-76.

———. « Structure et valeur dans l'esthétique de Pius Servien », *Revue roumaine des sciences sociales*, série de philosophie et logique, vol. XIV, n° 3, 1970, p. 207-212.

———. « Ein mathematisch-linguistisches Dramenmodell », *Lili : Zeitschrift für Literaturwissenschaft und Linguistik*, vol. I, n° 1-2, 1971, p. 139-152.

———. *Artă și știință*, Bucarest, Editura Eminescu, 1986, 336 p.

MAROUZEAU, Jules. « Comment aborder l'étude du style », *Le français moderne*, vol. XI, n° 1, janv. 1943, p. 1-6.

(MAROUZEAU, Jules). « Nature, degré et qualité de l'expression stylistique », in *Stil- und Formprobleme in der Literatur* (s. la dir. de Paul BÖCKMANN), Heidelberg, Carl Winter, Universitäts Verlag, 1959, p. 15-18.

——. *Précis de stylistique française*, 4ᵉ éd. rev. et augm., Paris, Masson, 1959 [1941], 224 p.

MARTIN, Josef. *Antike Rhetorik : Technik und Methode*, Munich, Beck'sche, coll. Handbuch der Altertumswissenschaft, vol. II, fasc. 3, 1974, x-420 p.

MARTIN, Robert. *Inférence, Antonymie et Paraphrase : éléments pour une théorie sémantique*, Paris, Klincksieck, coll. Bibliothèque française et romane, série A : manuels et études linguistiques nᵒ 39, 1976, 174 p.

MARTINET, André. « ¿ Que debe entenderse por " connotation " ? », *Acta Poética*, vol. III, 1981, p. 147-162.

MAURON, Charles. *Des métaphores obsédantes au mythe personnel : introduction à la psychocritique*, Paris, Librairie J. Corti, 1964, 360 p.

MCCARRELL, Nancy S. Voir VERBRUGGE, Robert R.

MESCHONNIC, Henri. *Pour la poétique*, Paris, Gallimard, coll. Le chemin, 1970, 178 p.

——. *Pour la poétique II. Épistémologie de l'écriture, poétique de la traduction*, Paris, Gallimard, coll. Le chemin, 1973, 464 p.

LA MÉTAPHORE (s. la dir. de Jean MOLINO) : *Langages*, nᵒ 54, juin 1979, 128 p.

MEYER, Bernard. « La synecdoque d'abstraction », *Le français moderne*, vol. LI, nᵒ 4, oct. 1983, numéro consacré à la synecdoque (s. la dir. de Jean-Marie KLINKENBERG), p. 346-360.

——. « La synecdoque de l'espèce », *Langue et Littérature*, nᵒ 3, 1983, p. 35-51.

——. « Synecdoques du genre ? », *Poétique*, nᵒ 57, févr. 1984, p. 37-52.

——. « Sous les pavés, la plage : autour de la synecdoque du tout », *Poétique*, nᵒ 62, avr. 1985, p. 179-196.

——. « La partie pour le tout », *Langue et Littérature*, nᵒ 4, 1985, p. 33-57.

——. « Métonymies et métaphores adjectivales », *Le français moderne*, vol. LVI, nᵒ 3-4, oct. 1988, p. 193-211.

(Meyer, Bernard), et Balayn, Jean Daniel. « Autour de l'antonomase de nom propre », *Poétique*, n° 46, avr. 1981, p. 183-199.

———. Voir aussi Dubucs, Monique.

Meyer, Michel (s. la dir. de). *Rhétorique et Littérature*, numéro thématique de *Langue française*, n° 79, sept. 1988, 112 p.

Micelli, Silviana. « Stuttura e senso del mito », *Quaderni del circolo semiologico siciliano*, n° 1, 1973.

Miclau, Paul. « La tabularité des métasémèmes », *Degrés*, vol. IX, n° 28, p. c1-c5.

Milic, Louis Tonko. *Style and Stylistics : An Analytical Bibliography*, New York, Free Press, 1967, 199 p.

Minguet, Philippe. « Du rhétorique au poétique », in *Vers une esthétique sans entrave. Mélange offert à Mikel Dufrenne*, Paris, Bourgois, coll. 10 / 18, Esthétique, 1975, p. 90-106.

———. « Rhétorique et poétique », *Zeitschrift für Ästhetik und allgemeine Kunstwissenschaft*, vol. XX, 1975, p. 48-59.

———. « L'isotopie de l'image », in *A Semiotic Landscape / Panorama sémiotique* (s. la dir. de Seymour Chatman, Umberto Eco et Jean-Marie Klinkenberg), actes du Premier Congrès de l'Association internationale de sémiotique (Milan, juin 1974), La Haye, Mouton, coll. Approaches to Semiotics n° 29, 1979, p. 791-794.

———. « Les études rhétoriques aujourd'hui », *Nichifutsu Bunka* (Tokyo), n° 38, janv. 1980, p. 56-68.

———. « Análisis retórico de la poesía », *Acta Poética*, vol. II, 1980, p. 27-32.

———. « Figures de lettres dans la poésie concrète », in *Écritures. Systèmes idéographiques et pratiques expressives* (s. la dir. d'Anne-Marie Christin), Paris, Le Sycomore, 1982, p. 119-143.

———. Voir aussi Édeline, Francis, et Groupe μ.

Missac, Pierre. « Tropes, tics et trucs », *Critique*, n° 378, nov. 1978, p. 1 017-1 033.

Mitterand, Henri. Voir Léon, Pierre R.

Moeschler, Jacques. *Dire et contredire : pragmatique de la négation et acte de réfutation dans la conversation*, Berne / Francfort, P. Lang, coll. Sciences pour la communication n° 2, 1982, 226 p.

MOLINIÉ, Georges. *Éléments de stylistique française*, Paris, Presses universitaires de France, coll. Linguistique nouvelle, 1986, 211 p.

MOLINO, Jean (s. la dir. de). *La Métaphore*, numéro thématique de *Langages*, n° 54, juin 1979, 128 p.

MOREAU, François. *L'Image littéraire : position du problème, quelques définitions*, Paris, Société d'édition d'enseignement supérieur (S. E. D. E. S.), coll. Les images dans l'œuvre de Rabelais n° 1, 1982, 128 p.

MOREL, Mary-Annick. « Pour une typologie des figures de rhétorique : points de vue d'hier et d'aujourd'hui », *Documentation et Recherche en linguistique allemande de Vincennes (D. R. L. A. V.)*, n° 26, 1982, p. 1-62.

MORIER, Henri. *La Psychologie des styles*, Genève, Georg, coll. Analyse et synthèse n° 4, 1959, 384 p.

———. *Dictionnaire de poétique et de rhétorique*, Paris, Presses universitaires de France, 1961, vii-491 p. ; 2ᵉ éd., 1975, 1 211 p.

MORRIS, William. *Foundations of the Theory of Signs*, vol. I, fasc. 2, Chicago, University of Chicago Press, 1938, 59 p.

MULLER, Charles. *Essai de statistique lexicale : L'Illusion comique de P. Corneille*, Paris, Klincksieck, coll. Bibliothèque française et romane, série A : manuels et études linguistiques, 1964, 202 p.

———. *Initiation à la statistique linguistique*, Paris, Larousse, coll. Langue et langage, 1968, 249 p.

———. *Principes et Méthodes de statistique lexicale*, Paris, Hachette, coll. Université / Langue, linguistique, communication, 1977, 206 p.

MURPHY, James Jerome. *Rhetoric in the Middle Ages : A History of Rhetorical Theory from Saint Augustine to the Renaissance*, Berkeley, California University Press, 1974, xiv-395 p.

N

NASTA, Milhail, et ALEXANDRESCU, Sorin. *Poetică şi stilistică : orientări moderne*, Bucarest, Univers, 1972, 702 p.

NESSELROTH, Peter. Voir LÉON, Pierre R.

NYSENHOLC, Adolphe. « Métonymie, synecdoque, métaphore : analyse du corpus chaplinien et théorie », *Semiotica*, vol. XXXIV, n° 3-4, 1981, p. 311-341.

O

ODIN, Roger. « Quelques réflexions sur le fonctionnement des isotopies minimales et des isotopies élémentaires dans l'image », *VS*, n° 14, août 1976, p. 69-91. — Prépublié dans la *Revue de linguistique et sémiologie de l'Université de Lyon*, vol. II, n° 1, 1976.

OLBRECHTS-TYTECA, Lucie. Voir PERELMAN, Chaïm.

OTTEN, Michel. « La lecture comme reconnaissance », *Français 2000*, n° 104, févr. 1982, numéro intitulé *Enseigner les lettres aujourd'hui*, p. 39-48.

OULIPO. *La Littérature potentielle. Créations, re-créations, récréations*, Paris, Gallimard, coll. Idées n° 289, 1973, 308 p. ; rééd., Paris, Gallimard,. coll. Folio / essais n° 95, 1988, 308 p.

———. *Atlas de littérature potentielle*, Paris, Gallimard, coll. Idées n° 439, 1981, 432 p.

———. *La Bibliothèque oulipienne*, Paris, Ramsay, 1987, 2 vol., 378 p. et 394 p.

OULIPO : numéro thématique de *Temps mêlés*, n° 66-67, 1964, iv-42 p.

P

PAGANO, Christian. Voir FAGÈS, Jean-Baptiste.

PÁZ GAGO, José María. « Para acabar con la estilística : por una pragmática de la literatura », *Revista de literatura*, vol. XLIX, n° 98, juill.-déc. 1987, p. 531-540.

PERELMAN, Chaïm. « The New Rhetoric : A Theory of Practical Reasoning », trad. du français par E. GRIFFIN-COLLART et O. BIRD, in *The Great Ideas Today* (s. la dir. de Robert M. HUTCHINS et Mortimer J. ADLER), Chicago, Encyclopædia Britannica, 1970, p. 272-312.

———. *L'Empire rhétorique : rhétorique et argumentation*, Paris, Vrin, coll. Pour demain, 1977, 196 p.

———, et OLBRECHTS-TYTECA, Lucie. *La Nouvelle Rhétorique : traité de l'argumentation*, Paris, Presses universitaires de France, coll. Logos : introduction aux études philosophiques, 1958, 2 vol., 734 p.

PIRE, François. *Textwissenschaft und Textanalyse. Semiotik, Linguistik, Rhetorik*, Heidelberg, Quelle & Meyer, coll. UTB n° 328, 1975, 354 p.

(PIRE, François), s. la dir. de. *Rhetorik : Kritische Positionen zum Stand der Forschung*, Munich, Wilhelm Fink, coll. Kritische Information, 1977, 311 p.

——. « Rhetoric and Rhetorics », *Philosophy and Rhetoric*, vol. XIII, n° 3, été 1980, p. 147-159.

——. « Rhétorique et stylistique », in *Théorie de la littérature* (s. la dir. d'Aron KIBÉDI VARGA), Paris, Picard, coll. Connaissance des langues n° 14, 1981, p. 139-176.

——. Voir aussi GROUPE μ.

PONZIO, Augusto. *Produzione linguistica e Ideologia sociale. Per una teoria marxista del linguaggio e della communicazione*, Bari, De Donato, coll. Ideologia e società, 1973, 256 p.

POSNER, Rebecca. « Linguistique et littérature », *Marche romane*, vol. XIII, n° 2, 1963, p. 38-56.

POSTAL, Paul M. Voir KATZ, Jerrold J.

POZUELO YVANCOS, José María. *La Lengua literaria*, Málaga, Ágora, coll. Cuadernos de lingüística n° 3, 1983, 164 p. ; nouv. éd. corr. et augm., publ. s. le titre *Teoría del lenguaje literario*, Madrid, Cátedra, coll. Crítica y estudios literarios, 1988, 296 p.

——. *Del formalismo a la neorretórica*, Madrid, Éd. Taurus, coll. Teoría y crítica literaria, 1988, 232 p.

LA PRAGMATIQUE (s. la dir. d'Anne-Marie DILLER et de François RÉCANATI) : *Langue française*, n° 42, mai 1979, 112 p.

[*PROBLÈMES DE LA SYNECDOQUE* (s. la dir. de Jean-Marie KLINKENBERG] : *Le français moderne*, vol. LI, n° 4, oct. 1983, p. 289-360.

PROPP, Vladimir Iakovlevich. *Morphologie du conte*, suivi de *Les Transformations des contes merveilleux* et de E. MÉLÉTINSKI, *L'Étude structurale et typologique du conte*, trad. du russe par Marguerite DERRIDA, Tzvetan TODOROV et Claude KAHN, Paris, Éd. du Seuil, coll. Poétique, 1970, 254 p. [L'original russe date de 1928.]

Q

QUENEAU, Raymond. *Cent mille milliards de poèmes*, postf. de François LE LIONNAIS, Paris, Gallimard, 1961, n. p.

——. *Bâtons, Chiffres et Lettres*, 2e éd. rev. et augm., Paris, Gallimard, coll. Idées n° 70, 1965, 370 p.

R

RASTIER, François. « Systématique des isotopies », in *Essais de sémiotique poétique* (s. la dir. de Algirdas Julien GREIMAS et Michel ARRIVÉ), Paris, Larousse, coll. L, 1972, p. 80-106.

——. *Essais de sémiotique discursive*, Tours, Mame, coll. Univers sémiotique, 1973, 230 p.

——. *Le Développement du concept d'isotopie*, postf. de Michel ARRIVÉ, contre-note de Joseph COURTÈS, Paris, Actes sémiotiques, Documents du G. R. S. L., vol. III, n° 29, 1981, 48 p.

——. « Paradigmes et isotopies », *Actes sémiotiques*, vol. V, n° 2, 1982, p. 8-10.

——. « Isotopies et impressions référentielles », *Fabula*, vol. I, n° 2, 1983, p. 107-120.

——. *Sémantique interprétative*, Paris, Presses universitaires de France, coll. Formes sémiotiques, 1987, 276 p.

RAYMOND QUENEAU (s. la dir. d'Andrée BERGENS) : *Cahiers de l'Herne*, n° 29, 1975, 392 p.

REBOUL, Olivier. *Le Slogan*, Bruxelles, Éd. Complexe, coll. L'humanité complexe, 1975, 160 p.

——. *La Rhétorique*, Paris, Presses universitaires de France, coll. Que sais-je ? n° 2 133, 1984, 125 p.

RÉCANATI, François, et DILLER, Anne-Marie (s. la dir. de). *La Pragmatique*, numéro thématique de *Langue française*, n° 42, mai 1979, 112 p.

RECHERCHES RHÉTORIQUES : numéro thématique de *Communications*, n° 16, 1970, 244 p.

RECHERCHES SÉMIOLOGIQUES : L'ANALYSE STRUCTURALE DU RÉCIT : numéro thématique de *Communications*, n° 8, 1966, 172 p.

RECHERCHES SÉMIOLOGIQUES : LE VRAISEMBLABLE (s. la dir. de Tzvetan TODOROV) : *Communications*, n° 11, 1968, 168 p.

REICHLER-BEGELIN, Marie-José. « Pour une rhétorique des contenus implicites. L'exemple des mots d'esprit », *Études de lettres*, numéro intitulé *Linguistique française*, janv.-mars 1987, p. 7-23.

REY-DEBOVE, Josette. *Sémiotique*, Paris, Presses universitaires de France, coll. Lexique, 1979, 156 p.

RHÉTORIQUE ET LITTÉRATURE (s. la dir. de Michel MEYER) : *Langue française*, nº 79, sept. 1988, 112 p.

RICŒUR, Paul. *La Métaphore vive*, Paris, Éd. du Seuil, coll. L'ordre philosophique, 1975, 413 p.

RIFFATERRE, Michael. *Le Style des* Pléiades *de Gobineau : essai d'application d'une méthode stylistique*, Paris, Genève, Droz, Minard / New York, Columbia University Press, 1957, 239 p.

———. « Problèmes d'analyse du style littéraire », *Romance Philology*, vol XIV, nº 3, févr. 1961, p. 216-227.

———. « La métaphore filée dans la poésie surréaliste », *Langue française*, numéro intitulé *La Stylistique*, nº 3, sept. 1969, p. 46-60.

———. *Essais de stylistique structurale*, partiellement trad. de l'amér. et prés. par Daniel DELAS, Paris, Flammarion, coll. Nouvelle bibliothèque scientifique, 1971, 364 p.

———. « Modèles de la phrase littéraire », in *Problèmes de l'analyse textuelle / Problems of Textual Analysis* (s. la dir. de Pierre R. LÉON, Henri MITTERAND, Peter NESSELROTH et Pierre ROBERT), LaSalle (Québec), Didier Canada / Philadelphie, The Center for Curriculum Development, 1971, p. 133-151.

———. « The Poetic Functions of Intertextual Humor », *The Romanic Review*, vol. LXV, nº 4, nov. 1974, p. 278-293.

———. « Semantic Overdetermination in Poetry », *P.T.L. : A Journal for Descriptive Poetics and Theory of Literature*, nº 2, 1977, p. 1-19.

———. *Sémiotique de la poésie*, trad. de l'amér. par J.-J. THOMAS, Paris, Éd. du Seuil, 1983, 256 p.

ROBERT, Pierre. Voir LÉON, Pierre R.

RUTTEN, Mathieu. « Retoriek en poëtiek », *Forum der letteren*, vol. XV, nº 1, mars 1974, p. 53-71.

RUWET, Nicolas. « Limites de l'analyse linguistique en poétique », *Langages*, nº 12, déc. 1968, numéro intitulé *Linguistique et Littérature* (s. la dir. de Roland BARTHES), p. 56-70.

———. *Langage, Musique, Poésie*, Paris, Éd. du Seuil, coll. Poétique, 1972, 256 p.

———. « Synecdoques et métonymies », *Poétique*, nº 23, sept. 1975, numéro intitulé *Rhétorique et Herméneutique* (s. la dir. de Gérard GENETTE et Tzvetan TODOROV), p. 371-388.

S

SASU, Aurel. « Retorica. Preliminarii la o istorie a conceptului », *Cercetări de lingvistică*, vol. XVIII, n° 2, 1973, p. 313-320.

SATO, Nobuo. « Synecdoque, un trope suspect », in *Rhétoriques, Sémiotiques* (s. la dir. du GROUPE μ [Jacques DUBOIS, Philippe DUBOIS, Francis ÉDELINE, Jean-Marie KLINKENBERG et Philippe MINGUET]), Paris, Union générale d'éditions, coll. 10 / 18 n° 1324, 1979, p. 116-127.

SAUSSURE, Ferdinand de. *Cours de linguistique générale*, 5ᵉ éd. , publ. par Charles BALLY et Albert SECHEHAYE, avec la collab. d'Albert RIELDINGER, Paris, Payot, coll. Études et documents Payot, 1960, 331 p.

SAYCE, Richard A. *Style in French Prose : A Method of Analysis*, Oxford, Clarendon Press, 1958, 155 p.

———. « The Definition of the Term " Style " », in *Actes du IIIᵉ Congrès de l'Association internationale de littérature comparée*, La Haye, Mouton, 1962, p. 156-166.

SCHIAFFINI, Alfredo. « Rivalutazione della retorica », *Zeitschrift für romanische Philologie*, n° 78, 1962, p. 503-518.

———. Voir aussi SPITZER, Léo.

SCHIFKO, Peter. « L'interprétation sémantico-pragmatique de l'écart », *Le français moderne*, vol. LVI, n° 1-2, avr. 1988, p. 16-32.

SCHMIDT-RADEFELDT, Jürgen. *Paul Valéry linguiste dans les « Cahiers »*, Paris, Klincksieck, coll. Bibliothèque française et romane, série C, études littéraires n° 26, 1970, 202 p.

SCHMITZ, Jean-Pierre. « Synecdoque et focalisation sémique », *Le français moderne*, vol. LI, n° 4, oct. 1983, numéro consacré à la synecdoque (s. la dir. de Jean-Marie KLINKENBERG), p. 309-323.

SEARLE, John R. *Les Actes de langage. Essai de philosophie du langage*, trad. de l'angl. par Hélène PAUCHARD, Paris, Hermann, coll. Savoir, 1972, 264 p.

SEBEOK, Thomas A. (s. la dir. de). *Style in Language*, Cambridge (Mass.) M. I. T. Press / New York, J. Wiley & Sons, 1960, xvii-470 p.

SEGRE, Cesare. « Culture and Modeling Systems », *Critical Inquiry*, vol. IV, n° 3, print. 1978, p. 525-537.

SEIDLER, Herbert. *Allgemeine Stilistik*, 2ᵉ éd., Göttingen, Vanderhoeck & Ruprecht, 1963 [1956], 359 p.

SÉMIOTIQUES TEXTUELLES (s. la dir. de Michel ARRIVÉ et Jean-Claude COQUET) : *Langages*, n° 31, sept. 1973, 126 p.

SEMPOUX, André. « Notes sur l'histoire des mots " style " et " stylistique " », *Revue belge de philologie et d'histoire*, vol. XXXIX, n° 34, 1961, p. 736-746.

SERVIEN, Pius. *Le Langage des sciences*, Paris, Blanchard, 1931 ; nouv. éd., Paris, Hermann, coll. Actualités scientifiques, 1939.

———. *Principes d'esthétique : problèmes d'art et langage des sciences*, Paris, Boivin et Cⁱᵉ, 1935, viii-228 p.

———. *Science et Poésie*, Paris, Flammarion, coll. Bibliothèque de philosophie scientifique, 1957 [1947], 249 p.

SHIBLES, Warren A. *An Analysis of Metaphor in the Light of W. M. Urban's Theory*, La Haye, Mouton, coll. De proprietatibus litterarum, 1971, 172 p.

———. *Metaphor : An Annotated Bibliography and History*, Whitewater (Wisconsin), The Language Press, 1971, 414 p.

SILINGARDI, Germana. « La catégorie du contenu conceptuel dans la distinction classique synecdoque-métonymie », *Le français moderne*, vol. LI, n° 4, oct. 1983, numéro consacré à la synecdoque (s. la dir. de Jean-Marie KLINKENBERG), p. 300-308.

SOJCHER, Jacques. *La Démarche poétique*, essai, Lausanne, Éd. Rencontre, coll. Solstices, 1969, 232 p.

SØRENSEN, Hans. *La Poésie de Paul Valéry. Étude stylistique sur « La Jeune Parque »*, Aarhus (Danemark), Universitetsforlaget, 1944, 382 p.

SOUPAULT, Philippe. Voir BRETON, André.

SPERBER, Dan. *Le Symbolisme en général*, Paris, Hermann, coll. Savoir, 1974, 163 p.

———. « Rudiments de rhétorique cognitive », *Poétique*, n° 23, sept. 1975, numéro intitulé *Rhétorique et Herméneutique* (s. la dir. de Gérard GENETTE et Tzvetan TODOROV), p. 389-415.

———, et WILSON, Deirdre. « Remarques sur l'interprétation des énoncés selon Paul Grice », *Communications*, n° 30, 1979, numéro intitulé *La Conversation*, p. 80-94.

SPILLNER, Bernd. *Linguistik und Literaturwissenschaft. Stilforschung, Rhetorik, Textlinguistik*, Berlin / Cologne / Mayence / Stuttgart, Kohlhammer, 1971, 148 p.

──. « The Relevance of Stylistic Methods for Sociolinguistics », *International Association of Applied Linguistics, Third Congress*, vol. II, *Applied Socio-Linguistics* (s. la dir. d'Albert VERDOODT), Heidelberg, Julius Groos, 1974, p. 172-183.

SPITZER, Léo. *Linguistics and Literary History : Essays in Stylistics*, Princeton, Princeton University Press, 1948, 236 p. ; rééd. New York, Russel & Russel, 1962, 236 p.

──. *Critica stilistica e Storia del linguaggio. Saggi raccolti*, préf. d'Alfredo SCHIAFFINI, Bari, Laterza, coll. Biblioteca di cultura moderna nᵒ 508, 1956, 385 p.

──. « Les études de style et les différents pays », *Langue et Littérature*. actes du VIIIᵉ Congrès de la F. I. L. L. M., Paris, Éd. Les Belles Lettres, 1961, p. 23-39.

──. *Essays on English and American Literature*, textes rassemblés par Anna HATCHER, av.-pr. de Henri PEYRE, Princeton, Princeton University Press, 1962, xvii-290 p.

──. *Études de style*, précédé de *Léo Spitzer et la Lecture stylistique*, par Jean STAROBINSKI, Paris, Gallimard, coll. Bibliothèque des idées, 1970, 535 p.

SPOERRI, Théophile. « Éléments d'une critique constructive », *Trivium*, vol. VIII, 1950, p. 165-187.

STENDER-PETERSEN, A. « Esquisse d'une théorie structurale de la littérature », *Travaux du Cercle linguistique de Copenhague*, vol. V 1949, p. 277-287.

STRATÉGIES DISCURSIVES, actes du colloque du Centre de recherches linguistiques et sémiologiques de l'Université de Lyon (Lyon, 20-22 mai 1977), Presses universitaires de Lyon, coll. Linguistique, 1978, 287 p.

STRIEDTER, Jurij. « Zur formalistischen Theorie der Prosa und der literarischen Evolution », in KOŚNI, Witold (s. la dir. de), *Texte der russischen Formalisten,* vol. I, *Texte zur allgemeinen Literaturtheorie und zur Theorie der Prosa*, Munich, W. Fink, coll. Theorie und Geschichte der Literatur und der schönen Künste nᵒ 6, 1969, p. ix-lxxxiii.

LA STYLISTIQUE (s. la dir. de Michel ARRIVÉ et Jean-Claude CHEVALIER) : *Langue française*, n° 3, sept. 1969, 128 p.

SUMPF, Joseph. *Introduction à la stylistique du français*, Paris, Larousse, coll. Sciences humaines et sociales, 1971, 187 p.

——, et DUBOIS, Jean (s. la dir. de). *L'Analyse du discours*, numéro thématique de *Langages*, n° 13, mars 1969, 122 p.

——. Voir aussi DUBOIS, Jean.

T

TAMBA-MECZ, Irène. *Le Sens figuré. Vers une théorie de l'énonciation figurative*, Paris, Presses universitaires de France, coll. Linguistique nouvelle, 1981, 200 p.

TERRACINI, Benvenuto. *Analisi stilistica. Teoria, Storia, Problemi*, 2ᵉ éd., Milan, Feltrinelli, coll. Critica e filologia n° 3, 1975 [1966], 413 p.

THOMPSON, Ann, et THOMPSON, John O. *Shakespeare. Meaning and Metaphor*, Brighton, The Harvester Press, 1987, 228 p.

TODOROV, Tzvetan. *Théorie de la littérature : textes des formalistes russes*, Paris, Éd. du Seuil, coll. Tel Quel, 1966, 320 p.

——. *Littérature et Signification*, Paris, Larousse, coll. Langue et langage, 1967, 119 p.

——. *Grammaire du « Décaméron »*, La Haye, Mouton, coll. Approaches to Semiotics n° 3, 1969, 100 p.

—— (s. la dir. de). *L'Énonciation*, numéro thématique de *Langages*, n° 17, mars 1970, 122 p.

——. « Problèmes de l'énonciation », *Langages*, n° 17, mars 1970, numéro intitulé *L'Énonciation* (s. la dir. de Tzvetan TODOROV), p. 3-11.

——. *Introduction à la littérature fantastique*, Paris, Éd. du Seuil, coll. Poétique, 1970, 187 p.

——. « Synecdoques », *Communications*, n° 16, 1970, numéro intitulé *Recherches rhétoriques*, p. 26-35.

——. « Les études de style. Bibliographie sélective », *Poétique*, n° 2, 1970, p. 224-232.

——. « Introduction à la symbolique », *Poétique*, n° 11, sept. 1972, p. 273-308.

(Todorov, Tzvetan). « L'étrange cas de Mlle Hélène Smith (pseudonyme) », *The Romanic Review*, vol. LXIII, n° 2, avr. 1972, p. 83-91.

———. *Poétique de la prose*, Paris, Éd. du Seuil, coll. Poétique, 1974, 252 p. ; repris s. le titre *Poétique de la prose (choix)*, suivi de *Nouvelles Recherches sur le récit*, Paris, Éd. du Seuil, coll. Points n° 120, 1980, 192 p.

———. *Théories du symbole*, Paris, Éd. du Seuil, coll. Poétique, 1977, 375 p.

———. *Symbolisme et Interprétation*, Paris, Éd. du Seuil, coll. Poétique, 1978, 176 p.

———. Voir aussi Ducrot, Oswald.

Trinon, Hadelin. Voir Groupe μ.

U

Ullmann, Stephen. « Psychologie et stylistique », *Journal de psychologie*, avr.-juin 1953, p. 133-156.

———. « Sémantique et stylistique », in *Mélange de linguistique romane et de philologie médiévale offert à Maurice Delbouille*, vol. I, *Linguistique romane*, Gembloux, Duculot, 1964, p. 635-652.

V

Vaina-Puscă. « Pour une hiérarchie des isotopies du contenu d'un texte poétique », *Cahiers de linguistique théorique et appliquée*, vol. XI, n° 2, 1974, p. 317-326.

Vajda, András. « Contribution à une rhétorique de la poésie moderne », *Acta Litteraria Academiae Scientiarum Hungaricae*, n° 25, n° 3-4, 1983, p. 289-296.

Van Dijk, Teun A. « Aspects d'une théorie générative du texte poétique », in *Essais de sémiotique poétique* (s. la dir. de Algirdas Julien Greimas et de Michel Arrivé), Paris, Larousse, coll. L, 1972, p. 180-206.

———. *Some Aspects of Text Grammars : A Study in Theoretical Linguistics and Poetics*, La Haye, Mouton, coll. Janua linguarum studia memoriae Nicolai Van Wijk dedicata, Series Maior, vol. LXIII, 1972, 377 p.

(VAN DIJK, Teun A.). « Modèles génératifs en théorie littéraire », in *Essais de la théorie du texte* (s. la dir. de Charles BOUAZIS *et al.*), Paris, Éd. Galilée, coll. À la lettre, 1973, p 79-99.

——. *Tekstwetenschap. Een interdisciplinaire inlèiding*, Utrecht, Anvers, Het Spectrum, coll. Aula n° 633, 1978, 328 p.

——. Voir aussi BOUAZIS, Charles, *et al.*

VAN NOPPEN, Jean-Pierre. *Publications on Metaphor after 1970 : A Preliminary Bibliography : Linguistic Approaches and Issues*, Bruxelles, Université Libre de Bruxelles, coll. Brussels Pre-prints in Linguistics n° 7, 1981, 79 p.

VERBRUGGE, Robert R., et MCCARRELL, Nancy S. « Metaphoric Comprehension : Studies in Reminding and Resembling », *Cognitive Psychology*, n° 9, 1977, p. 494-533.

VERSCHUEREN, Jef. *Pragmatics : An Annotated Bibliography*, Amsterdam, J. Benjamins, coll. Amsterdam Studies in the Theory and History of Linguistic Science, série V : Library and Information Sources in Linguistics n° 4, 1978, xvi-270 p.

VÍGH, Árpád. « A Liège-i retorika [La rhétorique de Liège] », *Helikon*, vol. XXIII, n° 1, 1977, p. 140-149.

—— (s. la dir. de). *A Retorika újjászületése* [La Renaissance de la rhétorique], numéro de *Helikon*, vol. XXIII, n° 1, 1977, 219 p.

——. « L'histoire et les deux rhétoriques », in *Rhétoriques, Sémiotiques* (s. la dir. du GROUPE μ [Jacques DUBOIS, Philippe DUBOIS, Francis ÉDELINE, Jean-Marie KLINKENBERG et Philippe MINGUET]), Paris, Union générale d'éditions, coll. 10 / 18 n° 1 324, 1979, p. 11-37.

——. Voir aussi GROUPE μ.

VIGNAUX, Georges. *L'Argumentation : essai d'une logique discursive*, Paris, Droz, coll. Langue et cultures n° 7, 1976, 340 p.

VOLLI, Ugo, CALABRESE, Omar, et MAGLI, Patrizia (s. la dir. de). *Bibliographia semiotica*, numéro thématique de *VS*, n°s 8-9, 1974, 280 p.

VOSSLER, Karl. « Benvenuto Cellinis Stil in seiner *Vita*. Versuch einer psychologischen Stilbetrachtung », *Festgabe Gröber*, Halle, Niemeyer, 1899.

——. « Stil, Rhytmus und Reim in ihrer Wechselwirkung bei Petrarca und Leopardi », in *Miscellanea di studi critici in onore di Arturo Graf*, Bergamo, Arti Grafiche, 1903.

WILSON, Deirdre. Voir SPERBER, Dan.

WOLF, Mauro. Voir BALDI, Paolo.

YÜCEL, Tashin. *L'Imaginaire de Bernanos*, Istanbul, Éd. de la Faculté des lettres d'Istanbul, 1969, 125 p.

ZANCANELLA, V. *Psicologia analitica dello stile*, Ferrara, Tadei, 1948.

ZILBERBERG, Claude. *Une lecture des « Fleurs du Mal »*, Paris, Mame, coll. Univers sémiotiques, 1972, 198 p.

ZUMTHOR, Paul. *Langue, Texte, Énigme*, Paris, Éd. du Seuil, coll. Poétique, 1975, 272 p.

INDEX DES NOTIONS

actant : 37, 62.

actio : 43.

action : 4, 37, 134.

adjonction : 34, 54, 62, 76, 143, 146; *voir aussi* opération rhétorique.

affectif : 85 ; *voir aussi* pathème, pathéticité.

agrammatical(e) : 102 ; *voir aussi* phrase —.

aléatoire : 166, 167.

allégorie : 54.

allotopie : 112-114, 147, 153, 156 ; *voir aussi* écart, isotopie(s).

ambiguïté : 72, 79, 86, 90, 92 ; *voir aussi* polysémie.

analogie, analogique : 48, 133, 134, 137 ; pensée — : 129 ; *voir aussi* similarité.

analyse du discours : *voir* discours ; *voir aussi* sème.

anaphore : 56, 146 (n. 9).

antanaclase : 90.

anthropocentrisme : 155.

anthropologie : 5, 37, 63, 107, 111, 118 ; *voir aussi* mythe.

anthropos : 117, 118, 120, 121.

antimétabole : 55.

antiphrase : 55.

antipoésie : 127 ; *voir aussi* poème, poésie.

antirhétorisme : 45 ; *voir aussi* rhétorique.

antonomase : 54.

aphasie : 51.

aphorisme : 129.

arbitraire : 81, 86, 102 ; *voir aussi* motivation.

archaïsme : 16.

archétype : 119, 134.

argot : 38, 62 (n. 38), 110.

argumentation : 47, 50, 64, 132, 173 ; *voir aussi* discours, rhétorique.

art : 23, 38, 168.

article défini : 107, 148.

articulation : 152 ; double — : 53.

automatisme : 128.

autotélisme : 35, 45 (n. 7), 74, 82, 86, 100, 130.

avant-garde : 2, 45 (n. 7), 125-128 ; *voir aussi* texte.

axiomatisation : 35, 83, 92.

bande dessinée : 38.

baroquisme : 47, 76.

base : 60 (n. 34), 147.

bible : 165.

bi-isotopie : 114-115 ; *voir aussi* poly-isotopie.

binarisme : 150 (n. 15).

biographie : 62 (n. 38).

bi-univocité : 5, 35, 81 ; *voir aussi* logique.

catachrèse : 76.

catégorie : 4, 117, 120 ; — esthétique : *voir aussi* esthétique.

cercle philologique : 25 ; *voir aussi* philologie.

champ : 96 (n. 13), 112, 113, 115 ; *voir aussi* isotopie(s).

chiasme : 56.

chleuasme : 46.

choix : 17, 148, 166, 171 ; *voir aussi* variante libre.

cinéma : 38, 62 (n. 38), 112.

citation : 35.

classe logique : 58, 148, 151 ; *voir aussi* ensemble, logique.

classématique : combinaison — : 94 ; catégorie — : 117.

classème : 57, 60, 92, 96, 117 ; — contextuel : 156.

classement : 42, 47, 173 ; *voir aussi* taxinomie.

cliché : 36.

clôture : 20, 101 ; — du texte : 5, 82, 86 ; *voir aussi* ouverture, texte.

code : 3, 4, 5, 18, 37, 51, 57, 74, 77, 79, 126, 134, 142, 143.

cognition : 58.

cohérence : 146; — sémantique : 89 ; *voir aussi* isotopie(s).

combinaison, combinatoire : 164, 166, 168 ; *voir aussi* syntagmatique, syntagme.

communication : 2, 3, 4, 5, 13, 32, 46 (n. 8), 49, 50, 61, 73, 81, 85, 130, 141, 147 ; théorie de la — : 2 ; *voir aussi* destinataire, émetteur, information, récepteur.

commutation : 102, 152, 153, 154 ; *voir aussi* substitution.

comparaison : 129.

complétude : 104.

composition : 31.

conatif : 101.

condensation : 144; *voir aussi* densité.

connaissance : 109, 147, 154 ; *voir aussi* encyclopédie.

connexion, connecteur : 90, 94 (n. 11), 115, 116, 117, 136 ; *voir aussi* embrayeur, isotopie(s), médiation, poly-isotopie.

connotation : 4, 29, 37, 74, 113.

conte : 36; *voir aussi* récit.

contenu : 31, 74, 101, 103, 117, 129; *voir aussi* forme, implicite, isomorphisme, sémantique, sens, signe, signification, signifié, substance.

contexte : 4, 30, 57, 60, 103, 147, 148, 149, 173 ; *voir aussi* classème.

contiguïté : 50, 150, 151.

continu : 84, 86, 87.

contradiction : 93, 104, 109, 116, 120, 130, 172 ; *voir aussi* opposition.

contraste : 30 ; *voir aussi* écart.

conversion : 102.

coopération : 50, 148 ; principe de — : 148 ; *voir aussi* émetteur, pragmatique.

cosmos : 117, 120, 121.

couleur : 172.

création, créateur : 4, 85 ; acte — : 33; pouvoir — : 101.

criticisme stylistique : 21-27 ; *voir aussi* critique littéraire, *stylolinguistics*.

critique littéraire : 11, 12, 21, 22, 25, 32, 71, 126; *voir aussi* criticisme stylistique, psychocritique (*s. v.* psychologie).

décodage : 147.

découpage Π et Σ : 34, 58, 59, 144, 150, 151, 153, 159 ; *voir aussi* référence, sème, sémème.

degré donné, perçu, manifesté, conçu, construit : 57, 58, 60, 79, 144, 147, 153, 157 ; — zéro : 60 (n. 34), 75, 79, 135, 147 ; *voir aussi* écart, norme, sens, teneur, tension rhétorique, véhicule.

délibératif : 44 ; *voir* discours.

denotatum : 151.

densité : 74, 87, 90 ; *voir aussi* condensation.

désambiguïsation : 79 (n. 14).

description : 133, 134, 136 ; — sémantique : 20, 155, 156 ; — littéraire : 21; — stylistique : 20 ; *voir aussi* sémantique.

designatum : 151.

destinataire : 51 ; *voir aussi* communication, réception.

déterminant : 172.

déviation : 60 (n. 34), 102.

dialectique : 43, 45.

dialogue : 50, 51.

dictionnaire : 55, 155-158.

didactique : 27 (n. 52), 45.

discours : 4, 5, 14, 27, 31, 34 (n. 69 et 70), 35, 38, 43, 47, 48, 49, 53, 61, 75, 91, 101, 114, 119, 141 ; analyse du — : 20, 27 (n. 52), 36, 37, 74, 81, 111 ; — antérieur : 27 (n. 52), 143, 156, 160 ; — délibératif : 44 ; — épidictique : 44 ; étapes du — : 43 ; — idéologique : *voir* idéo-logie ; — judiciaire : 43 ; — littéraire : *voir* littérature ; médiation discursive : 117 ; phase du — : 43, 44 ; science du — : *voir* science ; — stylistique : 27 (n. 52) ; typologie des — : 43, 44, 74, 81, 104, 111 ; *voir aussi* argumentation, énoncé, production, proposition, rhétorique, texte.

discret : 86, 87.

disjonction : 58.

dispositio : 43, 63.

disposition : 49.

distance : 149.

distributionnelles (règles) : 59.

drame : 31 ; *voir aussi* tragique.

écart : 17, 18, 52, 74, 75-79, 104, 127, 147 ; *voir aussi* allotopie, contraste, degré, impertinence, norme, réévaluation, rupture, subversion, tension rhétorique.

école : 36.

économie : 80.

écriture : 33, 37, 77.

effet(s) : 41, 111 ; — de contexte : 160 ; — euphoristique : 120 ; — par évocation : 14 ; — figural : 150 ; — naturel : 14 ; *voir aussi* stylistique des —.

ellipse : 55, 151.

elocutio : 43, 44, 48, 51, 53, 61, 63, 64, 66, 67, 132 (n. 15) ; *voir aussi* figure.

embrayeur(s) : 4, 94 (n. 11), 106 ; — d'isotopies : *voir* connection.

émetteur : 4, 169, 170, 171 ; *voir aussi* communication, coopération.

émotionalisation : 31.

empirisme : 154.

encodage : 30.

encyclopédie : 3, 57, 67, 142, 149, 155-160 ; encyclopédique : 49, 61, 153 ; *voir aussi* connaissance, ethnologie, isotopie(s), mythologie, représentation.

énoncé(s) : 4, 5, 14, 17, 37, 49, 57, 72, 147, 148 (n. 12), 153, 169, 170, 171, 172 ; interprétation des — : 66, 148 (n. 12), 153 ; — rhétorique : 60, 142, 147, 153, 160 ; typologie des — : 37 ; *voir aussi* discours, interprétation, rhétorique.

énonciation : 4, 14, 17, 20, 37, 57, 58, 112, 141, 148 (n. 12), 172 ; *voir aussi* pragmatique.

ensemble : 133, 151, 153, 154, 156, 157, 159, 160 ; — englobant : 59, 131, 158-159 ; *voir aussi* classe.

enthymème : 43.

épanorthose : 54.

épidictique : *voir* discours —.

épique : 31.

équivalence : 51, 74, 133.

essai : 23.

esthétique(s) : 12, 21, 23, 29, 62, 71, 77, 101, 112, 129, 166; catégories — : 121.

ethnologie : 30, 62; *voir aussi* encyclopédie.

ethos poétique : 173.

euphémisme : 55.

évocation : *voir* archaïsme, effet(s).

exclusion : 151.

expansion : 37, 91, 102.

expression : 23, 29, 31, 45, 74, 84, 85, 101, 103, 104, 129 ; *voir aussi* signe, signifiant.

extéroceptivité : 117.

fait divers : 38.

fantastique : 136.

fatrasie : 126, 127.

feed-back, feed forward : 57, 113.

fermeture : 103.

figuralité : 110, 145.

figure : 42, 45, 51-61, 63, 74, 104, 115, 116, 128, 129, 144, 147, 148, 151 ; métaphorique : 151 (n. 19) ; — de pensée : 54 ; — phonique : 103 ; — syntaxique : *voir* syntaxe ; *voir aussi elocutio,* métabole, métaplasme, métasémème, métataxe, trope.

figuré : 79, 133.

folklore : 62.

fonction : 19, 29, 62, 99 ; — conative : 101 ; — ornementale : 133 ; — phatique : 101 ; — poétique : 52, 73, 99, 112, 199 ; *voir aussi* poésie, poétique.

fonctionnalité : 19.

formalisme : 28, 45 (n. 7), 46 (n. 8), 64, 73.

forme : 24, 29, 87, 129, 168 ; bonne — : 122 (n. 47); — du contenu : 31, 101, 117 ; — de l'expression : 31, 99 ; — plastique : 172.

futurisme : 45 (n. 7).

généralisation : 148.

genre : 31, 36, 77, 133-137 ; — narratif : *voir* narration ; *voir aussi* littérature, poésie, roman, tragique.

Gestalt : 87, 108 ; —*psychologie :* 122

(n. 47) ; *voir aussi* perception.

geste : 171 ; *voir aussi* kinésique.

glossématique : 29 ; *voir aussi* linguistique.

glossolalie : 110.

grammaire : 16 (n. 11), 43, 70, 72, 73, 142 ; — générative, transformationnelle : 50, 72, 73, 102, 103, 142 ; — du récit : 36 ; — transphrastique : *voir* transphrastique ; — universelle : 33 ; *voir aussi* transformation.

graphie : 62 ; *voir aussi* typographie.

haïkaïsation : 164.

hasard : 167.

herméneutique : 47, 60 (n. 34), 116 ; *voir aussi* interprétation.

histoire : 16, 23, 32, 65 ; — de la langue : 16.

homonymie : 35, 83, 84, 85, 86, 90, 96 (n. 16).

hypallage : 56.

hyperbate : 56.

hyperbole : 54, 56.

hypothèse Sapir-Whorf : 117.

icône, iconisme : 34, 61 (n. 36), 170, 171 ; unités iconiques : *voir* unité ; *voir aussi* signe, visuel.

idéalisme : 5, 33, 77; *voir aussi* positivisme.

idéologie : 2, 6, 11, 37, 64, 118.

image : 42, 129, 130, 131 ; — fixe : 172 ; — mobile : 172 ; — visuelle : 61 (n. 36), 172 ; *voir aussi* visuel.

immanence : 4.

immotivation : 107.

impertinence : 52, 57, 59, 96, 105,

114 ; — classématique : 59, 76 ; — distributionnelle : 57, 58 ; *voir aussi* écart, pertinence.

implicite : 141 ; *voir aussi* présupposition.

inclusion : 151.

inférence : 50.

information : 82, 86 104 ; — seconde : 19 ; théorie de l’— : 18, 19, 30, 95, 168 ; *voir aussi* communication.

instrumentalisation : 31.

intelligence artificielle : 89.

intention(s) : 47 ; *voir aussi* stylistique des —.

intéroceptivité : 117.

interprétation, interprétatif : 28, 50, 148 (n. 12), 153, 160-161 ; *voir aussi* énoncé, herméneutique.

intersection : 59, 133, 134, 144, 156, 157 ; — nulle : 130.

intertextualité, intertexte : 27 (n. 52), 36, 127, 143, 173.

intraductibilité : 85 ; *voir aussi* traduction.

intransitivité : 81.

intuition : 23, 167.

invariant : 57.

inventio : 43, 63.

ironie : 36.

isomorphisme : 103, 164 ; *voir aussi* contenu.

isopathie : 107, 116.

isophonie : 94, 95.

isoplasmie : 94, 95.

isosémie : 94, 95.

isotaxie : 94, 95.

isotopie(s) : 2, 7, 37, 57, 82, 91-95, 113, 114, 117, 120, 135, 136,

137, 147, 149, 164, 167, 172 ;
— collective : 93, 117 (*voir aussi*
encyclopédie) ; — métaphorique,
verticale : 94 ; — métasémémique : 94 ; — orthosémémique :
94, 95 ; — sémémique, horizon-
tale : 94 ; variation isotopique :
voir poly-isotopie ; *voir aussi*
allotopie, champ, cohérence,
connexion, métaphore, norme,
signification, stylistique des —,
super —.
isovocalisme : 164.

jeu de mots : 104, 110 ; *voir aussi*
mot(s).
judiciaire : 43 ; *voir aussi* discours —.
jugement : *voir* discours judiciaire,
valeur.

kinésique : 170, 171 ; *voir aussi*
geste, sémiotique.

langage : 13, 74, 83-84 ; — littéraire :
15 ; — lyrique : 35, 81, 84 ; —
poétique : 2, 5, 7, 29, 71-87 ;
— scientifique et mathématique : 5, 81, 84, 86 ; — symbolique : 34 ; *voir aussi* littérature,
lyrique, mathématique, poésie,
poétique, science.
langue : 3, 13, 14, 15, 16, 28, 33, 72,
84, 105 ; — d'auteur ; — écrite :
16, 17 ; — littéraire : 14, 15, 17 ;
niveaux de — : 171.
lecture : 31, 49, 77, 79, 92, 95, 107,
112-116, 121 ; — linéaire : 2,
96 ; — tabulaire : 97, 116 ; *voir
aussi* relecture, rhétorique, texte.
lexème : 91, 96 (n. 13).

lexique : 91 ; — abstrait : 58 ; —
concret : 58.
lieux : 43.
linéaire : 87, 109.
linguistique : 1, 2, 3, 4, 6, 12, 13, 17
(n. 13), 19, 21, 22, 27, 29, 37,
38, 45, 62, 64, 67, 74, 77, 100,
111, 141, 160, 161, 168 ; — générative : 19, 72 (*voir aussi* grammaire, stylistique) ; psycho— :
12, 24, 170 ; socio— : 170,
173 ; — structurale : 41 ; — textuelle, transphrastique : 20, 37,
49 ; *voir aussi* glossématique,
phonétique, phrase, sémantique,
sémiotique, stylistique, *stylolinguistics,* transphrastique.
litote : 18 (n. 15), 54, 76.
littérarité : 27, 45 (n. 7).
littérature : 1, 2, 3, 12, 13, 15, 16,
21, 26, 28, 37, 38, 43, 45, 60
(n. 34), 62, 76, 100, 128, 129,
133, 163-168 ; science de la — :
1, 11, 25, 27, 63, 71 ; *voir aussi*
genre, langage, poésie, science,
texte.
liturgie : 110.
logique : 34, 43, 48, 54, 58, 85 ; —
binaire : 78, 79, 81 ; — formelle : 48, 78, 173 ; — naturelle : 48 ; production — : 58 ;
— scientifique : 78 ; somme — :
58 ; *voir aussi* bi-univocité,
classe, métalogisme.
logos : 95, 118, 120.
lyrique : 31 ; style — : 173 ; *voir
aussi* langage — .

marque : 60 (n. 34), 75, 147.
marxisme : 32.

matérialisme : 77.

mathématique : 18, 29, 35, 72, 83-87 ; — déterministe : 18 ; — probabiliste : 18 ; *voir aussi* langage scientifique, poétique —, statistique, stylométrie.

maxime conversationnelle : 148.

médiation, médiateur : 94 (n. 11), 97, 118, 120, 134 ; — symbolique : 117 ; *voir aussi* connexion, discours.

memoria : 43.

mémorisation : 74.

métabole : 53-61, 62, 128 ; *voir aussi* figure, métalogisme, métaplasme, métasémème, métataxe.

métalangue : 27 (n. 52).

métalogisme : 54 ; *voir aussi* figure de pensée, logique, métabole.

métaphore : 41, 48, 51, 55, 57, 58 (et n. 33), 59, 60 (et n. 34), 61, 64, 78, 94 (et n. 11), 114, 126, 129, 130, 133, 134, 143, 144, 146, 153, 156, 158 ; — filée : 60, 115, 131-133, 136, 137 ; — primaire et dérivée : 132 ; — publicitaire : *voir* publicité ; *voir aussi* isotopie métaphorique (*s. v.* isotopie[s]), métabole.

métaplasme : 54 ; *voir aussi* figure, métabole.

métasémème : 53, 54, 55, 95 ; *voir aussi* figure, isotopie métasémémique, métabole, sémantique, trope.

métataxe : 54, 55, 56 ; *voir aussi* figure, métabole, parataxe, syntaxe.

métonymie : 41, 51, 58 (n. 33), 59, 126, 131, 132, 137, 143, 144, 146, 150, 151, 152, 153, 155, 159.

métrique : 52 ; *voir aussi* syllabe, vers.

mode : — référentiel : 143 ; — conceptuel : 143.

modèle : 2, 7, 29, 71-81, 151 ; puissance du — : 72, 78 ; — triadique : 117-122 ; *voir aussi* puissance.

monographie de procédé : 15.

morphologie : 54.

mot(s) : 53, 54, 60 (n. 34), 77 ; — -thème : 18 ; — -clé : 18 ; — d'esprit : 110 ; *voir aussi* jeu de —, vocabulaire.

motif : 31, 34.

motivation : 81, 107 ; — pseudo-objective : 25 ; *voir aussi* arbitraire, remotivation.

musique : 112, 172 ; *voir aussi* sémiotique.

mythe : 34, 36, 37, 90, 93, 119, 152, 158 ; *voir aussi* anthropologie.

mythologie : 61 ; *voir aussi* encyclopédie.

narration, narratif : 5, 31, 33, 36, 50, 62, 119, 133, 134, 164 ; *voir aussi* récit, roman, unité.

négation : 104, 105, 108 ; — complémentaire : 104-110 ; *voir aussi* opposabilité.

néologisme : 16.

néo-rhétorique : 34, 42-51, 60 (n. 34), 64, 65, 71 ; *voir aussi* rhétorique.

neurolinguistique : 147.

New Criticism : 28.

nom propre : 155.

norme : 17 (et n. 13), 30, 74-82 ; *voir aussi* écart, isotopie(s).

objet : 63, 71, 72, 108, 109, 153, 159.

œuvre : 5, 14, 25, 27, 32, 38 ; —
ouverte : 86 ; *voir aussi* ouverture.
onde N-400 : 147.
opacité : *voir* autotélisme, communication.
opération rhétorique : 34, 53-55, 62,
76, 146 ; *voir aussi* adjonction,
permutation, rhétorique, substitution, suppression, suppression-
adjonction.
opposabilité : 104, 110 ; *voir aussi*
négation, opposition.
opposition : 29, 35, 82, 103, 109,
118 ; *voir aussi* contradiction,
opposabilité.
ordre : 54.
ornement : 44, 45, 76, 133, 138.
ornementale : *voir* fonction —.
Oulipo (ou OuLiPo) : 3, 29, 46
(n. 8), 163-168.
ouverture : 86, 96 ; — du texte : 82,
96 (n. 16) ; *voir aussi* clôture,
œuvre, texte.
oxymore : 115.

parabole : 55.
paradigme : 14, 33, 51, 57, 132,
167.
parallélisme : 31, 35, 149, 172 ; *voir*
aussi symétrie.
parataxe : 105 ; *voir aussi* métataxe.
parodie : 36.
parole : 3, 4, 13, 17 (n. 13), 21, 77.
partenaire : 147.
pastiche : 36.
'pataphysique (Collège de —) : 163.
pathème : 107, 116.
pathéticité, pathétique : 106-110,
112, 116, 117; *voir aussi* affectif.

peinture : 112.
perception : 87, 108, 109, 122 (n. 47),
155 ; — littéraire : 5 ; *voir aussi*
Gestalt.
performance : 4, 43.
permutation : 54-55, 57, 76, 146,
168 ; *voir aussi* opération rhétorique.
personnage : 110.
personne : 34, 107.
persuasion : *voir* argumentation.
pertinence : 43, 148 (n. 12), 149 ;
voir aussi impertinence.
phénoménologie : *voir* perception.
philologie : 26, 30, 33 ; *voir aussi*
cercle philologique.
philosophique : 34.
phonème : 171.
phonétique : 12, 172 ; *voir aussi* linguistique.
phonique : 172.
phonologie : 19, 29, 93.
phonostylistique : 19, 79, 171 ; *voir*
aussi stylistique.
phrase : 31, 33, 37 (n. 81), 53, 54,
84, 85, 91, 97 (n. 18), 102, 106,
112 ; — agrammaticale : 102 ;
voir aussi linguistique transphrastique, syntaxe.
plan : *voir* contenu, expression.
plastique : 34, 53 ; unité — : *voir*
unité ; *voir aussi* visuel.
plurivocité : 81, 85 ; *voir aussi* poly-
isotopie, polysémie.
poème : 34, 38, 128, 163-164 ; *voir*
aussi antipoésie, poésie.
poésie : 2, 5, 24, 29, 38, 52, 62, 73,
86, 97, 99-122, 100, 133, 163,
167 ; — concrète, spatialiste :
62, 97 (n. 18) ; *voir aussi* anti-

poésie, fonction, genre, langage, littérature, poème, poétique, texte.

poéticien : 1.

poétique : 1, 3, 4, 7, 11, 12, 15, 19, 24, 27-39, 41, 44, 45, 48, 51, 62, 71, 99, 101, 103, 107, 111, 141-143, 170 ; — mathématique : 81-86 ; spécificité — : 99-112 ; *voir aussi* fonction —, langage —, mathématique.

poly-isotopie : 86, 114-117, 125, 135-136 ; *voir aussi* bi-isotopie, connexion, isotopie, plurivocité, polysémie, tension rhétorique.

polyphonie : 66 ; *voir aussi* polysémie.

polysémie : 2, 60, 76, 78, 82, 96 (n. 13), 116, 138, 141, 147, 172 ; *voir aussi* ambiguïté, plurivocité, poly-isotopie, polyphonie, sens, tension rhétorique.

polysyndète : 54.

positivisme : 5, 33, 65, 126 ; anti-positivisme : 23 ; *voir aussi* idéalisme.

pragmatique : 4, 37, 46 (n. 8), 47, 48 (n. 14), 66, 148, 149, 170, 173 ; *voir aussi* coopération, énonciation.

prédication : 52 ; *voir aussi* proposition.

présupposition : 50, 66 ; *voir aussi* implicite.

probabilité : *voir* mathématique.

production : 47, 158-160 ; — du discours : 47 ; *voir aussi* discours (étapes du —), sens.

productivité : 37 (n. 81).

propagande : 64.

propoïèse : 46.

proposition : 58, 148 (n. 12), 158 ; — analytique, synthétique : 154 ; *voir aussi* discours, prédication.

propre : 79, 133.

prose : 52.

prosodie : 62 ; *voir aussi* vers.

proverbe : 104.

proxémique : 170 ; *voir aussi* sémiotique.

psychanalyse : 24, 25, 32, 46 ; — élémentaire : 25 ; *voir aussi* stylistique psychanalytique.

psychologie : 11, 12, 24, 32, 43, 106, 111, 173 ; psychocritique : 25 ; — sociale : 65 ; *voir aussi* critique littéraire, stylistique de la langue, stylistique psychologique.

psychologisme : 23.

publicité : 2, 38, 57, 58, 110, 115, 116 ; *voir aussi* métaphore.

puissance : 72, 80 ; *voir aussi* modèle.

qualité : 30.

quantificateur : 148.

rationalité : 5, 85.

réalité : 32, 34.

réception, récepteur : 4, 22 (n. 36), 47, 87, 170, 171 ; *voir aussi* communication, destinataire.

récit : 4, 5, 34, 36, 38, 62, 75, 90, 92, 119, 136, 137 ; — biographique : 111 ; *voir aussi* conte, narration, roman.

redondance : 57, 81, 91, 92, 94, 105, 114, 167, 172.

réduction de la rhétorique : 44, 48, 128 ; *voir aussi* rhétorique.

réévaluation : 52, 113, 114, 115, 147, 153 ; *voir aussi* écart.

référence, référent, référentiel(le) : 4, 5, 19, 45 (n. 7), 54, 60 (n. 34), 106, 143, 146 (n. 9), 148, 151 (n. 19), 159 ; décomposition — : 58 ; fonction — : *voir* fonction ; relation — : 151 ; valeur — : 54 ; *voir aussi* découpage Π.

réflexivité : 85.

registre : 171 ; *voir aussi* langue (niveaux de —).

relation : 151.

relecture : 106 ; *voir aussi* lecture.

remotivation : 35, 82, 86 ; *voir aussi* motivation.

répétabilité : 85.

représentation : 153, 154, 156 ; *voir aussi* encyclopédie.

restriction : 129.

rêve : 38, 62 (n. 38), 112.

réversible : 133.

rhétorique : 1, 17, 20, 34, 37, 41-67, 74, 78, 103, 127, 128, 138, 147, 168, 170, 173 ; — arabe : 150 ; — classique : 36, 42-51, 63, 65, 145 ; — de l'argumentation : 173 ; — générale : 6, 46, 49, 53, 61, 63, 132 (n. 15), 148 ; — restreinte : 43, 63 ; sémantique de la — : 142 ; *voir aussi* antirhétorisme, argumentation, discours, énoncé —, lecture, néo- —, opération —, réduction de la —, unité —, tension —.

rime : 51, 164, 165 ; *voir aussi* vers.

roman : 38, 50, 128, 164 ; — policier : 110 ; nouveau — : 29, 46 (n. 8) ; — surréaliste : 136 ; *voir aussi* genre, narra-tion, récit.

romantisme : 45 (n. 7), 126, 129.

rupture : 127, 128, 136, 138 ; — stylistique : 146 (n. 8) ; *voir aussi* écart, subversion.

rythme : 165, 172.

S + 7 : 164, 166, 167.

sacré : 111.

saturation : 30.

science : 28, 35, 71 ; — cosmologique, noologique : 117 ; — du discours : 63 ; — des lettres : 1 ; — de la langue : 1 ; — de la littérature : *voir* littérature ; *voir aussi* langage scientifique.

sélection : 87, 102, 167, 168.

sémantique : 12, 18, 19, 20, 31, 32, 34, 51, 52, 53, 58 (et n. 33), 60, 61, 89-97, 105, 129, 141-161 ; — poétique : 35 ; — restreinte : 61, 153-161 ; — de la rhétorique : 142 ; sémantico-logique : 50 ; — structurale : 84, 117 ; *voir aussi* cohérence, contenu, description, linguistique, métasémème, sème, sens, signification.

sème, sémique : 54, 57, 91, 93, 113, 132, 157, 158 ; — latéral : 158 ; décomposition — : 156 ; distance — : 130, 148 ; noyau — : 55 ; *voir aussi* découpage, sémantique, sémème.

sémème : 54, 55, 94, 153, 155, 157, 171 ; *voir aussi* découpage, sème.

sémiotique, sémiologie : 3, 4, 6, 13, 32, 61, 67, 141, 142, 169-173 ; — connotative : 29 ; — dénotative : 29 ; sociosémiotique : 173 ;

voir aussi kinésique, linguistique, musique, sens, signe, signification, sociologie, proxémique, visuel.

sens : 32, 60 (n. 34), 78, 80, 82, 87, 110 ; — propre, figuré : 34, 57, 77, 80, 112 (*voir aussi* degré perçu et conçu) ; génération du — : 133 ; *voir aussi* contenu, polysémie, production, sémantique, sémiotique, signification.

séquence : 74.

shifters : 106.

signe : 4, 35, 42, 79, 85, 107, 173 ; *voir aussi* contenu, expression, icône, sémiotique.

signifiant : 53, 77, 82, 107, 167, 171 ; *voir aussi* expression.

signification : 3, 4, 35, 61, 74, 84, 85, 86, 113, 141, 173 ; totalité de — : 89-90 ; *voir aussi* contenu, isotopie, sémantique, sémiotique, sens.

signifié : 53, 57, 77, 107 ; *voir aussi* contenu.

similarité : 51 ; *voir aussi* analogie.

simplicité : 72.

slogan : 104, 110, 115.

sociohistorique : 25.

sociolinguistique : 170, 173.

sociologie : 11, 13, 14, 23, 24, 28, 30, 43, 63, 74, 111, 168, 173 ; *voir aussi* sociosémiotique (*s. v.* sémiotique).

solipsisme : 81.

songe : 62 (n. 38).

sonnet : 164, 165, 166.

sous-entendu : 66.

sous-type : *voir* icône.

sous-unité : 172.

statistique : *voir* stylostatistique, mathématique.

stimulus : 87.

structuralisme : 7, 38, 64, 93, 104.

structure : 34, 72, 87, 102, 108, 109, 111, 154, 160, 163, 167 ; — de valuation : 84, 87.

style : 3, 14, 15, 19, 20, 24, 30, 44, 49 (n. 18), 99, 169-173 ; — caractériel : 25 ; — direct : 35, 173 ; — d'époque : 21, 169 ; — indirect : 35, 173 ; — lyrique : *voir* lyrique ; — simple, sublime, moyen : 44 ; *voir aussi* stylistique, stylométrie.

stylisticien : 1.

stylistique : 1, 3, 11-26, 38, 42, 45, 52, 71, 74, 95, 99, 102, 111, 170, 171 ; — appliquée : 15 ; — d'auteur : 21-26 ; description — : 19, 20 ; — des effets : 12 ; — générative : 31 ; génétique : 12 ; — des intentions : 12 ; — des isotopies : 95 ; — de la langue : 12, 19, 22, 28 ; — littéraire : 15, 16, 21-27, 28, 30, 148 ; — psychologique : 24, 25 ; — syntaxique : 19 ; — structurale : 31, 42 ; — psychanalytique : 24 ; — des thèmes : 12; *voir aussi* intention, linguistique, phonostylistique, psychanalyse, psychologie, style.

stylobehaviouristics : 171.

stylolinguistics : 171 ; *voir aussi* linguistique, stylométrie, phonostylistique.

stylométrie, stylostatistique : 18, 172 ; *voir aussi* mathématique, style, *stylolinguistics.*

substance : 23, 29, 87, 168 ; — du contenu : 31 ; — de l'expression : 31.

substantif : 164 ; — de l'expression : 31.

substitution : 57, 146, 159, 164-165 ; *voir aussi* commutation, opération rhétorique.

subversion : 78 ; *voir aussi* écart, rupture.

suffixation : 56.

sujet : 91, 107.

super-isotopie : 117 ; *voir aussi* isotopie(s).

suppression : 34, 54, 57, 76, 143, 146 ; *voir aussi* opération rhétorique.

suppression-adjonction (*syn. :* substitution) : 54-55, 56, 76, 46 ; *voir aussi* commutation, opération rhétorique.

surdétermination : 102.

surréalisme : 45 (n. 7), 128-138.

suspension : 54.

syllabe : 51 ; *voir aussi* métrique.

symbole, symbolisme : 20, 35, 37, 42, 45 (n. 7), 61, 118, 119, 134.

symétrie : 29 ; *voir aussi* parallélisme.

syncatégorématique : 155.

synchise : 46.

synecdoque : 56, 58 (n. 33), 59, 131, 132, 137, 142, 143-153.

synonymie : 19, 35, 83, 85.

syntagme, syntagmatique : 33, 35, 36, 51, 59, 75, 91, 92, 94, 96, 132, 147, 148, 164, 167, 168, 171.

syntaxe, syntaxique : 19, 52, 54, 60, 79 (n. 14), 94, 97, 105, 113, 126, 161 ; *voir aussi* figure, métataxe, phrase.

taxinomie : 46 ; *voir aussi* classement.

teneur : 57, 79, 133 ; *voir aussi* véhicule, degré.

tension rhétorique : 76 ; *voir aussi* degré, écart, poly-isotopie, polysémie.

terza rima : 163.

texte, textuel : 1, 4, 5, 26, 31, 32, 35, 37 (n. 81), 48-49, 57, 60, 80, 102, 113, 122, 131, 133 ; — d'avant-garde : 125-128 ; — littéraire : 2 ; — pluriel : 86, 115 ; — rhétorique : 2, 7, 115, 147 ; espace du — : 2 ; *voir aussi* clôture, discours, lecture, littérature, ouverture, poésie, transphrastique.

Textlinguistik : voir linguistique textuelle.

texture : 172.

théâtre : 50.

thème : 31, 34.

tmèse : 56.

topique : *voir* lieux.

totalisation : 62, 102, 103, 105, 110, 116, 119, 128, 167.

traduction : 19, 85 ; — automatique : 89 ; *voir aussi* intraductibilité.

tragique : 120 ; *voir aussi* drame, genre.

transformation : 37, 62, 107, 119, 165 ; *voir aussi* grammaire.

transitivité : 81, 85.

transphrastique : 4, 74, 141 ; grammaire — : 96 ; *voir aussi* linguistique —, phrase, texte.

trope : 34, 38, 42, 43, 46 (n. 9), 51, 53, 61, 64, 94, 113, 114, 134-138, 143-161 ; — communicationnel : 51 ; — connecteur : 136 ; matrice tropique : 59, 143 ; *voir aussi* figure, métasémème.

type : *voir* icône.

typographie : 62 ; *voir aussi* graphie, visuel.

typologie : 46 (n. 10).

unité : 53, 55, 76, 78, 102, 153, 154 (et n. 23), 155, 171 ; — narrative : 36, 62 ; — plastique, iconique : 171 ; — rhétorique : 94 (n. 11), 95, 115, 120 ; — stylistique : 30 ; *voir aussi* icône, narration, plastique, rhétorique, *stylolinguistics.*

valeur : 15, 22 (et n. 36), 38, 87, 117, 155.

valuation : *voir* structure de —.

variante libre : 3, 17, 171 ; *voir aussi* choix.

véhicule : 57, 79, 133 ; *voir aussi* degré, teneur.

vers, versification : 16, 51, 101, 163, 164, 165, 166 ; *voir aussi* métrique, prosodie, rime.

visuel : 42 (n. 3), 61 (n. 36), 67, 170, 171, 172 ; *voir aussi* icône, image, plastique, sémiotique, typographie.

vocabulaire : 75, 84, 116 ; *voir aussi* mot(s).

vraisemblable : 34.

INDEX DES NOMS

ACHILLE (héros homérique) : 148.
ADAM, Jean-Michel : 130, 177, 188.
ADLER, A. : 192.
ADLER, Mortimer J. : 202.
ADRIAENS, M. : 177.
AGOSTI, Stefano : 32, 177.
ALEXANDRESCU, Sorin : 39, 177, 201.
ALONSO, Dámaso : 22, 23, 30, 177.
ALTHUSSER, Louis : 32.
AMÉLIE (personnage de QUENEAU) : 149.
AMPÈRE, André Marie : 117.
ANTOINE, Gérald : 18, 178.
APOLLINAIRE (Wilhelm APOLLINARIS DE KOSTROWITSKY, dit Guillaume) : 93, 130, 184, 188.
APOSTEL, Léo : 118, 178.
ARISTOTE : 34, 43, 65, 178.
ARRIVÉ, Michel : 22, 178, 182, 188, 190, 196, 204, 207, 209, 210.
AUDOIN, Philippe : 181.
AUERBACH, Erich : 22
AUGUSTIN (saint) : 43, 201.
AUSTIN, John Langshaw : 20, 178.
AVALLE, D'Arco Silvio : 178, 180.

BACHELARD, Gaston : 25.
BAILEY, Richard W. : 39, 178, 181.
BAISTE, G. : 189.
BAKHTINE, Mikhaïl : 35, 36, 178.
BALAYN, Jean Daniel : 200.

BALDI, Paolo : 178, 186, 212.
BALLY, Charles : 13, 14, 16, 19, 24, 99, 170, 179, 206.
BARBU, Ion : 29.
BARILLI, Renato : 42, 46, 179.
BARTHES, Roland : 17, 33, 41, 42, 44, 46, 63, 82, 87, 179, 182, 197, 198, 205.
BATAILLE, Georges : 93, 188.
BAUDELAIRE, Charles : 30, 90, 93, 101, 113, 183, 188, 193.
BAUDOT, Alain : 6, 177.
BEAUMARCHAIS, Pierre Augustin Caron DE : 177.
BEJENARU, Cornelia : 29, 179.
BELLAY, Joachim DU : 177.
BENS, Jacques : 179.
BENVENISTE, Émile : 50, 172.
BERGENS, Andrée : 179, 204.
BERNANOS, Georges : 91, 212.
BERTHET, Frédéric : 188.
BIRD, Otto : 202.
BLOOM, Molly (personnage d'Ulysses, roman de James JOYCE) : 113
BLOOMFIELD, Leonard : 29.
BLUMENTHAL, Peter : 180.
BOCCACE (Giovanni BOCCACIO, dit) : 33.
BÖCKMANN, Paul : 199.
BONAPARTE, Marie : 24.
BONHOMME, Marc : 180.

BORBE, Tasso : 175, 195.
BORCILĂ, Mircea : 27, 180.
BOUAZIS, Charles : 178, 180, 192, 197, 211.
BOUCHÉ, Claude : 36, 180.
BOUVEROT, Danielle : 145, 180.
BOUZAHER, Myriem : 185.
BOZON, Michel : 188.
BRANDEAU, Michel : 182.
BRANDT, Per Aage : 90, 180.
BREDIN, Hugh : 58, 180.
BREMOND, Claude : 37, 62, 119, 180, 181.
BRETON, André : 128, 129, 130, 136, 177, 180, 181, 207.
BRILLI, Attilio : 36, 181.
BRUNEAU, Charles : 12, 15, 16, 17, 18, 22, 181.
BUBU (héros éponyme du roman *Bubu de Montparnasse*, de Charles-Louis PHILIPPE) : 25.
BUFFON, Georges Louis Leclerc, comte de : 82.
BUCÉPHALE : cheval d'Alexandre le Grand : 152.
BUREAU, Conrad : 181.
BURTON, Dolores Marie : 39, 178, 181.
BUXO, José-Pascual : 181.

CACCIA, Ettore : 22, 183.
CALABRESE, Omar : 180, 181, 197, 211.
CALVINO, Italo : 168.
CANGER, Una : 192.
CELLINI, Benvenuto : 24, 211.
CHAIGNET, Anthelme Édouard : 42, 181.
CHAR, René : 128.
CHARLES, Michel : 181.

CHATMAN, Seymour : 39, 178, 181, 185, 195, 197, 200.
CHAZAL, Malcolm DE : 131, 135, 182.
CHEVALIER, Jean-Claude : 178, 182, 190, 196, 209.
CHOMSKY, Noam : 73, 189.
CHRÉTIEN DE TROYES : 177.
CHRISTENSEN, Francis : 46, 189.
CHRISTIN, Anne-Marie : 186, 200.
CLAUDEL, Paul : 185.
CLAUDON, Francis : 194.
COCULESCU, Pius Şerban : *voir* SERVIEN, Pius.
COHEN, Jean : 15, 34, 52, 78, 103, 104, 105, 106, 107, 108, 109, 110, 111, 116, 182.
COLE, Peter : 188.
COLETTE (Gabrielle COLETTE, *dite*) : 177.
COQUET, Jean-Claude : 94, 178, 182, 207.
CORAX : 42.
CORNEILLE, Pierre : 18, 201.
COSERIU, Eugenio : 17, 169, 182.
COSTER, Charles DE : 16, 194.
COURTÈS, Joseph : 62, 188, 204.
CRESSOT, Marcel : 15, 182.
CROCE, Benedetto : 23, 26, 182, 183.

D'ANNUNZIO, Gabriele : 26.
DAVIDSON, Mary : 194.
DEHENNIN, Elsa : 22, 183.
DELAS, Daniel : 18, 31, 101, 183, 205.
DELBOUILLE, Maurice : 210
DELBOUILLE, Paul : 18, 183.
DELCROIX, Maurice : 30, 175, 183, 187, 191, 195.

DERRIDA, Jacques : 32, 82.
DERRIDA, Marguerite : 36, 203.
DESNOS, Robert : 134, 135, 136, 137, 183.
DEVOTO, Giacomo : 18, 22, 183.
DILLER, Anne-Marie : 48, 183, 203, 204.
DOUBROVSKY, Serge : 102, 184.
DOVER, Kenneth James : 18.
DU BELLAY : *voir* BELLAY, Joachim DU.
DUBOIS, Jacques : 184, 189, 190, 206, 211.
DUBOIS, Jean : 89, 177, 184, 209.
DUBOIS, Philippe : 131, 135, 184, 190, 206, 211.
DUBUCS, Monique : 43, 46, 184, 200.
DUCROT, Oswald : 19, 20, 50, 184, 210.
DUFRENNE, Mikel : 200.
DUMARSAIS (ou DU MARSAIS) : *voir* MARSAIS, César CHESNEAU, sieur DU.
DUPONT-ROC, Roselyne : 178.
DUPRIEZ, Bernard : 24, 46, 150, 185.
DURAND, Gilbert : 34, 119, 185.
DURAND, Jacques : 110, 185.
DUROZOI, Gérard : 130, 185, 196.

ECO, Umberto : 58, 72, 90, 156, 160, 161, 178, 181, 185, 200.
ÉDELINE, Francis : 58, 97, 143, 186, 189, 190, 200, 206, 211.
ÉLUARD, Paul : 128, 177.
EMINESCU, Mihaïl : 198.
ENKVIST, Nils Erik : 24, 39, 171, 186.
ERLICH, Victor : 28, 186.

ESCARPIT, Robert : 125, 186.
ESPOSITO-TORRIGIANI, Uccio : 185.

FAGÈS, Jean-Baptiste : 92, 186, 202.
FALASSI, Alessandro : 178, 186.
FILLIOLET, Jacques : 100, 183.
FLAUBERT, Gustave : 177.
FLORESCU, Vasile : 42, 186.
FODOR, Jerry A. : 157, 187, 193.
FONTANIER, Pierre : 43, 150, 184, 187.
FORNEL, Michel DE : 196.
FOURIER, Charles : 128, 180.
FRAY LUIS DE LEÓN : 22, 177.
FREUD, Sigmund : 144.
FUBINI, Mario : 21, 187.

GADBOIS, Vital : 197.
GARCÍA BERRIO, Antonio : 28, 45, 48, 49, 187.
GARCILASO DE LA VEGA Y VARGAS, Sebastián : 22, 177.
GARNEAU : *voir* SAINT-DENYS GARNEAU, Hector DE.
GEERTS, Walter : 30, 183, 187.
GENETTE, Gérard : 35, 42, 43, 46, 65, 80, 94, 129, 187, 188, 205, 207.
GHYKA, Matila C. : 29.
GILL, Brian : 197.
GIONO, Jean : 177.
GOBIN, Pierre : 194.
GOBINEAU, Joseph Arthur (comte de) : 31, 205.
GOLDENSTEIN, Jean-Pierre : 130, 177, 188.
GOLOPENTIA-EREŢESCU, Sanda : 36, 188.
GÓNGORA Y ARGOTE, Luis DE : 16, 22, 177.

GOSLAR, Michèle : 150, 188.
GRAF, Arturo : 24, 211.
GREEN, John : 175, 194.
GREIMAS, Algirdas Julien : 20, 61, 62, 74, 89, 90, 91, 92, 93, 94, 95, 96, 100, 103, 104, 111, 117, 153, 154, 156, 171, 188, 190, 204, 210.
GREVISSE, Maurice : 72.
GRICE, Paul H. : 50, 148, 188, 207.
GRIFFIN-COLLART, E. : 202.
GRIVEL, Charles : 32, 188.
GRIZE, Jean-Blaise : 48, 189.
GRÖBER, Gustav : 24, 189.
GROUPE μ : 7, 34, 45, 46, 51, 53, 56, 58, 61, 62, 67, 76, 94, 97, 110, 111, 112, 113, 143, 147, 149, 171, 172, 189-190.
GUEUNIER, Nicole : 75, 91, 190.
GUIRAUD, Pierre : 18, 39, 96, 110, 143, 147, 149, 156, 160, 171, 172, 190, 191, 196.

HAMLET (héros éponyme d'un drame de SHAKESPEARE): 138.
HALLYN, Fernand : 175, 183, 191, 195.
HAMON, Philippe : 36, 183, 184, 191.
HATCHER, Anna : 208.
HATZFELD, Helmut : 15, 22, 26, 39, 191.
HÉBERT, Anne : 177.
HENRI IV : 152.
HENRY, Albert : 191.
HESBOIS, Laure : 191.
HILL, Archibald A. : 74, 192.
HILLYARD, Steven : 147.
HJELMSLEV, Louis : 74, 141, 181, 192.
HUGO, Victor : 93, 177, 188.

HUTCHINS, Robert M. : 202.
HUYSMANS, Joris-Karl : 15, 182.
HYTIER, Jean : 25, 192.

ICARE (héros de la mythologie grecque) : 119.
IHWE, Jens : 180, 192.
IMBERT, Patrick : 194.
IMBS, Paul : 21, 45, 173, 192.

JACQMIN, François : 195.
JAKOBSON, Roman : 13, 27, 30, 38, 41, 45, 51, 52, 73, 74, 82, 93, 96, 99, 100, 144, 150, 152, 156, 181, 192, 193, 197.
JAMES, Laurence : 182.
JAMES, William : 178.
JAMMES, Francis : 16.
JARRY, Alfred : 93, 188.
JEAN (saint) : 164.
JEAN DE LA CROIX (JUAN DE YEPES ou SAN JUAN DE LA CRUZ, *dit* saint) : 22, 177.
JEFFERSON, Thomas : 165.
JOHNSON, Marc : 46, 193, 196.
JOURLAIT, Daniel : 102, 193.
JOYCE, James : 113.
JUNG, Carl Gustav : 118.

KAHN, Claude : 36, 203.
KATZ, Jerrold J. : 157, 187, 193, 203.
KERBRAT-ORECCHIONI, Catherine : 51, 141, 193.
KIBÉDI VARGA, Aron : 42, 43, 47, 188, 194, 203.
KLEIBER, Georges : 194.
KLINKENBERG, Jean-Marie : 16, 121, 144, 178, 180, 181, 185, 189, 190, 194, 195, 199, 200, 203, 206, 207, 211.

Konrad, Hedwig : 195.
Kopperschmidt, Josef : 47, 195.
Kośni, Witold : 28, 208.
Kristeva, Julia : 32, 35, 76, 78, 80, 195.
Krysinski, Wladimir : 194.
Kuentz, Pierre : 39, 63, 183, 191, 195, 196.
Kutas, Marta : 147.

Labé, Louise : 91.
Lacan, Jacques : 32, 144.
Laffetey, Jules (abbé) : 196.
Lakoff, Georges : 46, 193, 196.
Lallot, Jean : 178.
Lane, Gilles : 178.
Lapointe, Boby : 177.
Lausberg, Heinrich : 34, 43, 170, 196.
Lautréamont (Isidore Ducasse, dit le comte de) : 32, 180, 195.
Lear (le roi) : héros éponyme d'une pièce de Shakespeare : 143.
Le Bidois, Robert : 72.
Lecercle, Jean-Jacques : 196.
Lecherbonnier, Bernard : 130, 185, 196.
Le Guern, Michel : 150, 151, 196.
Le Hir, Yves : 32, 191.
Leiris, Michel : 138.
Le Lionnais, François : 203.
Léo, Ulrich : 22.
Léon, Pierre R. : 19, 50, 102, 171, 184, 193, 196, 197, 200, 201, 205.
Leopardi, Giacomo : 24, 211.
Lescure, Jean : 164.
Lévi-Strauss, Claude : 30, 36, 62, 117, 119, 193, 197.
Levin, Samuel R. : 5, 39, 74, 102, 181, 197.

Lope de Vega, Félix : 22, 177.
Lucrèce (Titius Lucretius Carus, dit) : 5.
Lundquist, Lita : 37, 197.
Lyons, John : 73, 197.

Madsen, Peter : 180, 197.
Magli, Patrizia : 180, 181, 197, 211.
Mallarmé, Stéphane : 29, 32, 93, 94, 95, 101, 108, 164, 188, 195.
Maranda, Elli : 119, 180.
Maranda, Pierre : 119, 180.
Marcus, Solomon : 35, 72, 81, 83, 84, 85, 86, 130, 197, 198.
Marouzeau, Jules : 14, 16, 198, 199.
Marsais, César Chesneau, sieur du (ou Dumarsais, ou encore Du Marsais) : 43, 150, 184, 185, 187.
Martin, Josef : 42, 199.
Martin, Robert : 50, 199.
Martinet, André : 19, 199.
Matthews, Harry : 168.
Mauron, Charles : 25, 199.
McCarrell, Nancy S. : 199, 211.
Mélétinski, E. : 36, 203.
Merleau-Ponty, Maurice : 27, 29.
Meschonnic, Henri : 77, 78, 82, 199.
Meyer, Bernard : 43, 46, 145, 146, 184, 199, 200.
Meyer, Michel : 200, 205.
Meyer-Lübke, Wilhelm : 21.
Micelli, Silviana : 36, 200.
Michaux, Henri : 93, 188.
Michelet, Jules : 33, 179.
Miclau, Paul : 200.

MILIC, Louis Tonko : 39, 200.

MINGUET, Philippe : 172, 186, 189, 190, 200, 206, 211.

MISSAC, Pierre : 200.

MITTERAND, Henri : 12, 102, 184, 193, 196, 197, 200, 205.

MOESCHLER, Jacques : 50, 200.

MOGIN, Georges : voir NORGE.

MOLES, Abraham : 168.

MOLIÈRE (Jean-Baptiste POQUELIN, *dit*) : 51.

MOLINIÉ, Georges : 201.

MOLINO, Jean : 199, 201.

MONTESQUIEU, Charles DE SECONDAT, baron de : 177.

MOREAU, François : 201.

MOREL, Mary-Annick : 46, 47, 48, 53, 201.

MORGAN, Jerry L. : 188.

MORIER, Henri : 25, 46, 201.

MORRIS, William : 173, 201.

MOUCHARD, Claude : 185.

MULLER, Charles : 18, 201.

MUNTEANU, Melania : 186.

MURPHY, James Jerome : 42, 201.

NARDIN, Pierre : 15.

NASTA, Milhail : 39, 177, 201.

NELLI, René : 78.

NERVAL, Gérard DE : 93, 188.

NESSELROTH, Peter : 102, 184, 193, 196, 197, 201, 205.

NICOLLE, Léon : 196.

NORGE (Georges MOGIN, *dit* Géo NORGE) : 120, 195.

NOVALIS (Friedrich, baron VON HARDENBERG, *dit*) : 42.

NYSENHOLC, Adolphe : 201.

ODIN, Roger : 172, 202.

OHMANN, R. : 31, 102.

OLBRECHTS-TYTECA, Lucie : 46, 47, 53, 202.

O'NEILL, Dominique : 177.

OPHÉLIE (héroïne d'*Hamlet*) : 103, 138.

OSGOOD : 106.

OTTEN, Michel : 202.

OULIPO (ou OULIPO) : 29, 46, 163, 164, 167, 168, 202.

PAGANO, Christian : 92, 186, 202.

PARENT, Monique : 16.

PARRET, Herman : 190

PAUCHARD, Hélène : 206.

PAULHAN, Jean : 29, 182, 185.

PÁZ GAGO, José María : 202.

PEREC, Georges : 168.

PERELMAN, Chaïm : 46, 47, 48, 49, 53, 132, 173, 202.

PERRON, Paul : 50, 193, 196.

PÉTRARQUE (Francesco PETRARCA, *dit*) : 24, 211.

PEYRE, Henri : 208.

PHILIPPE, Charles-Louis : 26.

PICASSO, Pablo : 152.

PIRE, François : 189, 190, 202, 203.

PLETT, Heinrich H. : 42, 47, 175, 194.

POIRIER, René : 195.

PONZIO, Augusto : 37, 203.

POSNER, Rebecca : 18, 175, 194, 203.

POSTAL, Paul M. : 157, 193, 203.

POULET, Georges : 22.

POZUELO YVANCOS, José María : 48, 64, 203.

PRÉVERT, Jacques : 86.

PROPP, Vladimir Iakovlevich : 36, 62, 203.

QUENEAU, Raymond : 29, 46, 128, 149, 163, 164, 165, 166, 167, 179, 203, 204.
QUEVEDO Y VILLEGAS, Francisco : 22, 177.

RABELAIS, François : 201.
RACINE, Louis : 33, 179.
RANK, Otto : 24.
RASTIER, François : 93, 94, 95, 96, 97, 172, 204.
REBOUL, Olivier : 42, 49, 110, 204.
RÉCANATI, François : 48, 183, 203, 204.
REICHLER-BEGELIN, Marie-José : 204.
RENEVEY, Corine : 177.
REY-DEBOVE, Josette : 157, 204.
RICŒUR, Paul : 60, 90, 205.
RIELDINGER, Albert : 206.
RIFFATERRE, Michael : 16, 17, 18, 22, 30, 31, 36, 73, 95, 102, 131, 132, 205.
RIMBAUD, Arthur : 93, 188.
RISER, Georges : 194.
ROBERT, Pierre : 102, 184, 193, 196, 197, 205.
RONGA, Luigi : 21, 187.
ROUBAUD, Jacques : 93, 168, 188.
RUPRECHT, Hans-George : 190.
RUTTEN, Mathieu : 205.
RUWET, Nicolas : 38, 76, 91, 93, 100, 146, 156, 160, 192, 205.

SAINT-DENYS GARNEAU, Hector DE : 121.
SAINT-POL ROUX (Paul Pierre ROUX, dit) : 129.
SANCTIS, F. DE : 24.
SAPIR, Edward : 117.

SARKANY, Stéphane : 194.
SARTRE, Jean-Paul : 27.
SASU, Aurel : 206.
SATO, Nobuo : 58, 145, 206.
SAUSSURE, Ferdinand DE : 3, 4, 13, 29, 96, 141, 169, 206.
SAYCE, Richard A. : 169, 206.
SCHÉRER, Jacques : 15.
SCHIAFFINI, Alfredo : 21, 46, 206, 208.
SCHIFKO, Peter : 206.
SCHMIDT-RADEFELDT, Jürgen : 29, 206.
SCHMITZ, Jean-Pierre : 145, 206.
SCRIBLERUS, Martinus : 181.
SEARLE, John R. : 20, 206.
SEBEOK, Thomas A. : 13, 29, 175, 192, 206.
SECHEHAYE, Albert : 206.
SEGRE, Cesare : 206.
SEIDLER, Herbert : 21, 207.
SEMPOUX, André : 13, 207.
SERVIEN, Pius (COCULESCU, Pius Şerban) : 29, 81, 83, 130, 182, 197, 198, 207.
SHAKESPEARE, William : 209.
SHIBLES, Warren A. : 61, 207.
SILINGARDI, Germana : 145, 207.
SMITH, Hélène : 110, 210.
SOJCHER, Jacques : 207.
SØRENSEN, Hans : 31, 207.
SOUPAULT, Philippe : 128, 136, 181, 207.
SOURIAU, Étienne : 36, 62.
SPERBER, Dan : 147, 148, 207, 212.
SPILLNER, Bernd : 208.
SPITZER, Léo : 21, 22, 25, 45, 91, 192, 206, 208.
SPOERRI, Théophile : 23, 33, 208.
STAROBINSKI, Jean : 208.

STENDER-PETERSEN, Adolphe : 31, 208.
STRIEDTER, Jurij : 28, 208.
SUMPF, Joseph : 27, 32, 79, 89, 177, 184, 209.

TAMBA-MECZ, Irène : 209.
TARDIEU, Jean : 167.
TERRACINI, Benvenuto : 26, 209.
THOMAS, J.-J. : 205.
THOMPSON, Ann : 209.
THOMPSON, John O : 209.
TILL ULENSPIEGEL (héros éponyme d'une légende flamande) : 16, 194.
TODOROV, Tzvetan : 19, 20, 24, 25, 26, 28, 33, 36, 39, 42, 58, 110, 143, 184, 186, 192, 193, 203, 204, 205, 207, 209, 210.
TRINON, Hadelin : 189, 210.
TROUBETZKOY, Nicolas Sergueievitch : 19.

ULLMANN, Stephen : 19, 24, 210.
ULENSPIEGEL : *voir* TILL ULENSPIEGEL.
URBAN, Wilbur Marshall : 207.

VAINA-PUSCĂ : 210.
VAJDA, András : 210.
VALÉRY, Paul : 18, 29, 31, 123, 167,

190, 206, 207.
VAN DIJK, Teun A. : 20, 31, 37, 97, 157, 180, 210, 211.
VAN NOPPEN, Jean-Pierre : 61, 211.
VERBRUGGE, Robert R. : 199, 211.
VERDOODT, Albert : 208.
VERHAEREN, Émile : 16.
VERLAINE, Paul : 133.
VERSCHUEREN, Jef : 48, 211.
VIANU, Tudor : 15.
VÍGH, Árpád : 48, 190, 211.
VIGNAUX, Georges : 48, 211.
VOLLI, Ugo : 180, 181, 197, 211.
VOSSLER, Karl : 23, 24, 211.

WEISGERBER, Jean : 190.
WHITEFIELD, Francis J. : 192.
WHORF, Benjamin Lee : 117.
WIJK, Nicolai Van : 197, 210.
WILSON, Deirdre : 147, 148, 157, 207, 212.
WOLF, Mauro : 172, 178, 212.

YÜCEL, Tashin : 91, 212.

ZANCANELLA, V. : 25, 212.
ZILBERBERG, Claude : 90, 212.
ZOLA, Émile : 177.
ZUMTHOR, Paul : 126, 127, 212.

TABLE DES MATIÈRES

PRÉSENTATION   1

PREMIÈRE PARTIE : DISCIPLINES

Chapitre premier. — De stylistique en poétique   11

  1. La stylistique de la langue et la littérature   13
    1.1. Développements de la stylistique appliquée   13
    1.2. La stylistique dans la linguistique   19
  2. La stylistique littéraire ou criticisme stylistique 21
    2.1. Stylistique et critique   21
    2.2. Caractères essentiels : esthétisme et psychologisme   23
    2.3. Illustrations   25
    2.4. Conclusion   26
  3. La poétique   27
    3.1. Science et littérature   27
    3.2. La révolution poéticienne   28
    3.3. Travaux   33
    3.4. Perspectives   37

Chapitre II. — La rhétorique dans la poétique   41

  1. Rhétorique classique et néo-rhétoriques   42
    1.1. La rhétorique classique : une perspective cavalière   42
    1.2. Science *vs* technique   46
    1.3. Rhétorique de la persuasion *vs* rhétorique littéraire   47

2. Contributions de la rhétorique à la poétique   51
    2.1. Concepts généraux   51
    2.2. Généralité du modèle rhétorique   61
3. L'éclatement des cadres   63

DEUXIÈME PARTIE : TEXTES

Chapitre III. — Vers un modèle théorique du langage poétique   71

1. « Choses » et modèles   71
2. Les critères du langage poétique   73
3. Le concept d'écart   75
4. Élargissement du modèle de l'écart   79
    4.1. Corrections du modèle   79
    4.2. Systématique de l'opposition LP / LC   80
5. Un exemple de modélisation : la poétique mathématique   82

Chapitre IV. — L'isotopie, fondement du texte   89

1. Présentation   89
2. Difficultés   91
3. Définitions et corrections   92
    3.1. Isotopie et lecture   93
    3.2. Isotopie et rhétorique   93

Chapitre V. — Du texte rhétorique au texte poétique   99

1. La poésie, la poétique, la rhétorique   99
    1.1. « Poétique » et poésie : une ambiguïté   99
    1.2. Une spécificité linguistique du poétique ?
        Quelques hypothèses infirmées   100
2. La lecture rhétorique   112
    2.1. Lecture, isotopie et allotopie   112
    2.2. Polysémie et poly-isotopie   114
3. La spécificité poétique   116

Chapitre VI. — Le texte d'avant-garde   125

1. Avant-gardes et rhétorique   125
2. Le surréalisme et la rhétorique   128

3. La métaphore filée et l'activation du sens   131
4. L'abolition rhétorique des genres   133
5. Conclusions   137

TROISIÈME PARTIE : OUVERTURES

Chapitre VII. — Rhétorique et encyclopédie   141
  1. Poétique et sémiotiques   141
  2. Le problème de la synecdoque   143
  3. Le composant encyclopédique   153
    3.1. Limites de la sémantique   153
    3.2. L'encyclopédie : en deçà du dictionnaire   155
    3.3. L'encyclopédie : un système contradictoire
          et instable   158
  4. Conclusions   160

Chapitre VIII. — La littérature expérimentale :
  une rhétorique en action   163

Chapitre IX. — Redéfinition sémiotique
  du concept de « style »   169

NOTE BIBLIOGRAPHIQUE   175

BIBLIOGRAPHIE (établie avec l'aide de Alain BAUDOT,
  Dominique O'NEILL et Corine RENEVEY)   177

INDEX DES NOTIONS   213

INDEX DES NOMS   227

LISTE DES TABLEAUX
  Tableau I. — Les domaines des métaboles   54
  Tableau II. — La matrice tropique   59
  Tableau III. — Langage de communication et langage poétique   81
  Tableau IV. — Langages lyrique et scientifique   85
  Tableau V. — Quelques catégories esthétiques   121

ÉDITIONS DU GREF

Extrait du catalogue

Collection Traduire, Écrire, Lire (TEL)

Claude Tatilon, *Traduire : pour une pédagogie de la traduction*, préface de Georges Mounin.

Christine Klein-Lataud, *Précis des figures de style*, préface d'Alain Baudot.

Betty Bednarski, *Autour de Ferron : littérature, traduction, altérité*, préface de Jean-Marcel Paquette (prix Gabrielle Roy 1990).

• À paraître (fascicules de la collection TEL) :

Claude Tatilon, *Écrire : le paragraphe*.

Philippe Bourdin, *Les Temps du passé en français contemporain*.

Collection Theoria

Jean-Marie Klinkenberg, *Le Sens rhétorique : essais de sémantique littéraire* (en coédition avec les Éditions Les Éperonniers, Bruxelles).

• À paraître :

Philippe Bourdin, *La Représentation du temps déictique dans les langues naturelles : étude descriptive et typologique*.

Collection Inventaire

Alain Baudot, *Les Écrits de Jean-Claude Masson conservés dans ma bibliothèque*.

Alain Baudot, avec la collaboration de Corine Renevey, *Bibliographie de l'œuvre d'Édouard Glissant*.

• À paraître :

Alain Baudot, avec la collaboration de Dominique O'Neill et Corine Renevey, *Les Littératures francophones : essai de bibliographie raisonnée* (en coédition avec l'AUPELF / UREF).

Collection Dont actes

Jeanne Ogée (actes réunis par), *La Langue française face aux défis du monde présent : actes de la XIIᵉ Biennale de la langue française (Marrakech, 1987)*, avant-propos d'Alain Guillermou (en coédition avec l'Agence de coopération culturelle et technique, et la Fédération du français universel, Paris).

Brian Urquhart, *Peacemaking, Peacekeeping and the Future* (The John W. Holmes Memorial Lecture 1989 / Conférence John Holmes 1989).

Édouard Glissant, *Discours prononcé à l'occasion de la remise d'un doctorat honorifique par le Collège universitaire Glendon de l'Université York (juin 1989)*.

• À paraître :

Alain Baudot (sous la direction de), *Modes ou Méthodes ?* (Conférences du Département d'études pluridisciplinaires et du Groupe de recherche en études francophones, Collège universitaire Glendon, Université York, Toronto).

Collection Fiches bibliographiques du GREF

Alain Baudot et Dominique O'Neill, *Bio-bibliographie de Philippe Jaccottet*.

Alain Baudot, *L'Ontario francophone : documentation choisie*.

Dominique O'Neill et Corine Renevey, *Bio-bibliographie de Maurice Chappaz*.

Catalogues d'art

Karen A. Finlay, *Daumier et «La Caricature»*, traduit de l'anglais par Alain Baudot et Claude Tatilon (en coédition avec le Musée des beaux-arts de l'Ontario).

Painted Pottery: Continuing the Tradition of Tin-Glazed Earthenware / Poterie peinte : dans la tradition de la céramique à glaçure stannifère, textes de K. Corey Keeble et Anne West, traduits par Alain Baudot.

Dennis Reid, *Jungle canadienne : la période méconnue d'Arthur Lismer*, traduit de l'anglais par Alain Baudot et Claude Tatilon (en coédition avec le Musée des beaux-arts de l'Ontario).

Kim Moodie. Of Unknown Origin: Drawings, 1984-1986 / D'origine inconnue : dessins (1984-1986), texte de Robert McKaskell, traduit par Philippe Bourdin.

Jerzy Kolacz. The Mind's Eye: Editorial Illustrations and Paintings (1978-1986) / L'œil pense : illustrations de presse et peintures (1978-1986), texte de John Silverstein, traduit par Alain Baudot et Claude Tatilon.

Another Fiction: Recent Work by Janet Cardiff / D'une fiction à l'autre : œuvres récentes de Janet Cardiff, texte de Lyz Wylie, traduit par Alain Baudot et Claude Tatilon.

A Context of Seats: An Intuitive Speculation / États de sièges : une spéculation intuitive, texte de Maurice Barnwell, traduit par Alain Baudot et Claude Tatilon.

Rick/Simon. Printed Matter. Photo-Offset & Photo-Graphic Prints, 1968-1987 / Imprimés : photos offset et photos graphiques (1968-1987), textes de Victor Coleman, Christopher Dewdney et Rick/Simon, traduits par Alain Baudot et Claude Tatilon.

Ron Sandor. "Twinkle, twinkle, little bat": The House Project, the Nursery / « Scintille, ô ma chauve souris » : projet de maison, chambre d'enfants, texte de Deirdre Hanna, traduit par Christine Klein-Lataud.

The Phase Show / En phase : Doug Back, Hu Hohn, Norman White, textes de Paul Petro *et al.*, traduits par Alain Baudot et Claude Tatilon.

Catherine Siddall, *The Prevailing Influence: Hart House and the Group of Seven, 1919-1953 / Influence majeure : Hart House et le Groupe des sept (1919-1953)*, traduit par Alain Baudot (en coédition avec l'Université de Toronto et les Galeries d'art d'Oakville).

Joyce Zemans, Elizabeth Burrel et Elizabeth Hunter, *New Perspectives on Canadian Art: Kathleen Munn and Edna Taçon / Nouveau Regard sur l'art canadien : Kathleen Munn et Edna Taçon*, traduit par Alain Baudot et Claude Tatilon.

Steven Heinemann. Objects of Sight / Objets à voir, texte d'Anne West, traduit par Alain Baudot (en coédition avec le Centre culturel de Burlington [Ontario]).

David Gowland, James Rodger et John A. Walter, *Guide « Impact » des chefs-d'œuvre de l'art*, adapté de l'anglais par Alain Baudot (en coédition avec le Conseil scolaire du comté de Waterloo [Ontario]).

Hors collection

OFNI (Objet français non identifié), numéro unique (textes d'étudiants réunis par Alain Baudot).

Alain Baudot, *Éducation des adultes et Éducation permanente : analyse de la documentation récente en français, 1982-1985* (en coédition avec le ministère des Collèges et Universités de l'Ontario et le Centre de recherche franco-ontarien).

Alain Baudot et Thérèse Lior, *Basic Rules for Typesetting in French: Where They Differ from Rules for English* (épuisé ; 2ᵉ édition revue et augmentée en préparation).

Carla Baudot et David Morley (sous la direction de), *Search Conference on the Education of Children and Youth Who Are Mentally Retarded, Alliston, Ontario, January 10-12, 1985* (en coédition avec la Faculté des études de l'environnement, Université York, Toronto).

Ronald Sabourin, *Les « Parlant français » à Toronto : rapport sur un sondage effectué dans le Grand Toronto, 1983-1985* (en coédition avec le Centre francophone de Toronto).

ÉDITIONS LES ÉPERONNIERS

Extrait du catalogue

Collection Sciences pour l'homme

A. Ducret, N. Heinich et D. Vander Gucht (sous la direction de), *La Mise en scène de l'art contemporain* (actes du colloque de Bruxelles, 27-28 octobre 1989).

Adam Schaff, *Les Nouveaux Chemins : les effets sociaux de la nouvelle révolution industrielle.*

Franco Ferrarotti, *Le Paradoxe du sacré,* adapté de l'italien sous la supervision de Claude Javeau.

Daniel Vander Gucht (sous la direction de), *Art et Société* (en coédition avec les Séminaires de sociologie de l'Université libre de Bruxelles).

Claude Javeau, *Mourir.*

Collection Feux

Werner Lambersy, *L'Arche et la Cloche* (prix belgo-canadien de la Communauté française de Belgique ; prix Maurice Carême).

Philippe Lekeuche, *Si je vis* (prix Pollak de l'Académie).

Karel Logist, *Le Séismographe* (prix Georges Lockem de l'Académie ; prix de la Ville de La Chaux-de-Fonds [Suisse]).

Collection Maintenant ou Jamais

Paul Émond, *Tête à tête,* roman.

Jean-Claude Bologne, *La Faute des femmes,* roman (prix Victor Rossel 1989).

André Beem, *Snuul,* scherzo.

• À paraître :

Pepetela, *Yaka,* roman angolais, traduit du portugais par Artur Da Costa et Carmelo Virone.

Werner Lambersy, *Architecture Nuit*, II, *Cantus obscurior* (en coédition avec le Théâtre Vesper).

Werner Lambersy, *Architecture Nuit*, III, *Poèmes inespérés* (en coédition avec le Théâtre Vesper).

• À paraître :

Liliane Wouters, *Les Belles Heures de Flandre*, suivi de *Un autre Moyen Âge. Sorcières ou saintes : ses béguines.*

Fonds des Éditions Jacques Antoine

Collection Passé Présent

Franz Hellens, *Contes et Nouvelles ou Les Souvenirs de Frédéric.*

Camille Lemonnier, *Un mâle.*

Marie Gevers, *Plaisir des météores ou Le Livre des douze mois.*

Odilon-Jean Périer, *Le Passage des anges*, préface d'André Gascht.

Suzanne Lilar, *La Confession anonyme.*

Stanislas D'Otremont, *Thomas Quercy*, préface de Jacques Carion.

Max Elskamp, *Chansons et Enluminures*, préface de Liliane Wouters.

Constant Malva, *Le Jambot*, préface de Louis Scutenaire.

Émile Verhaeren, *Il fait dimanche sur la mer*, choix de poèmes établi et présenté par Marie Gevers.

Constant Burniaux, *La Bêtise*, suivi de *Crânes tondus* et *L'Aquarium*, préface de Jacques-Gérard Linze.

Marcel Moreau, *Julie ou la Dissolution*, préface de Roland Topor.

Georges Rodenbach, *Le Carillonneur*, préface de Werner Lambersy.

David Scheinert, *L'Apprentissage inutile*, préface d'Alain Bosquet.

Hubert Nyssen, *Le Nom de l'arbre*, préface de Jean-Claude Pirotte.

Michel de Ghelderode, *Voyage autour de ma Flandre tel que le fit aux anciens jours Messer Kwiebe-Kwiebus philosophe des dunes*, préface de Pierre Debauche.

Paul Émond, *Paysage avec homme nu dans la neige*, tableaux, suivi de *Le Théâtre et le Froid*, préface de Frans De Haes.

Maurice Maeterlinck, *L'Ornement des noces spirituelles de Ruysbroek l'Admirable*, traduction et introduction par Maurice Maeterlink, préface de Jacques Brosse, postface et notices bio-bibliographiques de Luc Versluys.

Cet ouvrage, qui porte le numéro un
de la collection « Theoria »,
est publié aux Éditions du GREF
à Toronto (Ontario), Canada,
en coédition avec
les Éditions Les Éperonniers
à Bruxelles, Belgique.
Composé en caractère Garamond corps 11,
il a été achevé d'imprimer
sur papier sans acide Rolland Offset
le onze novembre mil neuf cent quatre-vingt-dix
sur les presses de l'imprimerie Cook
à Etobicoke (Ontario),
pour le compte des Éditions du GREF
et des Éditions Les Éperonniers.